이흰

윤슬 님과 함께 행복하게 쓴 글이
여러분께도 즐거운 글이 되었으면 합니다.

IN. MORS SOLA
blog https://blog.naver.com/leehuin5
mail leehuin5@naver.com

〈맹수에게 잡아먹혔다〉 출간작
〈악당의 미학〉
〈황제의 멍멍이〉
〈베이비 폭군〉
〈악당 가족이 독립을 반대한다〉

황태자의
약혼녀

황태자의
약혼녀

The Crown prince's Fiancee

윤슬·이흰 장편소설

2

The Crown prince's Fiancee

The Crown prince's Fiancee

Chapter 12. 계약과 관계의 갱신

Chapter 12. 계약과 관계의 갱신

"갱신이요?"

영문 모를 소리에 내가 조심스럽게 반문하니 아드리안 황태자가 고개를 끄덕였다.

"네 목숨은 살려 줄게. 단, 네가 어디에다가도 이 비밀을 누설하지 않는다는 조건으로."

"자신 있어요!"

내가 두 손을 불끈 쥐고 고개를 끄덕이자 황태자가 쓰게 웃었다.

"그리고 조건을 갱신해서 계약을 연장했으면 하는데."

"연장이라면……?"

내가 가만히 아드리안 황태자를 바라보니 그가 헛기침을 한 번 했다.

"그러니까 마리에가 이미 네 맨얼굴을 보아 버리고 말았잖

아. 이건 아주 큰 문제다. 이 건에 대해서는 네 책임도 있는 부분이니 무책임하게 수습도 하지 않고 떠나지는 않겠지?"

"아."

"그리고 에센이 자긴 죽어도 여장하기 싫다고 하더군."

"에센 님이요?"

조금 억지스럽다고 생각되었지만 아드리안 황태자의 말에도 일리가 있었다.

이미 내가 얼굴을 내보인 이상 에센이 다시 아티엔느가 되는 것도 힘드니까.

"솔직하게 말하지. 에센이 자꾸 도망치면 언젠가는 내막을 들키고 말 거다. 그러면 상황이 안 좋다는 말로는 끝날 수 없어. 게다가 넌, 제법 약혼녀로서 잘해 줬으니까……."

살다 보니 아드리안 황태자 입에서 나를 칭찬하는 말이 나오는 날도 있구나.

놀라서 굳은 나를 어색하게 바라보며 황태자가 헛기침을 했다.

"이제 와 다른 적임자를 찾느니 네게 계속 해 달라고 부탁하는 게 내 입장에서도 낫다는 말이야. 사례는 충분히 하도록 하지."

"그럼…… 어떻게 갱신을?"

"황제가 될 때까지만 내 약혼녀 행세를 해 줘."

아드리안 황태자가 선언했다.

"끝나면 작위와 금은보화를 주지."

분명 내 목숨을 보전하기 위한 일이었는데 어쩌다가 이

렇게 된 걸까?

믿겨지지 않는 현실에 그저 눈을 깜빡이니 테르니가 귓속말로 속삭였다.

"아티, 3년만 참아."

3년? 3년이면 아드리안 황태자가 황제가 되는 걸까?

황태자는 이런 상황이 낯선 건지 아니면 내게 부탁하는 게 힘든 것인지 연신 불편한 기색으로 주변을 살폈다.

'다른 건 뭐가 어떻게 되어도 좋아.'

그런 건 상관이 없었다.

'저 사람 곁에 조금이라도 더 있을 수 있다면…….'

아티엔느를 그만두면 분명 다른 신분으로 살아가야 했다.

얼굴이 밝혀진 이상 당연히 황궁에서 계속 시녀 일을 할 수는 없겠지.

그러면 황궁 밖으로 나가 살아야 할 터였다.

아티엔느로서 지낸 동안 자주 보고 지내서 잊고 있었지만 아드리안 황태자는 내게 너무 먼 존재였다.

아티엔느를 그만두면 신년제 행사 때에나 멀찍이서 볼 수 있는 귀한 몸.

"할게요."

부디 이 순간 내가 작위나 금은보화가 탐나서 수락하는 것처럼 보이길 바랐다.

"최선을 다할게요."

그래야 비참하지 않을 것 같으니까.

"꺄! 아티! 넌 최고야!"

덜덜 떨리는 몸을 얼싸안고 테르니가 난동을 부렸다.

평소라면 왜 이럴까 싶을 정도로 의아할 주접도 지금은 그저 감사하기만 했다.

간신히 웃을 수 있는 나를 다시 한번 테르니가 끌어안았다.

내가 가지 않아 좋아해 주는 사람이 하나 정도는 있구나 싶은 마음에.

시야를 가리는 테르니 너머로 황태자가 안도의 한숨을 내쉬고 있는 것도 모른 채.

✦ ♛ ✦

방에 돌아오자마자 쌌던 짐 가방을 발견하고 기분이 묘해졌다.

"전부 이것 때문에 벌어진 일이라니."

나는 그저 욕심부리지 않고 내 주제에 맞게 살려고 했을 뿐인데, 목숨을 구한 것도 모자라 엄청난 제안까지 받아 버렸다.

"이거 다 꿈은 아니겠지?"

아닌 것 같은데 과하게 현실감이 들지 않는다.

"앞으로 3년……."

테르니가 말한 기간이었다.

아드리안 황태자가 구체적으로 제시한 기간은 '황제가 되기까지'였지만 그런 모호한 조건보다 와닿는 기간이다.

"좀 이상한 사람이긴 하지만 실속이 없진 않으니까."

분명히 3년이면 결론이 날 거라고 생각하는 거겠지.

"그럼 이건 이대로 놔둘까."

언젠가 돌아가긴 해야 하니까. 아마도 테르니가 헤집어 놨을 법한 가방을 다시 정리해서 침대 밑에 잘 넣어 놓았다.

그러던 중, 무언가가 가방에서 나와 바닥으로 떨어졌다.

"아, 이건……."

기회가 되면 돌려주려고 했던 미카엘의 손수건이었다. 언제 만나게 될지 알 수 없어서 잘 챙겨 놓았는데.

"돌려줘야 할 텐데."

세탁해서 잘 간직해 뒀던 손수건을 주워 들어 먼지를 털고 잠깐 고민했다.

그리고 바로 일어나 방을 나섰다.

정원에 가기 위해서!

✦ ♔ ✦

"미카엘 님!"

미카엘은 업무 사이 빈 공백에 산책이나 할까 하고 나왔다가 자신을 부르는 목소리에 몸을 돌렸다.

아티는 혹시나 해서 와 봤는데 얼마나 대단한 우연인지 정원에 있는 미카엘을 발견하고 기뻐서 달려왔다.

"오랜만에 뵙는군요, 라라."

"오랜만이에요, 미카엘 님."

인사를 끝낸 미카엘이 과하게 자신을 반가워하는 아티를

보고 의문을 표했다.

"그런데 어째서 그렇게 뛰어오신 겁니까?"

"미카엘 님을 놓치게 될까 봐요!"

"저를요?"

미카엘이 놀란 기색을 내비치자 아티가 생긋 웃으며 품 안에서 곱게 접은 손수건을 꺼냈다.

"드디어 돌려 드릴 수 있게 되었네요."

"아."

다른 생각을 한 탓일까, 미카엘이 자신의 착각을 깨닫고 표정을 바꿨다.

묘하게 실망한 기색을 서둘러 감춘 덕에 아티는 그가 일순 보인 표정을 알아채지 못했다.

"돌려주셔서 감사합니다."

"저야말로 감사드립니다."

아티가 공손하게 인사하자 미카엘은 그냥 웃었다.

"오늘은 기분 좋아 보이시네요."

"그렇게 보여요? 어떻게 아셨지? 많이 티 났나?"

"정말 기분 좋은 일이 있으신 모양이군요."

"네!"

아티가 수줍게 웃었다.

"……라라. 정말 괜찮은 겁니까?"

"네! 정말 괜찮아요."

소녀 같은 미소에 미카엘도 자연스럽게 함께 웃었다.

다른 때라면 그냥 이러고 넘어갔을 텐데 정말 좋은 일이라 아티는 수다를 떨고 싶어서 입이 근질근질했다.

"저기, 미카엘 님. 저한테 좋은 일이 생겼어요. 한번 들어 주실래요?"

"얼마든지 들어 드리겠습니다."

아티에게 좋은 일이 생겼다고 하니 미카엘도 제 일처럼 기뻤다.

타인에게 좋은 일이 생긴 걸 이렇게 기뻐해 본 감정이 얼마 만에 드는 건지 저 자신도 낯설 정도였다.

"예전에 저한테 단검을 보낸 사람, 기억하세요?"

"예. 기억합니다."

"사실 그 사람한테 지속적으로 목숨의 위협을 받고 있었는데 이제 더 이상 제 목숨이 위태로울 일이 없어졌어요!"

"그렇군요."

바로 이해 가지 않는 이야기였지만 미카엘은 아티가 민망하지 않게 고개를 끄덕여 주었다.

아티의 뺨이 발그레해졌다. 사랑에 빠진 소녀 같은 모습이 보기 좋아서 미카엘은 저도 모르게 미소 지었다.

'황궁에서는 볼 수 없는 종류의 사람.'

처음엔 그게 의아했지만 이젠 그저 아티의 이런 모습을 지켜 주고 싶을 뿐이었다.

"그리고 원래는 이 황궁을 떠나야 할지도 몰랐는데, 잘 해결이 되어서 그 사람 곁에 더 있을 수 있어요."

"네? 아까는 목숨의 위협을 받았다고……."

아티가 말갛게 웃었다.

"사실 제가 스스로 불러온 재앙이어서."

"예?"

"아, 제 잘못도 있다고요."

묘하게 '그 사람'을 옹호하는 듯한 아티를 보며 미카엘은 위화감을 느꼈다.

왜 자신의 목숨을 위협하는 사람을 감싸는 거지?

자기를 죽이려고 한 사람이라고 말하면서 어째서 그런 눈빛을 하는 거지? 처음 느껴 보는 종류의 감정.

"그렇군요."

미카엘이 씁쓸하게 웃었다.

"네!"

아티가 밝게 웃었다. 그녀가 웃고 있으니까 그거면 된 게 아닐까 싶었지만 미카엘은 좀처럼 이 상황이 말끔하게 느껴지지 않았다.

무언가가 거슬리냐고 묻는다면 제대로 답할 수는 없겠지만 어쨌든 미카엘은 이게 정말로 좋은 일인지는 의심스러웠다.

"제 이야기 들어 주셔서 감사해요! 정말 좋은 일이라서 자랑하고 싶었는데 좀처럼 자랑할 사람이 없었거든요!"

"아닙니다. 도움이 되었다니 기쁩니다."

아티는 감격했다.

"미카엘 님은 정말 천사세요!"

어쩌면 이렇게 상냥한 미남이 존재할 수 있을까?

아티는 진심으로 미카엘이야말로 이 황궁의 한 줄기 빛

이라고 생각했다.

"또 자랑할 것이 생기시면 제게 자랑해 주십시오. 얼마든지 들어 드리겠습니다."

"네! 당연하죠! 미카엘 님도 좋은 일 생기면 제게 말씀해 주세요!"

"생기면 그러겠습니다."

"꼭이에요!"

"네."

과연 그날이 언제가 될지 모르겠지만, 좀처럼 자신의 일을 말하는 걸 즐기지 않는 미카엘조차도 아티에게라면 괜찮지 않을까 하는 생각이 잠시 들었다.

"그날이 오는 것이 기대되는군요."

✦ ♛ ✦

"황후 폐하께서 오찬을 함께하는 것이 어떠냐고 여쭤셨습니다."

그레이스 궁 소속인 황후 측 시종 앨버트가 아침이 지난 오후에 나를 찾아왔다.

"어떻게 하시겠습니까?"

분명 어떻게 하겠느냐고 묻고 있었지만 어차피 처음부터 답은 정해진 문제였다.

마담 루시를 돌아보니 그녀가 빙그레 웃었다. 이제 저 미소만 봐도 무슨 말을 하려는지 알 수 있었다.

"폐하께 오찬에 초대해 주셔서 감사하다고 전해 주세요. 시간 맞춰 방문하도록 하겠습니다."

"예, 알겠습니다."

시종이 물러나자마자 마담 루시와 눈이 마주쳤다. 마담 루시가 박수를 치며 웃었다.

"오호호홋, 아티 님. 이제 제법 익숙해지셨네요. 태가 나기 시작했어요."

"정말 괜찮았어요?"

"네! 앞으로 계속 이렇게만 하세요. 아주 잘하고 있어요!"

마담 루시의 칭찬에 일단 긴장을 풀었다. 잘한다고 칭찬을 들었는데도 어째 마음이 놓이지 않는다.

"그런데 황후 폐하께서 왜 갑자기 저를 부르신 걸까요?"

"글쎄요."

"나쁜 일은 아니겠죠?"

"그럴 리가요!"

마담 루시가 단호하게 고개를 가로저었다.

"황후 폐하께서는 아티 님을 무척이나 마음에 들어 하신답니다. 저번에도 친히 하사품을 내리셨잖아요. 무척이나 아끼고 있어요."

"그렇다면 다행이지만……."

도무지 안심할 수 없는 것은 어째서일까.

"자, 그럼 지금부터 오찬 준비를 하도록 하죠!"

"오찬 준비…… 를 할 게 있어요?"

"당연히 있죠."

무슨 소리냐는 듯 마담 루시가 엄한 표정을 지었다.

"황후 폐하의 마음에 아주 쏙 들게 예쁜 드레스를 입으셔야 해요!"

아, 그거.

"아르칸젤로의 축복이 함께하시길."

"그대에게도 아르칸젤로의 축복이 함께하길."

인사가 끝나고 루드밀라 황후가 나를 보며 부드럽게 미소 지었다.

"새아가, 그동안 잘 지냈니?"

"네. 폐하께서도 강녕하신가요?"

"나야 늘 잘 지내지. 저번 파티 이후에 자주 보질 못해서 아주 서운했단다."

슬픈 표정을 짓는 황후를 보며 속이 뜨끔했다.

"진즉 제가 먼저 찾아뵈었어야 했는데 제 불찰입니다."

"어머나. 혼내려고 한 말은 아니었는데. 호호."

옅게 미소 짓고 있지만 황족은 알다가도 모를 일이었다. 나는 최대한 조심스럽게 웃었다.

"자, 어서 이쪽으로 오렴. 여기에 앉아. 사실 내가 오늘 새아가를 부른 건 오찬을 즐기기 전에 새아가에게 친히 할 말이 있어서란다."

"하실 말씀이요?"

도대체 무슨 말일까?

'설마 들킨 걸까?'

아닐 거라고 믿고 싶지만 혹시 또 모르는 일이었다.

긴장으로 잔뜩 굳은 채로 자리에 앉으니 황후가 시녀에게 눈짓했다.

안쪽으로 들어간 시녀는 곧 다시 나왔다. 나는 시녀의 손에 들린 것을 보고 놀랐다.

벨벳 쿠션 위에 얹힌 화려한 목걸이.

"이건……."

목걸이의 화려함에 기가 질려 말을 못 하고 있으니 황후가 우아하게 웃었다.

"알아보는 거니? 맞아, '엘레나의 목걸이'란다."

"엘레나의 목걸이라면……."

"이 황성만큼의 가치를 갖고 있는 제국의 보물이지."

수십 개의 다이아몬드를 백금으로 엮어 만든 섬세하고 아름다운 목걸이는 첫눈에도 보는 사람의 눈을 사로잡는 매력이 있었다.

특히 끝에 달린 손가락 두 마디만 한 금빛의 보석이 인상적이었다.

저것이 바로 '드래곤의 눈동자'라고 불리는 보석.

"아펜니노의 건국왕이 초대 황후 엘레나에게 선물한 전설의 목걸이. 대대로 황후만 물려받는 황실의 보물이란다."

"그렇군요."

절로 고개가 끄덕여졌다. 들어 보긴 했지만 이렇게 실제로 보는 건 처음이었다.

정말 예쁘다. 황족들이 소장하고 있는 금은보화야 썩을 정도로 넘쳐나지만 이 목걸이는 달랐다.

연신 감탄하는 나를 보며 루드밀라 황후가 옅은 미소를 지었다.

"이걸 새아가에게 주마."

"네. 감사합니다."

"……."

"……네?"

내가 지금 뭘 들은 거지? 빠르게 두 눈을 깜빡이니 루드밀라 황후가 옅게 웃었다.

"호호호."

"아뇨, 폐하. 이건 너무 제게 과분한 물건이에요. 받을 수 없어요."

"이미 수락해 놓고 받을 수 없다니, 한 입으로 두 말을 하는 건가?"

"그건 무심코 나온 답이었어요. 폐하, 부디 용서해 주세요."

"호호. 내가 용서할 것이 무엇이 있지?"

루드밀라 황후가 손짓하니 시녀가 엘레나의 목걸이를 벨벳 케이스에 잘 넣어서 내 앞에 놓았다.

"이제 이건 새아가의 것이야."

"하지만, 폐하……."

루드밀라 황후가 내 손을 붙잡았다. 부드럽고 따뜻한 손에 흠칫 놀라 몸을 굳혔다.

"너무 긴장할 것 없단다. 엘레나의 목걸이는 대대로 황후의 목에 걸리는 목걸이. 다음 대의 황후가 될 새아가에게 주는 것은 당연한 일이니까."

"하지만, 폐하. 저는 자격이 없어요……."

3년 정도 자리를 지킬 뿐인 약혼녀였다. 그런 내가 이런 귀한 것을 덜컥 받아 버려도 되는 것일까?

두려움이 엄습했다. 내 눈동자에 깃든 두려움을 어떻게 해석한 것인지 루드밀라 황후가 나를 토닥여 주었다.

"나도 처음 황태후께 이걸 물려받았을 때 그렇게 말을 했었지."

루드밀라 황후가 옅은 미소를 보였다.

"이런 귀한 것을 물려받을 자격이 없다고 하는 내게 황태후께서는 이렇게 말씀하셨단다. '이 목걸이에 어울리는 사람이 되기 위해 노력하면 된다'고."

그리운 눈빛으로 루드밀라 황후가 다정하게 나를 내려다보았다.

"지금 새아가에게도 같은 말을 해 주고 싶구나."

"그렇지만……."

무어라 말이 나오지 않았다. 결국 말을 하지 못하는 내 손을 꼭 붙잡고 루드밀라 황후가 웃어 주었다.

"처음에는 솔직히 걱정을 많이 했단다. 아드리안이 갑자기 데리고 온 레이디이기도 했고, 오비에도에서도 숨겨진 채 자라났다는 것이 못내 마음에 걸렸거든."

"아……."

언젠가 테르니에게 들었던 '아티엔느'의 설정을 떠올리고 어색하게 미소 지었다.

"황궁 생활은 쉽지 않단다. 얼마나 다양한 사건이 쉼 없이 일어나는 곳이니? 몸도 약하고 제대로 사교 활동도 해보지 못한 레이디가 얼마나 황궁 생활을 잘할 수 있을지 걱정스러웠는데, 이제 보니 내 걱정이 그저 기우였다는 것을 깨달았단다."

황후의 말에 쉽게 무슨 말을 할 수가 없었다. 어색하게 웃고 있으니 황후가 내 손을 꽉 잡았다.

"아가, 너라면 믿고 줄 수 있을 것 같구나."

미래의 황후감으로 인정받은 것 이상으로 기분이 이상했다.

그동안 살고 싶다는 일념과 아드리안 황태자 옆에 있고 싶다는 이기심으로 젖혀 놓았던 죄책감이 스멀스멀 기어 올라왔다.

'이유가 무엇이건 나는 이 사람을 속이고 있어.'

이렇게 나를 믿고 좋아해 주는 사람을 속이고 있었다.

"우리 아드리안과 아펜니노를 잘 부탁한다."

코끝이 찡해졌다. 이렇게까지 누군가에게 기대받았던 적이 내 인생에 있었던가?

'진짜 아티엔느가 나였으면 얼마나 좋았을까.'

거짓으로 점철된 자신에게 보내는 황후의 신뢰가 그저 버겁고 무거웠다.

'3년……'

마음이 불편하지만 이미 벌어진 일을 없던 걸로 하기에

는 모든 것이 늦었다.

　'앞으로 3년간 잘 해내면 이 죄책감을 조금이라도 덜 수 있지 않을까?'

　그저 이렇게 속죄할 뿐.

　"이 목걸이를 걸고 건국제 파티에 참석하실 건가요?"

　마담 루시가 엘레나의 목걸이를 가리키며 아티에게 물었다.

　가녀린 목에 무척이나 잘 어울릴 것 같아서 탐을 내고 있는데, 아티가 못 들을 것을 들었다는 듯 기겁했다.

　"이런 귀한 걸 어떻게 목에 걸어요!"

　"호호, 무슨 소리를 하시는 거람. 목걸이는 사람 목에 걸라고 만들어졌어요."

　"그래도……."

　아티가 조심스럽게 고개를 가로젓자 마담 루시가 옅게 웃었다.

　저 작고 귀여운 동물 같은 아가씨가 무슨 생각을 하는지 너무나 잘 알 것 같아서였다.

　"부담스러우신 모양이군요."

　"네. 저 다이아 한 알이라도 잃어버리면 어떡해요?"

　마담 루시가 호호 웃었다.

　"어떡하긴요. 당연히 황실에서 비슷한 다이아를 찾아 보수하겠죠. 그리고 애초에 잃어버릴 일이 없어요."

"네?"

비슷한 다이아를 찾아 보수한다는 소리에 해쓱해져 있던 아티가 돌연 고개를 갸웃했다.

마담 루시가 음흉한 미소를 지으며 엘레나의 목걸이를 쓰다듬었다.

"이 목걸이엔 건국왕의 마법이 걸려 있으니까요!"

"마법……."

"절대 망가지거나 깨지지 않는다고 해요."

아티는 처음 들어 보는 소리였다. 그런 마법도 있구나.

하긴 아펜니노의 초대 황제는 드래곤의 영혼을 가진 인간이었다.

인간보다는 드래곤에 가까운 존재였다고 하니 마법에 능통한 건 당연했으리라.

"그러니까 걱정하지 말고 목에 거세요! 오호호홋!"

"……아니요, 아직은 아닌 것 같아요."

분위기에 휩쓸리지 않으려고 케이스를 닫고 고개를 가로저으니 마담 루시가 아쉬워하며 입맛을 다셨다.

잘 가지고 있다가 3년 후에 돌려 드리고 떠나면 되겠지. 마음이 착잡했다.

"제가 이 목걸이를 할 수 있는 자격이 있는지 모르겠어요."

"당연히 자격이 있지요."

"그렇지만……."

"뭐, 아티 님의 의견이 그렇다면야."

마담 루시가 빙그레 웃었다.

"하지만 걱정할 것은 없어요. 아티 님은 잘하고 계시고 있고 앞으로도 잘하실 테니까요."

"그리고 보니 마담 루시가 저를 부르는 칭호가 달라진 것 같아요."

크게 신경 쓰지는 않았지만 황태자와 계약을 갱신한 뒤로부터 아티는 마담 루시가 자신을 부르는 칭호가 달라졌다는 사실을 알아챘다.

"오호호홋. 예비 황태자비 전하를 아티 양이라고 부르는 것은 예법에 맞지 않으니까요."

얼핏 들으면 맞는 말이었지만, 아티에게는 비밀을 알고 있는 마담 루시가 이런 말을 한다는 것 자체가 생소하게 느껴졌다.

"그동안은 계속 아티 양이라고 부르셨잖아요."

"어머나. 제 잘못을 질책하시는 건가요?"

"아니, 그런 건 아니에요. 단지 갑자기 그러시니까 낯설어서요."

아티가 조심스럽게 말문을 여니 마담 루시가 특유의 웃음소리로 분위기를 바꿔 놓았다.

"그러니까, 이건. 제 나름대로의 성의라고 해야 할까요?"

"네?"

마담 루시가 의미심장한 미소를 지었다.

"이제 아티 님을 제 주인으로 인정한다는 의미예요."

"인정…… 이요?"

"예. 앞으로도 계속 모시게 될 테니까요."

마담 루시의 단언에 아티가 미간을 좁혔다. 이것은 대체 무슨 의미일까?

아티의 의문을 아는 것인지 마담 루시가 빙그레 웃었다.

"후후. 에셴 경이 결코 적지 않은 시간을 예비 황태자비로 계셨는데 황후 폐하께선 아티 님께 이 '엘레나의 목걸이'를 주셨어요. 어째서라고 생각하시죠?"

"그건, 어차피 에셴 경이나 저나 똑같은 아티엔느니까……."

마담 루시가 고개를 내저었다.

"아니요. 황후 폐하께서는 정확히 지금의 아티 님께 하사하신 거랍니다. 에셴 경이 아닌 아티 님을 바로 미래의 황후라고 인정하신 거나 마찬가지시죠."

단순히 하사한 게 아니라고는 생각했지만 이렇게 확인 사살을 당하니 아티의 마음이 무거워졌다.

"저 역시 아티 님께서 미래의 황후 폐하가 되실 거라고 생각해요."

"네?!"

마담 루시의 폭탄 발언에 아티가 두 눈을 동그랗게 떴다.

"오호호홋. 뭘 그리 놀라시나요? 황태자비가 황후가 되는 건 당연한 거 아니겠어요?"

"하지만, 마담 루시는 다 알잖아요……."

비밀을 아는 사람이 이런 말을 하다니, 아티는 믿을 수 없었다.

"네. 다 알기 때문에 말씀드리는 거예요. 제 주인이 바뀔 일은 앞으로도 없을 것 같아서 말이죠."

대체 마담 루시는 무엇을 보고 이런 말을 하는 거람? 아티는 도무지 마담 루시를 이해할 수 없었다.

아티의 머리카락을 다시 손질하며 마담 루시가 경쾌한 목소리로 말을 이었다.

"사실 이 황궁 안에서 저는 아주 특수한 위치에 있어요. 황후 폐하와 깊은 인연이 있고 황태자의 유모이기 때문에 비공식적으로 준황족의 대우를 받고 있죠."

얼핏 들은 기억이 있었다.

황족의 유모는 공식적으로 대우를 받는 위치이기도 했지만, 비공식적으로도 황족의 또 다른 어머니처럼 예우받고 있다고 했다.

그래서 황족의 유모가 되고 싶어 하는 귀족은 언제나 넘쳐났다.

"황태자의 유모로서 황실의 예우를 받고 지내기만 하면 아무 문제가 없을 텐데, 제가 구태여 황태자비의 수석 시녀가 된 것은 아드리안 황태자 전하의 도움 요청 때문이었어요."

"아."

군이 마담 루시가 무어라 더 말을 얻지 않아도 아티는 이해했다.

아마도 에센을 '아티엔느'로 둔갑시켜 가짜 황태자비로 만들려면 신경 써야 할 것이 많으니까.

"오호호홋. 물론 아주 재미있어 보여서 승낙했지요! 그 대신이랄지 꾸미는 건 다 제 마음대로라서 무척이나 마음에 들어요."

"언제나 감사하다고 생각해요."

아티는 이 자리를 틈타 자신의 진심을 전했다. 아티의 머리를 손질하던 마담 루시의 손이 잠깐 멈칫했다.

"어쨌든 그 탓에 아티 님께서 처음 오셨을 때는 가볍게 하대를 하고 말았답니다. 부디 제 그간의 무례를 용서해 주시길."

"아니에요. 오히려 제가 부족한 게 많아 폐를 끼쳤습니다."

마담 루시의 미소가 진해졌다.

"아티 님의 이런 점이 좋아요."

아티는 난감해졌다. 그렇게 말해도 막상 자신은 잘 모르는 법이니까.

아티가 쑥스러워 고개를 숙이자 마담 루시가 두 눈을 반짝이며 티아라를 꺼냈다.

"자, 비록 엘레나의 목걸이는 걸지 못했지만 오늘 머리엔 이걸 올리셔야 해요!"

"그건……."

예비 황태자비 신분을 나타내는 티아라였다.

"잘 어울리시네요."

마담 루시는 자신이 꾸며 놓은 아티를 아주 만족스럽게 바라보았다. 이렇게 꾸미는 재미가 있는 사람도 드물 것이다.

아티는 자신의 머리에 쓴 티아라가 신경 쓰이는지 표정이 굳어 있었다.

마담 루시가 아티를 가볍게 격려해 주었다.

"걱정 마세요! 오늘 주인공은 아티 님이 될 테니까요! 오호호호홋!"

"그런 걱정은 안 했는데……."

티아라는 무게가 거의 느껴지지 않았지만 그 의미가 주는 중압감은 실로 엄청났다.

'잘해야 돼.'

황후와 마담 루시의 인정을 받은 것은 기뻤으나, 역시나 마음이 무거웠다.

이 계약은 처음부터 끝이 정해져 있었으니까.

✦ ♛ ✦

마담 루시가 머리 위에 얹어 준 티아라가 연신 신경이 쓰였다.

"표정이 안 좋은데, 괜찮나?"

아드리안의 말에 아티가 고개를 들었다.

"아니에요. 괜찮아요."

"……."

가까워진 아드리안을 의식하며 얼굴이 확 붉어진 아티가 서둘러 고개를 가로저었다.

아드리안은 묘하게 자신을 피하는 듯한 아티의 태도가 마음에 들지 않았다.

"어디 아픈 건가?"

"아니요. 정말 괜찮아요."

"아픈 거라면 말해. 네 몸 상태에 관해 아는 것도 나한테 중요한 일이니까."

아드리안의 말에 아티가 입을 다물었다.

'약혼녀라서 이러시는 건가?'

가슴이 욱신거렸다. 애써 마음을 다잡으며 아티가 고개를 가로저었다.

"정말 괜찮아요."

옅은 미소를 짓는 아티를 지그시 바라보며 아드리안은 곱게 미간을 좁혔다.

그는 연신 괜찮다는 아티가 마음에 들지 않았다.

어떻게 전혀 괜찮아 보이지 않는 얼굴을 하고 괜찮다는 말을 할 수 있는 거지?

'마음에 안 드는군.'

계약 연장으로 아티를 붙잡아 놓는 데는 성공했지만, 아드리안은 진정으로 아티를 붙잡은 기분이 들지 않았다.

조금만 시선이 떨어지면 언제 어떻게 도망칠까 궁리하는 것처럼 보여서 그것이 못내 마음에 걸렸다.

'어떻게 시간은 벌었으니까……'

차분하게 앞을 응시하는 아티를 보면서 아드리안은 오늘따라 아티의 얼굴을 가리고 있는 반투명한 면사가 거슬렸다.

'이제 얼굴은 안 가려도 될 텐데, 왜 아직도 가리는 거지?'

모르는 것인지 아니면 일부러 저러는 것인지 궁금했지만, 아드리안은 쉬이 이유를 물어볼 수 없었다. 자존심이 상하니까.

아드리안이 흘긋 1층을 내려다보았다. 댄스 플로어엔 벌써 춤을 추는 사람들로 가득 찼다.

자신도 아티를 데리고 내려갈까 고민하고 있을 때였다.

"언니!"

"아카시아!"

디아노와 아카시아가 아드리안이 있는 곳으로 올라왔다.

아드리안은 아카시아와 행복한 재회를 하는 아티를 지켜보다가 디아노에게로 시선을 돌렸다.

"아래층은?"

"예상대로 가득합니다."

주어가 빠져 있었지만 아드리안은 누가 가득한지 단번에 알아들었다.

자신이 싫어하는 인간들이 가득하다는 거겠지.

"테르니는?"

"더 먹고 오겠답니다."

"뭘 먹는데?"

"뭔가를 잔뜩 먹고 있더라고요."

아드리안의 시선이 다시 아티를 향했다.

아까까지만 해도 차분하던 아티는 아카시아를 만나 활짝 핀 꽃처럼 환하게 웃고 있었다.

"언니! 바깥에서 축제하는데 언니는 축제 가 본 적 있어요?"

"그러고 보니 종종 멀리서 보기는 했는데 가 본 적은 없네."

사실 가 본 적이 있지만, 아티엔느의 설정상 가 보지 않았다고 하는 게 맞았다.

"와아~ 아카시아도 축제 가 보고 싶어요!"

"그래? 오빠들에게 데려가 달라고 하면 되지 않을까?"

"아니요! 아티 언니랑 같이 가고 싶어요!"

"나도 마음은 같이 가고 싶은데……."

아티가 머뭇거리면서 아드리안의 눈치를 보았다.

아드리안은 뻔히 그 몸짓이 무슨 의미인지 알고 있었지만 모르는 척했다.

"다음에 기회가 되면 같이 가자."

"힝. 지금 가고 싶은데."

"미안, 아카시아. 언젠간 꼭 같이 갈 수 있을 거야!"

아카시아가 칭얼거리자 디아노가 동생을 말렸다.

"아카시아. 레이디 오비에도를 곤란하게 만들면 안 된다."

디아노의 말에 아카시아가 슬픈 표정으로 고개를 끄덕였다. 아티는 진심으로 마음이 아팠다.

'아카시아, 3년만 참아! 3년 후엔 자유니까!'

아티는 아드리안이 들었으면 '과연?'이라고 답했을 생각을 하며 디아노와 함께 아카시아를 달랬다.

"이쯤 있었으면 얼추 됐겠지."

건국제 파티는 시간이 갈수록 무르익었으나 아드리안은 끝까지 자리를 지킬 생각이 없었다.

"디아노."

"예?"

"이 뒤는 너에게 맡긴다."

디아노는 무척이나 불길한 예감을 느꼈다.

"돌아가시는 겁니까?"

"아니."

아드리안의 시선이 아티를 향하고 있었다.

디아노는 뛰어난 충성심으로 아드리안의 눈빛만 보고 주군이 무엇을 하려고 하는지 짐작했다.

디아노는 가장 상대하기 힘든 사람에 관해 질문했다.

"테르니한텐 뭐라고 할까요?"

"대충 둘러대."

"넵."

아드리안은 여전히 아카시아와 이야기꽃을 피우고 있는 아티의 곁으로 다가갔다.

그리고 아티의 손을 잡고 자신의 쪽으로 끌어당겼다. 작은 몸이 품 안에 안겼다.

아티가 놀라서 굳은 것도 모른 채, 아드리안은 아카시아에게 말했다.

"아카시아. 미안하지만 아티는 내가 데려가마."

"어딜 데려가는 건데요?"

아카시아가 두 눈을 동그랗게 뜨며 물었다. 아드리안이 옅은 미소를 지으며 자그맣게 답했다.

"비밀."

그렇게 말하는 아드리안의 눈동자가 장난기로 반짝였다.

◆ ♛ ◆

건국제 기념 파티 중간, 아직 파티의 분위기는 무르익고 있었으나 아티와 아드리안은 플로렌스 궁을 빠져나왔다.

아티는 늘 그렇듯 아드리안이 금세 파티에 싫증이 나서 빠져나왔다고 생각했다.

"그럼 전 이만 릴리 궁으로 돌아가 보겠습니다."

"어딜 가."

공손하게 사라지려는 아티를 붙잡고 다시 제 앞으로 끌어다 놓은 아드리안이 불퉁한 표정을 지었다. 아티는 고개를 갸웃했다.

"이제 쉬러 가는 것이 아니신가요?"

"어."

아티는 아드리안이 대체 왜 이러는 건지 이해할 수 없었다. 또 무엇이 마음에 안 들어서 이러고 있는 것이란 말인가?

"우리는 지금부터 가야 할 곳이 있다."

"네?"

"서둘러 준비해야 하니까, 릴리 궁 말고 포인세티아 궁으로 가지."

"어딜 가야 하는데요?"

아티는 사전에 아무것도 들은 기억이 없었다. 놀라워하는 아티를 보면서 아드리안이 옅게 웃었다.

"비밀이야."

Chapter 13. 불꽃놀이가 터지는 순간

Chapter 13. 불꽃놀이가 터지는 순간

아드리안이 아티를 데리고 나온 곳은 황궁 밖의 번화가였다.

"여긴……."

건국제를 기념하는 축제가 한창인 길거리는 뜨거운 열기가 한가득이었다.

"이런 걸 봐 두는 것도 내 약혼녀로서 해 줘야 하는 거다."

아드리안이 헛기침을 하며 말했다.

어째서인지 아드리안이 평소 같지 않다고 생각하면서도 아티는 축제에 나온 것이 기뻐 크게 상관하지 않았다.

아티가 좋아하는 기색을 보이자 아드리안이 흐뭇한 미소를 지었다.

"저쪽에서 건국제를 맞이해 공연이 있다고 하는데 가 볼 텐가?"

"네!"

아티가 두 눈을 반짝이며 두 손을 꽉 쥐었다.

그 모습이 너무 귀여워서 아드리안은 껴안고 싶은 충동을 간신히 참아 내야 했다.

이 틈을 타 아드리안은 슬쩍 사심을 채워 보기로 했다.

"편하게 말하도록 해. 밖에선 우리가 누구인지 모를 테니까."

"하오나 제가 전하께 어찌 편하게 말을……."

"밖에서 나를 그렇게 부르면 안 되지."

"앗."

황급하게 입을 다문 아티에게 아드리안이 다소 엄하게 말했다.

"이름을 불러."

"네?!"

아티가 놀라서 반문하자, 아드리안은 이게 그렇게 놀랄 일인가 싶어 의아했다.

"이름으로 부르라고."

"하, 하지만……."

"자, 따라 해 봐."

아드리안이 아티와 눈을 맞춘 채로 말했다.

"아드리안."

"아, 아드리안 님."

"님 빼고."

아드리안이 인상을 썼다.

"다시."

"아드, 아드리아……."

"뭐라고? 안 들려."

아드리안이 심술궂게 미소 지었다.

"크게 다시."

"아, 아드리안!"

두 눈을 질끈 감고 거의 소리를 지르듯 말한 아티가 울 것 같은 표정을 지었다.

'저질러 버렸다!'

무엇인가 넘으면 안 될 것 같은 선을 넘어 버린 아찔한 기분에 어찌할 바를 모르고 있는데, 정작 아드리안은 그런 아티가 귀여워서 참지 못하고 웃어 버렸다.

근엄한 표정을 지어야 했는데 실패했다.

다행히 웃음소리를 죽인 덕분에 아티는 아드리안이 웃고 있다는 사실을 알지 못했다.

"괜찮아. 잘했어."

아드리안의 말에 아티가 눈을 떴다.

눈을 뜨자마자 보인 아드리안이 옅게 웃는 모습에 아티는 저도 모르게 넋을 놓았다.

'이렇게 웃는 거 처음 봐.'

언제나 비웃음 섞인 미소만 짓던 아드리안이 천진한 소년처럼 웃고 있었다.

아티는 자신도 모르게 아드리안을 빤히 바라보다가 뒤늦게 정신을 차렸다.

"죄송해요."

아티가 화들짝 놀라며 시선을 돌리자, 아드리안은 별안간 그녀가 왜 자신과 거리를 두는 것인지 알 수 없어져 불만스러웠다.

"뭐가 죄송한 거지?"

"아니, 그게……."

당연히 황태자의 얼굴을 허락도 없이 빤히 쳐다본 상황을 말하는 것이었으나, 영문을 모르는 듯한 아드리안의 태도에 아티가 우물쭈물 말을 넘겼다.

"이름으로 부르는 건 불경한 짓이니까요."

"내가 허락했는데 뭐가 문제지?"

"그렇지만……."

"안 되겠군."

아드리안이 심각한 얼굴로 진지하게 아티에게 명령했다.

"평소에도 날 아드리안이라고 부르도록."

"네?!"

깜짝 놀란 아티의 몸이 휘청거렸다.

아티를 붙잡아 주며 아드리안은 자신이 내린 명령이 이렇게까지 놀라울 일인가 재고했다.

"그럴 수 없어요!"

아티가 고개를 가로저었다.

"아니, 그럴 수 있어."

"다른 사람들이 저를 어떻게 생각하겠어요?!"

"미래의 황태자비."

태평하게 말을 잇는 아드리안을 보면서 아티는 믿을 수 없어 했다.

아드리안은 그렇게 자신의 이름을 부르는 것이 대단한 일인가 생각해 보다가 말았다.

그에겐 그저 아티가 자신의 이름을 부르고 싶지 않아서 빼는 것처럼 보일 뿐이었다.

'명분이 필요한 건가.'

아드리안은 고민 끝에 한마디 덧붙였다.

"에센도 이름으로 불렀고."

그 말에 아티는 결국 마지못해 고개를 끄덕였다.

원래 아티엔느가 아드리안을 이름으로 불렀다는데 반박할 수 있을 리가 없었다.

"네. 아드리안 님."

"님 빼고."

"아드리안……."

아티가 얼굴을 붉히며 아드리안의 이름을 불렀다. 그제야 아드리안은 만족스러운 표정으로 고개를 끄덕였다.

사실 그는 호칭 따위야 어떻든 상관없었다.

단지 아티가 부르는 자신의 이름이 꽤나 듣기 좋다는 사실을 깨달아 버렸을 뿐이었다.

'듣기 좋은 수준이 아니지.'

자신의 이름이 이렇게 괜찮았나? 이름을 부르는 게 이렇게 달콤했던가?

이렇게 이름이 불리는 게 기분 좋은 일이었던가?

아드리안은 자신을 둘러싼 생소한 변화에 혼란스러웠다.

반면 아티는 어딘가로 숨어 버리고 싶은 부끄러운 기분이었으나, 이 사람 많은 장소에서 숨을 곳을 찾을 수 있을 리가 없었다.

그때였다.

"거기 두 분, 축제 구경하러 온 거지? 이건 어떤가? 예쁜 불꽃이야!"

길을 지나다니는 사람을 상대로 작은 불꽃놀이 막대를 팔던 상인이 두 사람에게 접근했다.

아드리안은 평소라면 거들떠보지도 않았을 형편없는 물건을 들여다보며 아티의 안색을 살폈다.

"와, 이건!"

아티의 눈동자가 반짝였다. 아드리안은 그것만으로 충분히 그 물건에 값을 지불할 준비가 되어 있었다.

"얼마지?"

"10쿠퍼라네."

"여기. 거스름돈은 안 줘도 돼."

"잠깐, 잠깐만요!"

아티가 뒤늦게 끼어들었지만 이미 아드리안은 값을 치른 지 오래였다.

마지막 양심을 챙긴 건지 상인이 쥐여 준 불꽃 막대 다발을 본 아티는 이미 멀찌감치 가 버린 상인의 뒤를 노려보았다.

"왜 그러지?"

기뻐할 줄 알았던 아티의 반응이 사나워지자 아드리안의 기분도 곤두박질쳤다.

"너무 비싸요. 이거 고작 3쿠퍼 정도밖에 안 하는 거라고요."

"그래? 상관없어. 축제인데 이 정도 바가지야 씌울 수 있는 거지."

"안 돼요! 그러다가 어느 순간 쫄딱 망하는 거예요!"

"네가 있으면 안 망하겠지."

아드리안의 말에 아티가 미간을 좁혔다. 말이 왜 그렇게 되는 거지?

"자. 들어."

불을 켠 불꽃 막대를 전해 주자 아티의 표정이 조금 누그러졌다.

아주 어렸을 때, 가족들과 함께 건국제 축제를 즐긴 적이 있었다.

그때 이 막대를 들고 신나게 흔들었던 기억이 남아 있어서 아티는 이 불꽃 막대만 보면 마음이 너그러워졌다.

"저는 파란 불꽃이에요."

"나는 노란 불꽃이군."

마법으로 만들었다는 불꽃은 따뜻하기만 할 뿐, 전혀 위험하지 않았다.

아티는 오랜만에 떠올린 어릴 적 기억에 무척이나 즐거워졌다.

"배는 안 고픈가?"

광장에 줄지어 있는 노점을 가리키며 아드리안이 물었다.

"아까 파티 홀에서 이것저것 주워 먹어서 괜찮아요!"

아티가 해맑게 웃으며 말했지만 아드리안이 원하는 대답은 아니었다.

아드리안의 시선이 노점에서 꼬치 음식을 사 먹는 다른 연인에게로 향했다.

그들은 꼬치 하나를 사서 서로 먹여 주고 있었다.

'아직 저런 건 무리이려나.'

그래도 미련이 남아서 아드리안은 꼬치 하나를 사 버리고 말았다.

'배가 많이 고프셨구나.'

꼬치를 사는 아드리안을 보며 아티는 아무렇지 않게 생각했다.

"자, 여기 꼬치 하나!"

아드리안이 아티에게 눈짓했다.

"손이 없네. 대신 받아 줘."

"네."

아티가 꼬치를 대신 받았다. 뜨끈한 꼬치를 막상 보니 배가 고프지 않았는데도 군침이 돌았다.

"전하, 여기요."

자연스럽게 꼬치를 건네던 아티는 아드리안이 팍 인상을 쓰자 멈칫했다.

"아. 아드리안, 여기요."

"받을 손이 없네."

"앗."

그러고 보니 불꽃놀이 막대 때문에 아드리안에게 남은 손이 없었다.

황급히 아드리안이 불꽃놀이 막대를 두 손으로 나눠 든 것까지는 아티가 알지 못했다.

"먹여 줘."

아드리안은 행여 아티가 거절할까 마음을 졸였지만, 아티는 아무 생각 없이 아드리안이 꼬치를 먹을 수 있게 도와주었다.

"너도 먹어."

한 입 먹은 아드리안이 권하자, 아티가 반색했다.

"그래도 돼요?"

"어. 다 못 먹겠네."

"그럼 한 입만 먹을게요."

꼬치를 한 입 먹은 아티의 입이 오물오물거리는 게 귀여웠다.

"맛있어요."

"그래?"

입맛이 까다로운 아드리안에게는 덜 구워진 고기의 비린 맛과 양념의 짠맛만이 느껴졌지만 아티가 맛있다니 절로 고개가 끄덕여졌다.

"맛있네. 또 먹여 줘."

"네. 여기요."

"너도 먹어."

"네!"

잘 먹는 모습이 보기 좋았다. 아드리안은 다른 노점을 가리키며 물었다.

"저것도 먹을까?"

"와, 제가 정말 좋아하는 간식이에요!"

한바탕 노점을 털어 댄 아티와 아드리안은 건국제를 기념해 공연이 펼쳐진다는 공원에 도착했다.

이미 늦어서 좋은 자리를 차지하진 못했지만 멀리서나마 볼 수는 있었다.

'거슬리는데.'

아드리안은 진지하게 자신의 앞을 막은 인파를 휩쓸어 버릴 방법이 없나 고민했지만 이 분위기를 망치고 싶지 않아서 그만두었다.

정작 아티는 멀리서 보는 것만으로도 즐거워했다.

"괜찮아요. 가까이에서 본 적도 많은걸요. 저기 첫 번째 줄에 앉아서 보는 사람들은 공연 하루 전부터 저 자리에서 진을 치고 있었던 사람들이에요."

"설마."

"설마라니요? 진짜예요!"

매년 돌아오는 건국제 공연에 그만큼 기다릴 정성 같은 게 필요할까 싶었지만, 아드리안은 평민의 입장에선 이런 공개적인 공연을 볼 기회가 없다는 점을 상기했다.

아드리안은 무언가를 보면서 즐기는 것보다 직접 자신의 몸을 움직이는 걸 좋아했던 터라 오페라나 발레 같은 걸 즐기는 재미를 공감할 수 없었지만, 귀족에 비해 평민들이 즐길 수 있는 공연이 없다는 것은 동의했다.

심지어 저 건국제 공연도 나라에서 지원하는 공연이었다.

"그러고 보니 제가 어릴 때는 매년 여기서 공연을 하는 극단이 바뀌어서 해마다 봐도 새로웠는데, 어느 순간부터 공연을 한 극단에서만 하면서 똑같아져서 시들해진 것도 있어요."

"그래?"

심드렁하게 답했지만, 아드리안은 곱씹어 보자 바로 수상한 점을 느꼈다.

매년 같은 극단만 공연을 한다고? 극단을 선정하는 주체가 누구였지?

나중에 궁으로 돌아가면 바로 조사를 해 보라고 명하리라 기억해 두었다.

어느덧 공연이 끝나고 사람들이 자리에서 일어나 움직였다. 많은 사람들이 움직이고 있어서 아드리안은 아티를 제 쪽으로 당기려고 했다.

"사람이 많으니까 내 옆에 붙어서……."

말을 꺼내기가 무섭게 몰려오는 인파에 옆에 있던 아티의 모습이 온데간데없이 사라졌다.

"아드리안!"

멀리서 자신의 이름을 부르는 아티의 가냘픈 목소리가 들렸지만 당장 이 인파를 헤치고 아티를 찾으러 가기엔 날이 너무 어두웠다.

아드리안은 빠르게 자신을 부르는 목소리를 쫓았지만 결

국 시야에서 아티가 사라졌다.

"제길."

짧게 욕을 중얼거린 아드리안이 한숨과 함께 머리를 쓸어 올렸다.

한순간 아티를 놓쳐 버리다니, 심장이 덜컹 내려앉았다.

인파에서 몸을 빼낸 아드리안이 당장 빠르게 군중을 훑었다.

"흑영!"

"예, 주군."

아드리안의 그림자 속에 녹아 있던 검은 복면의 남자가 모습을 드러냈다. 아드리안이 차갑게 명했다.

"아티를 찾아서 보호해라. 그리고 안전한 곳에 데려다 놓고 내게 연락해."

"존명."

빠르게 사라지는 흑영을 본 아드리안은 밀려오는 인파를 노려보다 재빨리 움직였다.

✦ ♛ ✦

밀려오는 인파에 '산은 산이고 물은 물이다'를 외며 도착한 곳은 어느 외딴 골목길이었다.

"사람 정말 많다."

아드리안을 잃어버려서 아티는 어떻게 해야 할지 몰라 머뭇거렸다.

사람들이 빠지기만을 무작정 기다릴 수도 없는 노릇이었다.

"찾아오길 바라는 건……. 내가 너무 양심이 없지."

아까 있던 광장으로 다시 돌아가려고 해도 인파에 떠밀려 온 골목이 너무나 낯설었다.

"어디로 가야 하지?"

이 구역이 어디인지부터 알 수 없었다. 아티는 진지하게 고민했다.

"다시 황궁으로 돌아갈까?"

이 인파를 헤치고 아드리안을 찾는 건 어려워도 황궁으로 가는 건 할 수 있을 듯했다.

황궁은 수도 어디에서도 눈에 띌 만큼 커다랗고 우아했다.

그 때문에 찾아가지 못한다는 선택지는 애초에 존재하지 않았다.

아드리안을 두고 혼자 궁으로 돌아갔다가 무슨 낭패를 볼지 걱정이 되긴 했으나, 지금 상황에선 이대로 있는 것보다 나은 선택처럼 느껴졌다.

아티는 헬머 아저씨가 자신에게 당부했던 말을 떠올렸다.

'길을 잃었을 때는 절대로 혼자 돌아다니지 말고 누가 널 찾으러 올 때까지 얌전히 있어야 한다.'

이전까지는 헬머 아저씨의 충고를 충실히 따랐지만, 아티는 이번만큼은 예외라고 생각했다.

'여기 뭔가 무서워!'

무엇이 무서운지 콕 집어 말할 수 없었지만, 이렇게 사람들이 몰려다니는 축제에서 한산한 뒷골목이라니 꼭 무슨 사건이라도 일어날 것 같았다.

"수도가 넓은 건 알았지만……."

잘 정비된 주요 구역 외에 구불구불한 골목길은 토박이라고 해도 길을 잃을 법했다.

"빛이 많은 쪽으로 가면 되지 않을까?"

아티는 제 나름대로 고심해서 합리적인 결과를 도출했다. 사람이 많고 빛이 밝은 곳은 우선 안심이 되니까.

그다음에 아드리안을 찾을지 말지를 결정하기로 했다.

한편, 빠르게 그림자 사이를 누비다가 아티를 발견한 흑영은 자신만만하게 발걸음을 옮기는 아티를 보며 의아해졌다.

'아니, 왜 저쪽으로 가시는 거지?'

복잡하게 굽이진 골목길을 종횡무진 누비던 아티가 다시 원래 자리로 돌아왔다.

"이상하네."

아티가 다시 한번 발을 옮겼다. 이번에도 마찬가지로 구불구불 얽히고설킨 골목길을 뱅글뱅글 돌다가 원점으로 돌아왔다.

'무슨 깊은 의미가 있으신 걸까?'

산책인가? 운동?

흑영은 진지하게 아티의 행동을 지켜보다가 고개를 갸웃했다.

차마 고귀하신 분께서 길치라서 헤매고 있다고 생각하지 못한 것이었다.

차라리 가만히 있었으면 길을 몰라 그러겠거니 하겠지만

아티는 과하도록 당당하게 발걸음을 옮겼다.

안전한 곳으로 안내하고 싶어도 아티가 신호를 무시하고 이상한 길로 들어가니 흑영 입장에서는 의아할 노릇이었다.

흑영이 아티를 어찌할까 고민하는 사이, 웬 덩치 큰 남자가 아티의 어깨를 붙잡았다.

"어이, 누나. 어딜 그렇게 급히 가?"

"네?"

아티가 드물게 정색했다. 척 봐도 자신보다 나이가 많아 보이는 남자가 자신을 '누나'라고 불렀기 때문이었다.

'이 사람 시력이 안 좋은가?'

아티가 당황한 사이 그녀의 어깨를 붙잡은 남자가 자신의 쪽으로 아티를 끌어당겼다.

어디선가 튀어나온 다른 남자도 마찬가지였다.

어느새 아티가 도망가지 못하도록 네 명의 남자가 아티를 둘러싸고 있었다.

"거기 누나. 우리 좋은 거 하러 가지 않을래?"

"이런 시간에 혼자 있다니, 위험하지. 우리랑 같이 가자."

"우리가 책임지고 아주 즐겁게 해 줄게."

처음엔 이게 무엇인가 했지만, 아티는 곧 빠르게 눈치를 챘다.

이렇게 혼자 있는 여자만 노리는 양아치가 있다고는 들었는데 당한 건 처음이었다.

"저 이미 결혼한 몸이에요."

아티가 자신의 어깨를 감싸 쥔 남자의 손을 도도하게 쳐

내며 물러났다.

여차하면 도망칠 수 있게 골목길 쪽을 살펴보았다.

이대로 붙잡혀 가면 안 된다. 어떻게 될지 자세히는 알 수 없어도, 위험하다는 건 확실했다.

"어허. 우리 이상한 사람 아니야."

"맞아, 아가씨."

"저리 비키세요."

이길 수 있을 것 같진 않았지만 소리를 지르면 누가 오지 않을까 흘긋 살피던 때였다.

"감히 누가 건드려도 좋다고 했지?"

뒤에서 튀어나온 손이 아티의 어깨를 감쌌다. 정갈하면서도 남성적인 향이 확 풍겨 왔다.

아까 전과는 전혀 다른 느낌에 아티는 자신의 두 눈을 깜빡였다.

아티를 끌어안은 아드리안의 붉은 눈동자가 남자를 노려보았다.

"아, 아드리안?"

전하라고 말하면 안 될 것 같아 조그맣게 그의 이름을 불러 보니 아드리안이 미소 지으면서 아티를 제 쪽으로 강하게 끌어당겼다.

"잘했어."

붉은 눈동자에서 일순 엿보인 감정의 편린이 걱정인지 아닌지 알 수 없었지만, 아티는 걱정이었다고 생각하고 싶었다.

아티를 내려다보며 아드리안은 홀로 안도했다.

그다지 멀리 떨어진 곳이 아니라 금방 찾아올 수 있어 다행이었다.

아티가 보지 못하게 아드리안이 시야를 가린 사이 흑영이 아티를 붙잡았던 남자들을 데리고 사라졌다.

아티가 두 눈을 휘둥그레 뜨며 두리번거렸다.

"어? 그 사람들은⋯⋯."

"나를 보자마자 도망쳤어."

아드리안이 미소로 답했다.

아티는 껄렁해 보이던 남자들이 그렇게 쉽게 물러났다는 걸 믿을 수 없었지만, 달리 증거가 없어서 넘어갔다.

때마침 아드리안이 제안했다.

"곧 불꽃놀이가 시작된다는군."

"정말요?"

"저쪽이 가장 잘 보이는 곳이니까 저쪽으로 가자."

사실 가장 잘 보이는 곳은 황궁이었으나, 아드리안은 구태여 그 사실을 말하지 않았다.

"사람들이 많진 않을까요?"

우려 섞인 아티의 말에 아드리안이 잠시 멈춰 섰다.

"그렇진 않을 거야."

이미 흑영을 동원해서 사람을 다 치워 버렸다.

같은 실수를 반복하지 않기 위해 아드리안이 고심한 결과였다.

"그래도 혹시 모르니까 손을 잡고 있을까?"

사심을 채우기 위한 제안에 아티가 순진하게 고개를 끄덕였다.

아드리안은 보드랍고 가녀린 손을 붙잡으며 만족스럽게 미소 지었다.

광장보다 비교적 지대가 높은 언덕 공원에서 아드리안이 아티와 함께 불꽃놀이를 보았다.

팡—! 파파팡!

"우와—!"

색색의 불꽃이 단번에 터지는 장관은 쉽사리 보기 어려운 것이었다.

길게 꼬리를 그리며 올라간 불꽃이 크고 화려하게 단번에 터지며 아름다운 꽃을 피워 낼 때의 쾌감은 지켜보는 사람에게도 기분 좋은 일이었다.

아드리안은 힐긋 옆을 보았다. 정작 같이 보자고 한 불꽃놀이는 눈길조차 주지 않은 채, 열심히 불꽃놀이를 감상하는 아티를 훔쳐보았다.

이렇게 기뻐하는 모습을 보니 1년 내내 불꽃놀이를 해도 괜찮을 것 같다는 생각까지 할 정도였다.

'예산이야 많이 들겠지만, 어떻게든 되겠지.'

안일한 생각을 하며 벌써부터 국고를 거덜 낼 계획을 차근차근 세우고 아드리안이 만족스럽게 웃었다.

"아드리안, 저것 좀 보세요!"

"어, 보고 있어."

"와, 정말 예쁘다!"

하늘에 수놓아지는 화려한 불꽃을 보면서 아티가 환하게 웃었다.

그 미소를 지켜보던 아드리안도 같이 미소 지었다.

"아티."

"네?"

불꽃놀이에 정신 팔렸던 아티가 아드리안의 부름에 고개를 돌렸다.

아드리안의 얼굴이 가깝다고 느낀 순간이었다.

아티와 아드리안의 시선이 허공에서 맞부딪혔다.

하늘을 환하게 수놓는 불꽃놀이도 그 순간 둘의 세계에는 더 이상 중요하지 않은 존재였다.

서로 누가 먼저랄 것도 없이 이끌리듯 입술을 겹쳤다.

짧은 키스와 다시 한번 터지는 불꽃.

"……!"

불현듯 제정신을 찾았을 때, 아티가 화들짝 놀라며 거리를 벌렸다.

상기된 뺨이 무척이나 붉어진 아티가 너무 귀여워서 아드리안은 그대로 머리끝부터 발끝까지 통째로 잡아먹고 싶었으나 간신히 인내심을 발휘해 참아 내었다.

헛기침을 하는 아드리안을 보며 아티가 두근거리는 가슴을 진정시키기 위해 몸을 웅크렸다.

아드리안도 격하게 박동하는 심장 소리 때문에 답지 않게 입술을 꼭 깨물었다.

다시 한번 불꽃이 터졌다.

두 사람의 심장도 터질 것 같았다.

✦ ♛ ✦

"축제를 구경하고 왔어요!"

누군가에게 이 감동을 전하고 싶다는 마음 때문에 아티는 미카엘을 만나자마자 다짜고짜 자랑을 해 버렸다.

"불꽃놀이가 정말 예뻤어요. 미카엘 님도 보셨나요?"

황궁에서 쏘아 올린 불꽃놀이였으니 당연히 보았겠지만 그래도 같은 하늘을 보았다는 사실이 좋아서 아티가 잔뜩 들뜬 목소리로 말했다.

"예. 저도 황궁에서 봤습니다."

"파티에 참석하셨던 모양이네요."

"네. 라라는 파티에 참석하지 않으신 모양이로군요."

미카엘의 말에 아티가 어색하게 웃었다.

사실은 참여했지만 중간에 빠져나갔다는 말을 할 수 없어서였다.

'들키겠지.'

중간에 빠져나간 사람이 많긴 하겠지만 그래도 혹시 모르는 일이라 아티는 처음부터 파티에 참석하지 않은 걸로 해 두기로 했다.

"나가서 노점 음식도 오랜만에 먹었는데, 평소에 자주 먹어 봤던 음식인데도 축제 때 사 먹으니까 느낌이 달랐어요. 더 맛있게 느껴지더라고요."

사실 아드리안에게 먹여 주고 자신도 먹었던 그 재미가 덧붙여져서 맛있게 느껴진 것이었으나, 아티는 자세한 사항을 빼고 말했다.

"축제 분위기에 더 맛있게 느껴진 모양이군요."

"그래도 역시 불꽃놀이가 최고였어요."

"라라는 불꽃놀이를 정말 좋아하시는군요."

"네!"

　아티가 환하게 미소 지었다. 그녀는 오랜만에 과거를 회상했다.

　헬머 아저씨는 사람이 많은 곳을 싫어해서 축제가 열려도 가질 않았다.

　몇 번 가 본 적은 있었지만, 인파에 치여 다시 집으로 돌아오곤 했다.

　'……가족들이 살아 있었을 때는 몇 번 나왔었는데.'

　물론 축제 때 바가지를 씌우는 상인들 때문에 헛된 돈을 쓰고 싶지 않아 어느 정도 크고 난 이후에는 심드렁하게 축제를 넘기곤 했다.

"저는 늘 이맘때쯤엔 축제 같은 건 보러 가지도 못했거든요. 불꽃놀이는 멀리서 보긴 했는데 이번처럼 가까이서 본 건 처음이었어요!"

　조잘조잘 떠드는 아티가 귀여워서 미카엘은 저도 모르게 미소를 짓고 말았다.

"민간의 축제라면 저도 몇 번 가 본 적이 있습니다."

"미카엘 님도요?"

아티가 두 눈을 반짝이자 미카엘이 또 웃고 말았다.

"아무래도 매년 건국제 파티에 참여하다 보면 시간이 남을 때도 있으니까요."

미카엘이 조그맣게 아티에게 말했다.

"매년 파티는 똑같으니까요."

"아, 그렇군요."

하긴 파티는 거의 매주 있어 왔으니까. 황족에게 파티는 일상이나 다름없었다.

실제로 나도 매번 끌려가고 있고…….

"민간의 축제는 황실의 파티보다 활기가 넘치니까, 가끔 시간이 남으면 구경을 하러 갔습니다."

"맞아요! 사람이 무척이나 많았어요!"

"마음껏 즐기고 오신 듯하군요."

"네. 아무래도……."

데이트 같기도 했으니까.

아티가 수줍게 웃으며 말끝을 흐렸다.

불꽃놀이가 터지던 순간이 떠올랐다. 이끌리듯 아드리안과 입을 맞추었다.

'왜 그러셨을까?'

그 일에 대해 아드리안이 아무 언급도 없었기 때문에 자신도 그냥 넘어갔지만, 계속 궁금했다.

'이것도 약혼녀로서 해야 하는 일이었을까?'

축제를 시찰하는 것도 예비 황태자비의 임무라고 했으니 그런 게 분명했다.

일전에도 비슷한 이유로 가브리엘의 앞에서 입을 맞춘 적이 있지 않은가.

그렇지 않고서야 에센을 좋아하는 아드리안이 자신에세 입을 맞출 일이 없으니까.

'사람이 없는데도 키스했다는 게 의아하긴 하지만……'

그렇게 생각하려 해도 얼굴이 달아오르는 건 어쩔 수 없었다.

"재미있었어요."

살짝 붉어진 아티의 뺨을 보며 미카엘은 그 미소가 어떤 의미인지는 알 수 없었지만, 그녀가 축제를 무척이나 즐거워했다는 건 알 수 있었다.

"기회가 된다면 저와도 축제를 보러 가 주셨으면 합니다."

"미카엘 님도 축제를 보고 싶으세요?"

아티의 반문에 미카엘이 가만히 웃었다.

"축제도 보고 싶지만, 라라와 함께 즐겨 보고 싶어서요."

"좋아요! 기회가 되면 가요!"

아티가 흔쾌히 수락했다.

이것도 순간 데이트 신청인가 싶었지만 미카엘이니 그런 불순한 생각은 하지 말자고 애써 사고를 전환했다.

"아카시아도 축제를 보고 싶다고 했는데, 같이 못 봐서 아쉬워요."

"아카시아요?"

"네. 아는 분의 동생인데 정말 귀여워요. 이제 9살이랍니다!"

"정말 귀여울 나이군요."

"그쵸! 정말 귀여워요! 언니, 언니 하면서 따라다니는데 어찌나 귀여운지. 언젠가 미카엘 님께도 보여 드리고 싶어요."

아카시아가 얼마나 귀엽고 사랑스러운지, 그 귀여움이 얼마나 인류에 발전이 되고 도움이 되는지 장장 30분을 연설한 아티가 뿌듯하게 고개를 끄덕였다.

미카엘은 아티가 조잘조잘 떠들어 대는 것이 귀여워서 주의 깊게 들어 주다가 풋 웃었다.

"아카시아 양을 정말 좋아하는군요."

"당연하죠! 그렇게 귀엽고 사랑스러운 아이를 이 세상 누가 싫어하겠어요?!"

한 치의 의심도 없는 눈빛에 미카엘이 미소를 머금었다.

"그래서 '아사모'라는 작은 모임을 만들었어요. 일명 아카시아를 사랑하는 모임이에요. 제가 그 '아사모'의 회장이랍니다."

비록 회원은 디아노밖에 없었지만 정기 모임도 갖고 정보 교류도 활발히 이뤄지는 등 운영은 잘 되고 있었다.

"아사모라, 즐거운 활동을 하고 계시는군요."

"네! 아직은 작은 규모이지만 열심히 운영하고 있어요! 귀여운 동생이 생긴 것 같아서 엄청 즐거워요."

"그러시군요. 음, 그러고 보니 저에게도 귀여운 동생이 있습니다."

"어머, 정말요?"

"예. 어릴 적부터 줄곧 돌봐 왔죠."

"미카엘이라면 동생분도 무척이나 천사 같겠죠?"

짧은 침묵이 흘렀다. 고개를 갸웃하자 미카엘이 침음을 흘리며 입을 열었다.

"글쎄요. 요즘은 너무⋯⋯. 자신의 마음대로 하려는 것 같지만, 어릴 땐 무척이나 귀여웠습니다."

미카엘이 제 동생을 생각하는지 말이 없었다.

"⋯⋯그때가 그립군요."

미카엘의 입가에 떠오른 씁쓸한 미소에 아티는 저도 모르게 충동적으로 제안했다.

"그럼 미카엘도 아사모 할래요?"

"예?"

"함께 아카시아를 덕질해요!"

미카엘은 일순 당황했지만 이내 조심스럽게 되물었다.

"그래도 됩니까?"

"당연히 되죠!"

무려 이 몸이 회장이신데!

아티의 반짝이는 눈동자에 미카엘이 마지못해 고개를 끄덕이자, 아티가 결론을 내렸다.

아사모의 새로운 회원이 생겨난 순간이었다.

Chapter 14. 어디까지 듣고 오셨어요?

Chapter 14. 어디까지 듣고 오셨어요?

떠들썩했던 건국제가 끝나 갈 무렵, 황궁에 묘한 소문이
돌기 시작했다.

"너 그 소문 들었어?"

"무슨 소문?"

"예비 황태자비 전하 말이야. 아무도 얼굴을 본 적이 없
잖아."

"그거 너무 아름다우셔서 황태자 전하께서 얼굴을 가리
라고 명하신 거 아니야?"

"아니래!"

황궁의 시녀들이 목소리를 낮춰 소곤거렸다.

"사실 엄청 못생겨서 황태자 전하께서 이 사실을 숨기려
고 가리게 하는 거래."

소문을 들은 시녀가 두 눈을 반짝였다.

"에이, 말도 안 돼. 레이디 오비에도가 미녀인 건 이미 유명한 이야기잖아?"

입으로는 그렇게 말해도 시녀는 이 새로운 소문이 흥미진진한지 연신 입가에서 미소가 떠나질 않았다.

"하지만 그거 다 소수의 이야기잖아. 레이디 오비에도의 가족이나, 친척이나 황태자 전하의 측근을 통해 나온 이야기지."

"듣고 보니 그러네."

"생각해 봐. 제삼자가 레이디 오비에도의 외모를 봤다는 소리 있어?"

시녀들이 서로의 얼굴을 보았다.

모두가 고개를 가로젓자, 맨 처음 소문을 말한 시녀가 더 조심스럽게 말을 이었다.

"그러니까 그렇게까지 얼굴을 숨길 이유가 대체 뭐냐는 말이지!"

결론은 하나였다.

"못생겨서?"

"에이, 설마."

"하지만……."

"헛소리라고 치부할 수만은 없는 이야기야."

모두 눈치를 보며 쉬쉬하면서도 재미있어서 못 견디겠다는 눈빛을 했다.

그렇게 시녀와 시종들 사이에서만 돌던 소문이 황궁의 귀하신 분들 귀에 들어가게 된 건 그리 머지않은 일이었다.

이 소문을 제일 먼저 들은 황실 사람은 다름 아닌 마리에 공주였다.

"뭐? 그거 다 헛소문이야."

측근 시녀들이 재미있는 이야기를 하는 것 같아서 캐내 보니 이런 이야기가 나왔다.

특히나 면사를 벗은 아티의 얼굴을 본 적이 있던 마리에는 이 소문이 무척이나 괴상하게 여겨졌다.

누가 자신의 착한 새언니를 말도 안 되는 소문으로 음해하려 든단 말인가.

"대체 누가 그런 말도 안 되는 헛소문을 퍼뜨리고 다니는 거야? 너희들도 징계받고 싶니?"

"아, 아닙니다."

"죄송합니다. 공주 전하."

"황족에 대해 함부로 말을 옮기다가 어떻게 되는지 모르는 바는 아닐 테지."

마리에가 한심한 시선으로 자신의 시녀들을 내려다보았다.

"새언니는 곧 황태자비가 될 사람이야. 이후엔 황후가 될 테고. 다들 말조심해."

"예. 알겠습니다."

"알아들었으면 자중하도록 해."

루피너스 궁의 시녀들은 그날로 함구령을 받아야 했다.

이 상황은 다른 궁이라고 해도 다를 바 없었다.

황궁 소문을 듣게 된 루드밀라 황후는 즐겁게 웃으며 딱 한마디 했다.

"다들 심심한가 보네. 그런 시답지 않은 이야기를 주워 섬기는 걸 보면."

자애롭게 미소 짓고 있었지만 루드밀라 황후를 아는 사람들이라면 모두 다 알고 있었다.

루드밀라 황후가 일언반구 없이 저렇게 미소 짓고 있을 때가 가장 위험하다는 걸.

"메리."

"예, 황후 폐하."

"각 궁의 시녀장과 시종장을 불러 모아야겠구나. 이런 헛소문이 퍼지도록 가만히 놔두었다니, 슬픈 일이야. 이래서야 황궁의 기강이 바로 서지 않겠어."

"바로 소집하겠습니다."

황후의 측근 시녀 메리가 바로 움직였다.

한 차례 근신 명령이 있고 난 뒤 소문이 바로 사그라지는 듯했으나, 원래 쉬쉬하게 할수록 더 퍼뜨리고 싶은 것이 사람의 심리.

소문은 알음알음 퍼져 나가 결국 아드리안에게까지 닿았다.

"헛소리."

아드리안은 이 소문을 듣고 한마디로 일축했다.

더 들을 것도 없다는 듯, 칼같이 말을 자른 아드리안이 반문했다.

"도대체 누가 그딴 헛소리를 퍼뜨리고 다니는 거지?"

"누구긴 누구겠어! 아티를 음해하려는 세력이지!"

잔뜩 흥분한 테르니가 두 손을 꽉 쥐었다.

"용서 못 해! 감히 내 동생을 건드리다니! 다 부숴 주겠어!"

"진정해."

"진정할 수 없어, 아드리안! 이건 우리 오비에도 가문에 대한 도전이라고!"

평소라면 하하 웃으면서 재미있는 소문이라고 넘어갈 녀석이 잔뜩 흥분해서 소리를 지르고 있었다.

'왜 저 자식이 더 흥분하는 거지?'

아드리안이 어이없어하는 것도 잠시, 테르니가 아드리안을 보았다.

마치 자신이 모욕당하기라도 한 것처럼 얼굴이 빨개진 테르니가 갑자기 아드리안에게 화를 냈다.

"넌 네 약혼녀가 위험에 처했는데 뭐 하는 거야! 어떻게 이런 소문이 나돌도록 가만 놔둘 수 있냐고!"

"뭐, 인마?"

평소에도 제정신은 아니라고 생각했지만 아드리안은 진지하게 테르니가 미친 걸까 고민했다.

"우리 아티는 예뻐!"

옆에서 턱을 괸 채 심드렁하게 앉아 있던 '전 아티' 에센이 썩은 표정으로 고개를 돌렸다.

"세상에서 가장 예쁘단 말이야!"

에센의 귀엔 테르니의 말이 들려오지 않는 듯했다.

필사적으로 외면하는 에센을 지켜보던 디아노가 자리에서 일어나서 광분한 테르니를 간신히 자리에 얌전히 앉혔다.

아드리안은 그제야 좀 살 것 같았다.

"그만하고 소문의 출처나 알아봐. 그게 먼저 아니겠나?"

"아, 그래! 당연히 하나하나 다 조져야지!"

방금 전까지만 해도 앉아서 씩씩대던 테르니가 갑자기 활짝 웃으며 고개를 끄덕였다.

그 자리에 있던 셋은 서로 같은 생각을 하고 있었다.

'원래 이상한 놈인 거 알았지만, 진짜 이상한 놈이다.'

복수의 칼날을 갈기 시작하는 테르니와 어이없어하는 아드리안, 아무 생각 없어 보이는 디아노 사이에서 에센이 지루한 표정으로 손을 들었다.

"소문도 소문인데 이거 아티도 알아야 하는 거 아냐?"

테르니의 눈에서 불꽃이 튀었다.

"아티가 이 사실을 알고 상심하면 어떡하지?! 내가 당장 위로해 주러 가야겠어!"

"가긴 어딜 가."

탈주하려는 테르니의 뒷덜미를 붙잡아 다시 앉힌 것은 아드리안이었다.

아드리안은 무척이나 불만족스러운 표정으로 테르니를 노려보았다.

"내게 보고할 게 남아 있을 텐데."

"아."

"시킨 조사는 다 한 건가?"

"그 건국제 축제 관련해서 알아보라고 한 거 말이지?"

"어, 그거."

아드리안이 건조하게 고개를 끄덕이자 테르니가 들고 왔던 서류를 찾았다.

그 틈을 타, 할 일이 없는 에셴이 조용히 자리에서 일어났다.

아드리안은 에셴이 집무실 밖으로 나가는 걸 보았으나 붙잡지 않았다.

단지 어딜 가려는 것인지 의아할 뿐이었다.

'설마 아티에게 가는 건 아니겠지.'

에셴이 묘하게 아티에게 후하게 굴고 있다는 것은 알고 있었지만, 이렇게 신경을 쓰는 건 무척이나 드문 일이었다.

둘이 잘 지낸다면 좋은 일일 터. 하지만 아드리안은 어째서 에셴이 신경 쓰이는지 몰랐다.

'역시 내가 이상한 건가?'

테르니와 디아노가 아티와 함께 있을 때는 괜찮은데 에셴과 같이 있으면 신경 쓰였다.

'아니다. 생각해 보니 테르니와 디아노가 아티와 같이 있는 것도 별로군.'

아티는 자신과 같이 있을 때가 제일 좋았다.

불꽃놀이 이후에 관계의 변화가 있을 거라 기대했지만, 아티의 태도는 평소와 다름없었다.

'어떻게 그런 입맞춤을 하고서 아무런 반응이 없을 수 있지?'

그때 마음이 맞았다고 느꼈던 건 오로지 자신뿐이었던

건가.

어쨌든 그것을 제외하고는 모두 좋았다.

"아, 여기 있다!"

서류를 찾은 테르니의 목소리에 아드리안은 상념에서 깨어났다.

"이거 봐, 아드리안. 건국 기념 축제 주최 위원회 위원장 목록이야."

익숙한 이름들이 적힌 서류에 아드리안이 흥미를 보였다.

"이 위원회 산하에 있는 축제 공연 위원회에서 건국제에 공연을 하는 극단을 선정하는 건데 뒤져 본 바로는 서류상으로는 전혀 문제가 없어."

"그럼 문제가 없는 건가?"

"아니, 그건 또 그렇다고 말할 수 없지."

테르니가 자신만만하게 웃었다.

"위원회는 기본적으로 참여 신청을 한 극단을 공평하게 선발할 의무가 있단 말이지. 거기에 이미 한 번 공연을 한 극단은 다음 공연에 제외하도록 되어 있어."

"원칙이 깨졌군."

"이거 분명히 누가 관련되어 있어. 아주 구린 냄새가 나."

테르니가 서류를 흔들었다.

"이렇게 깨끗하게 세탁해 놓은 놈이면 보통 거물이 아닐 거야."

"그럼 더 알아봐."

"당연하지!"

이런 작업을 제일 좋아하는 테르니가 신나서 고개를 끄덕였다.

"근데 아티 소문 출처 먼저 알아보면 안 돼?"

잠깐 노려보았지만, 결국 아드리안은 테르니의 말을 허락했다.

✦ ♛ ✦

"못생겨서 얼굴을 가리고 다닌다는 소문이라니."

마담 루시가 황궁에 돌아다니는 소문을 접한 것은 꽤 오래전의 일이었다.

다만 마담 루시가 아티에게 뒤늦게 이 소식을 알려 준 것은 그렇게 주목할 만한 소문이 아니었기 때문이라고 했다.

지금도 마담 루시는 평온하게 조언해 주었다.

"그다지 신경 쓰실 필요 없으세요. 아티 님께서는 평소와 같이 행동하시면 된답니다."

"하지만 이런 소문이 퍼지고 있는 줄 몰랐어요."

"후후. 사교계는 어떤 소문이든 퍼지는 곳이랍니다."

마담 루시가 부채를 펴 들었다.

"아니 땐 굴뚝에 연기가 날 일은 없다지만, 가끔 아니 땐 굴뚝에도 연기는 나더군요."

"대체 누가 이런 소문을 퍼뜨린 걸까요?"

"그건 저도 모르죠. 시녀들 사이에 퍼졌다고 하니 아마 악의적으로 퍼뜨린 사람이 숨어 있을지도 몰라요."

에센이 아티일 때는 이런 일이 없었을 터인데, 갑자기 이런 소문이 퍼진 것이 다 제 탓인 것 같아 아티는 의기소침해졌다. 마담 루시가 그런 아티를 위로했다.

"너무 걱정 마세요. 그렇게 큰일은 아니랍니다."

"하지만 신경이 쓰여요……."

"걱정할 것 없어. 테르니가 이를 갈고 있으니까."

느닷없는 목소리에 두 사람이 두 눈을 동그랗게 떴다. 아티의 말에 대답을 한 건 에센이었다.

아티와 마담 루시가 있는 방 안으로 들어온 에센이 마담 루시를 껄끄럽게 쳐다보다가 아티 쪽으로 시선을 옮겼다.

"에센 님의 말이 사실이라면 지금 테르니 공자가 한창 날뛰고 있겠군요. 호호호홋."

에센이 그렇다는 듯 고개를 끄덕였다.

"걔가 미쳐 날뛰는 걸 보고 있기 힘들어서 빠져나왔어."

"아티 님을 누구보다 사랑하는 테르니 공자시니까요. 그런 헛소문으로 가문의 명예에 흠집이 나는 것을 원하지 않으시겠죠. 이렇게 자신의 사랑하는 동생이 상처받는 것도 원하지 않을 테고."

마담 루시의 시선이 아티를 향했다.

사랑하는 동생이라니. 아티엔느 행세를 해 보았던 사람이라면 바로 앞에도 있었다.

에센은 그다지 신경 쓰지 않는 표정으로 심드렁하게 고개를 끄덕였다.

"그러니까 걱정하지 마. 별일 없을 거야."

“아.”

에센의 말에 아티는 이제야 에센이 이곳에 온 이유를 눈치챘다.

“위로해 주러 오신 거예요?”

어쩜 이렇게 천사 같으실까.

아티가 두 손을 마주 잡으며 눈을 빛내자 에센이 떨떠름하게 뺨을 긁적였다.

“아니, 위로를 해 주러 왔다기보다는 그냥 그렇다고 말해 주려고 왔는데…….”

“오호호홋, 그게 바로 위로를 하러 오신 거죠!”

“아니, 마담 루시. 그렇게 단정 짓지는 말고.”

“에센 님, 감사해요!”

아티가 활짝 웃었다. 누가 자신을 걱정해 주고 있다는 게 이렇게 마음이 든든해지는 것일 줄은 몰랐다.

그것도 무려 ‘전 아티’인 에센이 아니던가!

“저 힘낼게요.”

아티가 옅게 웃자 에센의 뺨이 살짝 붉어졌다.

“……?”

고개를 갸웃하자 에센이 손을 내저었다.

“아니, 힘내라고.”

자신의 반응이 스스로가 느끼기에도 어색했던 건지 에센이 헛기침을 했다.

“어차피 테르니가 해결해 줄 테니까. 걔가 얼빠져 있어도 그런 건 잘하거든.”

"위로 감사드려요."

"아니, 이건 위로가 아닌데……."

누가 봐도 위로를 하면서 위로가 아니라고 우기며 어색해하는 에센을 보고 아티가 옅게 웃었다.

아티가 웃자 에센이 굳은 것처럼 입을 다물었다.

"에센 님 덕에 한결 기분이 나아졌어요."

"그래? 그럼 다행이고."

자신이 뭘 했다고 기분이 나아진 건지 모르겠다고 중얼거리는 소리를 못 들은 건 아니지만, 아티는 그냥 웃고 말았다.

그때였다.

똑똑ㅡ.

"황제 폐하께서 레이디 오비에도를 부르십니다."

크리스텐 궁에서 나온 시종이었다.

아티는 바로 마담 루시를 쳐다보았다. 마담 루시도 알 수 없다는 표정으로 아티를 마주 보았다.

"무슨 일로 부르시는 걸까요?"

"글쎄요. 저도 잘 모르겠군요."

에센이 미간을 좁히며 덧붙였다.

"이전에도 황제 폐하께서 아티를 부른 일은 없는데."

에센이 아티 행세를 하던 몇 달 동안 황실 식구 누구도 아티에게 관심 갖지 않았다.

당연한 일이었다. 그들이 무어라 생각하든 에센은 배 째라는 식으로 모든 만남과 부름을 피했으니까.

에센 입장에선 아드리안이나 자존심 높은 황족이 열 받

아서 자신을 괴롭히거나 내쫓길 바라서였는데, 대체 어떻게 수습을 한 건지 그런 일은 일어나지 않았다.

단지 자신이 병약한 레이디가 되어 있었을 뿐이었다.

'그런 시절도 있었지.'

어쨌든 황제와 독대를 한 기억은 없었다. 아티가 조심스레 물었다.

"심각한 일일까요?"

"가 보지 않으면 모르지."

에센의 말에 아티의 표정이 심각해졌다.

"같이 가 줄까?"

에센의 제안에 아티가 갈등했다. 아티는 제일 먼저 아드리안을 떠올렸다.

'아니야. 이런 것쯤은 이제 혼자 할 수 있어야 해.'

아티가 진짜 약혼녀라면 기꺼이 감내해야 할 시련이었다. 아티가 고개를 가로저었다.

"혼자 다녀올게요."

황제 폐하는 이전에도 뵌 적이 있었다. 과거의 기억을 떠올리며 아티가 씩씩하게 웃었다.

"그럼 다녀오겠습니다."

기다리고 있던 크리스텐 궁의 시종이 아티에게 길을 안내했다.

마담 루시가 대견스러운 눈빛으로 아티를 보았다.

"저것 보세요. 대단하시죠?"

자랑스러워하는 마담 루시를 보며 에센이 조금 떨떠름하

게 답했다.

"그러게."

✦ 👑 ✦

황제의 부름을 받아 크리스텐 궁에 혼자 온 것은 처음이었다.

이름 모를 황제 궁의 시종을 뒤따르며 나는 긴장된 상태로 숨을 들이마셨다가 내쉬었다. 긴장을 완화하기 위한 행동이었다.

"이쪽입니다, 레이디 오비에도."

황태자 궁인 포인세티아보다 널찍하고 웅장하며 위엄이 가득 찬 크리스텐 궁을 곁눈질로 구경했다.

당연하지만 시녀 중에서도 크리스텐 궁에서 일하는 시녀들은 가장 높은 위계를 갖고 있었다.

사람의 두 배는 될 법한 커다란 문 앞에 서자, 문 앞을 지키는 시종이 내게 말했다.

"황제 폐하께서 기다리고 계십니다. 이 방으로 들어가시면 됩니다."

고개를 끄덕이자 문이 열렸다. 나는 뻣뻣하게 굳은 채 예를 갖춰 인사했다.

"아르칸젤로의 축복이 함께하시기를."

"그대에게도 아르칸젤로의 축복이 함께하길."

낮고 웅장한 목소리에 괜스레 긴장되었다. 전에 뵈었을

때는 가족 모임이어서 편하게 대해 주신 듯했다.

이럴 때일수록 더 완벽한 예법을 구사해야 했다.

마담 루시가 가르쳐 준 예법을 떠올리며 고개를 숙이고 있을 때였다.

"오랜만에 보는구나, 새아가."

친근한 목소리에 나도 모르게 고개를 들었다가 깜짝 놀라서 다시 고개를 숙였다.

"예는 거두거라. 우리 사이에 그런 불필요한 예가 필요할까?"

"하오나 폐하, 이것은 마땅히 해야 하는……."

"다른 사람들이나 그렇지. 너는 우리 가족이나 마찬가지이니까 예 같은 건 필요 없다. 안 그러느냐, 며늘아기."

"편하게 대해 주셔서 감사드립니다."

솔직히 억지라고 생각했지만, 황제가 그렇게 말하는데 거역할 용기는 없었다.

"그럼 여기 앉거라. 차는 무엇이 좋을까?"

카를로만 황제의 혼잣말에 시종장이 답했다.

"황후께서 보내 주신 다제스의 차가 남아 있습니다."

"그래? 그럼 그걸로 준비하도록."

"알겠습니다."

나는 가만히 앉아서 황제가 대체 나를 부른 이유가 무엇일지 고민했다.

분위기로 봐서는 나쁜 이야기 때문에 부른 것 같지는 않은데……. 또 모를 일이었다.

"오랜만에 보는 것 같구나."

"예, 폐하."

"짐이 갑작스레 너를 부른 이유가 궁금하겠지."

장난기 어린 황제의 표정에 순간 식은땀을 흘렸다.

일단 뭘 잘못한 건진 모르겠지만 이실직고하는 것이 좋 겠지.

"혹시 제가 잘못한 것이 있다면……."

"아니, 그런 것은 없다."

카를로만 황제의 단언에 내가 더 놀랐다. 없다고? 내 놀 란 시선이 닿자 황제가 머쓱하게 말했다.

"그저 보고 싶어서 불렀는데 부담스러우냐?"

"아, 아니요. 괜찮습니다."

"그래? 그럼 앞으로도 자주 발걸음 하여 이 몸의 말벗이 되어 주겠느냐?"

"말벗으로 제가 괜찮으시다면야 언제든지 불러 주셔도 괜찮습니다."

농담인지 진담인지 알 수 없는 제안에 고개를 끄덕이니 황제가 흐뭇하게 미소 지었다.

"폐하."

카를로만 황제가 계속 흐뭇하게 아티만 바라보고 있으니 시종장이 황제를 불렀다.

"아, 그렇지."

정신을 차린 황제가 헛기침을 했다.

"흠흠. 내가 오늘 너를 이리 부른 연유는 말이지."

"네, 폐하."

"다름 아니라 황궁 내에 돌아다니는 소문이 내 귀에까지 들려와서였단다."

카를로만 황제의 말에 나도 모르게 표정이 굳었다.

얼굴을 가리고 있는 면사 덕분에 표정이 보이지 않아 다행이었다.

'도대체 무슨 말씀을 하시려고 부르신 거지?'

설마 면사를 벗어 보라든가 그런 것일까? 이런 소문이 났으니 황태자비로서 부정하다든가.

짧은 순간 여러 가지 생각이 뇌리를 스쳐 갔지만 단정할 수 있는 건 없었다.

조용히 입을 다물고 있으니 황제가 안쓰러운 눈빛으로 나를 보았다.

"다 헛소문이라는 것을 안다."

"네? 네."

"네 앞에서 이런 말 하긴 그렇지만 아드리안이 날 닮아서 여자 보는 눈이 무척이나 높거든."

"아, 예."

하긴 에센의 얼굴만 보고 있으면 지금까지 봐 왔던 미녀들이 무색해지긴 했다.

"황궁에는 늘 헛소문이 돌아다닌단다."

"네."

"나는 새아가가 이런 일로 마음을 다치지 않았으면 하는구나."

"네. 명심하겠습니다."

내가 고개를 끄덕이니 카를로만 황제가 대견하다는 듯 나를 바라보았다.

다행히 눈 밖에 난 것은 아닌 듯했다.

"다행이구나. 네가 의기소침해 있을 줄 알았는데 괜찮은 듯하여. 황후는 이런 일에 일일이 신경 쓰지 않아도 될 만큼 네가 강한 아이라던데 또 황후의 말이 맞았군."

황제의 말에 어색하게 웃었다. 황후 폐하의 신뢰를 얻고 있는 건 달가운 일이었지만 어째 마음이 무거웠다.

"그런 의미로 아빠라고 불러 보련?"

"네?"

과하게 반짝이는 황제의 붉은 눈동자를 바라보며 어색하게 웃었다.

"제가 어찌 그런 결례를……."

"결례는 무슨! 오히려 무척이나 반긴단다. 자, 불러 보련. 아빠!"

이걸 진짜 불러야 할지 말지 깊은 내적 갈등을 하고 있을 때였다.

시종 한 명이 들어오더니 시종장에게 귓속말을 했다.

이어 말을 전해 들은 시종장이 카를로만 황제에게 말을 전했다.

"폐하. 마리에 공주 전하께서 알현을 요청하십니다."

"마리에가 말이냐? 크리스텐 궁엔 오기도 싫다며 매일 튕기던 녀석이 무슨 일이지?"

"지금 당장 뵙고 싶다며 요청하셨습니다."

"허어……. 이게 대체 무슨 일이람. 새아가, 같이 마리에를 보아도 괜찮겠느냐."

"네, 저는 괜찮습니다."

"그럼 마리에를 이쪽으로 불러오도록 해라."

"예, 폐하."

시종이 방을 나가고 카를로만 황제가 여전히 알 수 없다는 표정으로 고개를 갸웃했다.

오래 지나지 않아 마리에 공주가 나타났다.

"부황께 아르칸젤로의 축복이 함께하시기를 바랍니다."

"그래. 우리 공주. 이 아비에겐 웬일로 볼일이 있어 오신 거지?"

"아, 다름이 아니라……."

마리에 공주의 시선이 내게 닿았다.

"새언니도 있었네요. 아르칸젤로의 축복이 함께하기를."

"공주 전하께도 아르칸젤로의 축복이 함께하시길."

인사를 주고받자 마리에 공주가 황제에게 의문을 표했다.

"무슨 일인데 새언니가 여기 있어요?"

"당연히 짐이 불렀다."

"아빠, 또 헛소리하려고 부른 건 아니죠?"

"허어. 헛소리는 무슨. 그저 황궁 생활을 잘하고 있는지 그것이 궁금하여 불러 보았다."

"시집살이 시키려고 그런 거죠?! 시대가 어느 시대인데!"

"아니라니까! 넌 왜 이 아비의 말을 믿지 않는 거냐, 마리에?"

황제가 억울함을 호소했지만 마리에 공주는 꿋꿋했다.

"새언니, 새언니가 말해 봐요. 아빠가 새언니를 왜 부른 거예요?"

갑자기 화살이 나에게 돌아왔다.

"네? 아. 황궁에 저에 관해 헛소문이 돌고 있는데 그걸 로 마음이 다치지 않았으면 좋겠다고……."

카를로만 황제가 자신의 억울함을 풀어 달라는 듯 보고 있어서 조심스럽게 말을 했는데, 마리에가 다 듣더니 인상 을 더욱 구겼다.

"아빠. 그 소문은 나도 들었거든? 아빠가 이렇게 불러서 '나 알고 있다.' 하고 알려 주는 게 새언니 입장에선 더 부 담스러운 일이라고."

"아니, 마리에 너는 내가 무슨 일을 할 때마다 그렇게 잔 소리냐. 아직 어린 녀석이 말이야."

"어려도 옳고 그름은 안다고요!"

마리에가 허리에 손을 얹고 화를 내자 카를로만 황제가 졌다는 듯 두 손 두 발을 들었다.

"시아버지는 시아버지일 뿐이니까, 아빠가 며느리에게 사랑받고 싶으면 며느리는 남의 집 귀한 딸이다 하고 잘하 는 방법밖에 없다는 걸 명심해!"

"아, 알겠다."

카를로만 황제의 항복 선언에 마리에 공주가 의기양양하 게 나를 바라보았다.

마치 칭찬해 달라는 것 같아서 나도 모르게 미소 지어 주었다.

"그런데, 마리에. 다급하게 알현을 신청한 이유가 무엇이냐?"

"아!"

잠깐 잊고 있었던 건지 마리에 공주가 손뼉을 치며 진지한 표정을 지었다.

"부황. 저 황궁 밖으로 나가고 싶어요."

마리에 공주가 갑자기 저자세로 황제에게 매달렸다.

"그건 네 어미에게 허락받으면 되는 것이 아니냐. 왜 내게 허락을 받으러 온 것이지?"

카를로만 황제의 날카로운 지적에 마리에 공주가 입술을 깨물었다.

"아, 그게. 모후께서 자꾸 황궁 밖으로 나가고 싶으면 호위를 데리고 가든가 네벨 영애와 같이 가라고 하시잖아요."

"그게 뭐?"

"둘 다 싫어요!"

마리에가 단호하게 말했다.

"잠깐 나가서 어딜 좀 다녀오는 것뿐인데 소란스럽게 나가고 싶지 않아요. 그리고 가브리엘이랑은 취향이 안 맞는다고요."

"너 혼자 나가는 건 허락할 수 없다."

"그렇지만! 부황!"

"열 명만 데리고 나가."

"그것도 너무 많아요!"

운신의 폭이 좁다느니, 그렇게 데리고 나가면 사람들이

다 알아본다느니 이런저런 이야기를 늘어놓았지만 카를로만 황제는 허락해 줄 기미가 보이지 않았다.

마리에가 거의 울 것 같은 표정으로 울상을 짓자, 그제야 황제가 입을 열었다.

"흠. 그럼 네 새언니는 어떠냐? 아티와 나간다면 호위는 둘 정도로 봐주마."

반색을 하며 마리에가 나를 돌아보았다.

"새언니요? 저야 좋죠! 언니? 언니는 어때요?"

"아, 공주 전하께서 원하신다면……."

"당연히 원하죠. 무슨 말씀이세요, 언니."

마리에가 생긋 웃으며 도망칠세라 내 손을 덥석 잡았다.

"아, 물론 황후에게도 허락을 받아야 한다."

"네!"

마리에가 아티의 손을 잡으며 말했다.

"새언니, 어머니 뵈러 같이 가요."

"네? 하지만 지금 폐하께서……."

"아빠, 괜찮죠?"

"아니, 며늘아기는 나랑 다과를 즐기고 있었는데……."

"괜찮죠?"

"……."

역시 카를로만 황제는 마리에 공주에게 약했다.

마지못해 카를로만 황제가 고개를 끄덕이니 마리에가 활짝 웃으며 내 손을 잡고 인사했다.

"아펜니노의 태양께 축복과 광명을."

카를로만 황제는 여전히 어이없어하는 표정으로 얼른 가라는 듯 손사래를 쳤다.

✦ 👑 ✦

"안 돼."

황태자의 집무실.

모처럼 루드밀라 황후의 허락까지 받고 온 참이었는데, 아드리안은 단호하게 반대했다.

"아, 왜! 오빠는 내 인생의 걸림돌이야? 요즘 나한테 왜 이래?"

"안 되는 건 안 되는 거야."

"아, 오빠!"

"예의를 지켜라, 마리에."

"아, 진짜. 제발요, 아드리안 황태자 전하!"

"그래도 안 돼."

마리에가 입을 꾹 다물고 노려보았으나 아드리안은 물러섬이 없었다.

아드리안이 느슨하게 웃으며 마리에를 비웃었다.

"보나 마나 뻔하지. 네 욕심을 채우자고 얌전한 내 약혼녀를 꼬드겼을 확률이 높다는 걸 말이야."

"꼬드긴 적 없어!"

마리에가 억울해했지만 반쯤은 맞는 말이라서 할 말이 없었다.

"어쨌든 안 돼. 허락할 수 없어."

"오빠가 뭔데 허락하고 말고 해?"

"뭐냐고?"

입술을 비틀어 웃은 아드리안이 당당하게 말했다.

"아티의 약혼자다."

"아, 예."

과하게 자랑스러워하는 아드리안을 짜게 식은 눈으로 바라보다가 마리에가 중얼거렸다.

"이런 속 좁은 남자랑 결혼하게 되다니, 새언니가 불쌍해."

"뭐?"

"뭐. 무슨 말 들었어?"

분명히 자신을 욕하는 걸 들었는데 마리에가 뻔뻔하게 나오니 아드리안이 두 눈을 가늘게 떴다.

찌를 듯한 눈빛을 알고 있을 텐데 마리에는 아무렇지 않게 웃었다.

"이제 네 궁으로 돌아가."

"아, 새언니랑 나가는 거 정말 안 돼?"

"안 돼."

"그럼 새언니랑 노는 것도 안 돼?"

"안 돼."

"아, 왜! 오빠, 진짜 새언니한테 왜 그렇게 매몰차?"

아드리안의 반듯한 이마가 구겨졌다.

누구보다 상냥하게 굴고 있는데 매몰차다니, 이게 무슨 소리람.

"그렇게 아무하고도 교류를 못 하게 하면 어떡해! 그래 가지고 새언니가 이 험악한 세상에서 홀로 살아갈 수 있겠어?"

"내가 있는데 왜 홀로 살아가야 하지?"

"오빠가 없으면?"

"내가 없을 리가 없어."

"허, 참. 말이 안 통하네."

마리에가 고개를 절레절레 흔들었다.

오히려 이런 인간을 데리고 살아 준다는 새언니가 날개 없는 천사처럼 느껴졌다.

"오빠는 정말 새언니한테 잘해야 해."

"네가 그렇게 말하지 않아도 알아서 잘하고 있다."

"새언니가 아니었으면 오빠는 결혼도 못 할 인종이야."

"당연한 말을 하고 있군."

"인정하는 거냐고."

마리에가 어이없어했지만 아드리안은 별다른 반성의 기미도 보이지 않았다.

마리에는 진심으로 새언니가 불쌍해졌다.

"어쨌든 언니는 언제까지고 오빠가 지켜 줄 수 없어. 지금이야 가능하겠지만 황태자비가 되고 황후가 되어서는 불가능하다고. 모후를 보면서 배우는 것도 없어?"

"없어."

마리에가 화가 난 채로 아드리안을 노려보았다.

아드리안은 네가 그러면 어쩔 것이냐는 듯 웃었다. 마리에가 그런 그를 보며 경고했다.

"그러다 후회한다, 오빠."

"후회 같은 건 능력이 없는 자들이나 하는 거지. 이런 걸로 내가 후회할 것 같나?"

마리에는 언젠가 아드리안이 아티 때문에 뼈저리게 후회할 날이 왔으면 좋겠다고 생각했다.

'오빠에게 착한 새언니는 너무 과분해.'

아티가 아드리안을 버리는 거면 금상첨화이고, 아니어도 반드시 후회했으면 했다.

'새언니한테 나쁘지 않은 방향으로, 꼭!'

단란한 남매의 대화에 끼려고 하는 사람은 없었다. 적어도 디아노와 에센은 그러했다.

디아노가 까 주는 귤을 먹고 있던 에센은 일순 둘을 바라보는 마리에와 눈이 마주쳤다.

마리에가 고개를 갸웃거렸다.

"에센 경. 오랜만에 보네요. 이제 완전히 복귀하는 건가요?"

"예."

"여전히 빛나는 미모네요."

"예."

"근데 뭔가 묘하게 낯이 익은 것 같은데……."

마리에의 눈이 가늘어졌다. 정작 당사자인 에센은 태연했으나 괜히 디아노와 아드리안이 긴장했다.

아드리안이 황급히 마리에에게 축객령을 내렸다.

"마리에. 어서 사라져."

"아, 오빠가 가라고 안 해도 갈 거야. 걱정 마."

"근데 왜 버티고 있는 거지?"

"에센 경 오랜만에 보니 반가우니까 그렇지."

마리에가 친근하게 웃었으나 에센은 그냥 고개만 까딱였다.

아드리안은 웃겼다. 둘이 어릴 적부터 자주 보고 자란 사이이긴 하지만 에센과 싸운 횟수만 세면 마리에도 아드리안 못지않았다.

마리에가 어릴 적 여장한 에센을 보고 언니를 갖고 싶었다며 얼마나 들러붙어 진상을 부렸던가.

"근데 그동안 어디 가 있었어요? 남부 토벌 간 거예요? 아니면 오라버니의 비밀 임무? 아니면 요양 중이셨어요?"

"그게 다 무슨 소리입니까."

허황된 소리에 에센이 인상을 찌푸리자 마리에가 웃음을 터뜨렸다.

"궁내에서 돌아다니는 소문인데 다들 에센 경이 뭐 하느라 한동안 모습을 안 보이셨는지 의견이 분분했거든요."

마리에의 말에 아드리안이 인상을 굳혔다. 단순한 호기심인지, 아니면 일부러 떠보는 것인지 알 수 없었지만 이 부분은 위험했다.

아드리안이 막 불편한 심기를 드러내며 마리에를 강제로 내쫓으려 했을 때였다.

"쟤랑 싸우고 집 나갔었습니다."

에센이 평이한 어조로 답했다.

"쟤?"

'쟤랑 싸우고 집 나갔었습니다.'의 '쟤'를 맡게 된 아드리안은 졸지에 긍정해야 하는 건지 부정해야 하는 건지 알 수 없어 인상을 찌푸렸다.

그것만으로도 마리에는 알아서 이해를 했다.

"어쩐지. 그렇게 오랫동안 안 보일 이유가 그것밖엔 없죠."

마리에가 적당히 하라는 듯 아드리안을 보며 혀를 찼다. 아드리안이 인상을 썼다.

"언제 갈 거냐?"

"이제 갈 거야. 대체 왜 그렇게 못 쫓아내서 안달이야? 뭐 있어?"

"아니, 없어."

마리에가 수상쩍은 듯 아드리안을 보았다. 그러다가 다시 디아노와 에센에게로 시선을 옮겼다.

"아! 생각났다!"

돌연 손뼉을 친 마리에가 환하게 웃으며 말했다.

"에센 경, 우리 새언니랑 비슷하네요."

"……!"

디아노와 아드리안이 동시에 사레들렸다. 에센이 태연하게 되물었다.

"예비 황태자비 말씀하시는 겁니까?"

"네! 눈과 머리 색이 비슷해서 그런가? 뭔가 닮아 보이는 듯도 하고……. 근데 지금 새언니보다는 막 궁에 들어왔을 적의 새언니와 닮았어요."

발랄한 마리에의 말에 디아노와 아드리안이 동시에 기침을 했다.

정작 이 혼란 속에서 에센만이 침착했다.

"어쩐지 새언니를 볼 때마다 내가 아는 누군가를 닮은 것 같다는 생각을 했는데, 에센 경이었군요!"

절찬리 진행 중인 마리에의 오해에 디아노와 아드리안이 조용히 안도했다.

에센은 그러거나 말거나 디아노 손에 있는 귤을 빼앗아서 까먹었다.

"어쨌든 에센 경도 돌아오고 좋네요."

"마리에."

"아, 알았어. 갈게."

인사를 끝마친 마리에가 아드리안의 성화에 마지못해 자신의 궁으로 돌아갔다.

아드리안은 잠시 에센을 노려보았으나 다른 말은 하지 않았다.

에센은 네 녀석이 뭐 어쩔 것이냐는 듯 턱을 괴었다.

"모후께서 단속을 했다고 들었는데 아직도 소문이 퍼지고 있다니, 이상하군."

"작정하고 누가 흘린 거겠지."

에센이 단언했다. 디아노가 고개를 갸웃했다.

"이런 소문으로 얻을 수 있는 게 뭐가 있다고 그러는 겁니까?"

"의도야 정확히 알 수 없지만 아티의 평판을 깎으려는 거겠지."

"약혼녀의 평판이 깎이면 아드리안의 평판도 덩달아 깎

이니까.”

에센의 말에 아드리안이 에센을 바라보았다.

‘다 아는 녀석이 그동안 그렇게 행동한 것인가.’

뭘 보냐는 듯한 시선에 아드리안의 눈이 가늘어졌다. 에센이 물었다.

“테르니는 뭐래?”

“여기 없는 거 보면 알지 않나?”

“소문의 출처를 뒤져 보고 있는 중이겠군.”

어련히 알아서 잘하겠냐만은 그럼에도 에센은 마음이 쓰였다.

단순히 지금 아티가 초식 동물처럼 순하고 귀여운 사람이라서 그런 거겠지.

전후 사정을 들었다고 해도 에센에게 아티는 ‘불쌍하게 얻어걸린 사람’이었다.

열심히 귤을 까던 디아노가 에센에게 말을 붙였다.

“에센 경. 저와 대련해 주십시오.”

“뭐래. 싫어.”

“아, 에센 경. 저는 더 강해지고 싶습니다.”

“귤이나 더 까 봐. 먹다 보면 언젠간 대련하고 싶어지겠지.”

“넵!”

아드리안은 둘을 보며 고개를 절레절레 저었다.

Chapter 15. **헛소문에 대처하는 우리의 자세**

Chapter 15. 헛소문에 대처하는 우리의 자세

"아티!"

저녁을 먹고 난 후, 산책을 하기 위해 방을 나섰던 나는 대뜸 끌어안는 테르니 때문에 한숨을 내쉬었다.

"또 왜 이러세요, 오라버니."

"아티! 다 들었어! 혼자서 많이 힘들었지? 황제 폐하께서 뭐라고 하신 거 아니야?"

"아. 낮의 일을 듣고 오셨구나."

테르니를 대하는 내 태도가 한결 누그러졌다.

"아니요. 걱정돼서 부르셨다고 하셨어요. 저는 괜찮아요."

"아티! 아티 아프면 안 돼!"

"저는 건강해요."

"마음이 아픈 것도 안 돼!"

떼를 쓰는 듯한 테르니의 말에 한숨을 내쉬었다. 방식이 이상하긴 해도 나를 위한 것이니 그러려니 했다.

좀 이상한 사람이지만, 나쁜 사람은 아니니까.

"아티, 걱정 마. 내가 그런 이상한 소문을 낸 녀석들 다 혼내 줄 테니까!"

"누가 작정하고 낸 소문이라는 뜻이에요?"

"응!"

테르니가 활짝 웃으며 고개를 끄덕였다.

"그리고 누가 했는지도 알아냈어!"

테르니가 자랑스럽게 한 말에 내 표정이 굳었다.

"누가 했는데요?"

조심스러운 질문에 테르니가 고민하는 듯 말을 아꼈다.

평소라면 있는 말 없는 말 다 해 주었을 텐데, 왜 이렇게 말을 아끼는지 모르겠네.

"당사자니까 제가 알아도 되는 일 아닐까요?"

"알고 싶어?"

"네."

테르니가 내게 귓속말했다.

역시나. 가장 의심스러운 사람의 이름이 나오자 내 감정이 차갑게 얼어붙었다.

도대체 내가 무엇을 잘못했다고 계속 내게 이러는 것일까?

"정확히는 소문의 출처는 네스터 남작 영애인데, 그 뒤엔 걔가 있더라고. 여러 정황을 모으긴 했어."

"결정적인 증거가 있나요?"

"안타깝게도 그건 없네."

테르니가 진심으로 안타까워하며 말했다.

"헛소문은 헛소문으로 덮는 게 제일 좋겠지. 기다려, 아티! 내가 복수해 줄게!"

"뭘 하려고 하시는데요?"

테르니가 음흉하게 웃었다.

"당한 대로 갚아 주기."

뭘 하려는 건지 정확하게는 알 수 없어도, 가브리엘을 상대로 나름대로 준비한 게 있는 모양이었다.

"후후. 헛소문이 얼마나 짜증 나는 것인지 내가 친히 알려 주도록 하지."

음산한 미소에 어색하게 웃었다. 테르니가 당부했다.

"그러니까 아티는 걱정 말고 얌전히 있어! 소문이 사라지기 전까지는 되도록 나가지 말고. 알았지?"

"알았어요."

"그럼 난 준비할 게 있어서 이만 가 볼게."

테르니가 돌아가자 산책을 할 만한 기분이 아니라 다시 들어와 앉았다. 굉장히 이상한 기분이 들었다.

뭐지, 이런 기분?

정체를 알 수 없는 기분 때문에 무척이나 찜찜했다.

"테르니 공자의 말도 맞네요. 당분간은 얌전히 계시는 게 좋겠어요. 이 헛소문이 지나갈 때까지 말이에요."

마담 루시도 테르니와 같은 말을 했다. 괜히 사람들 눈에 띄어 봤자 좋을 것이 없다는 요지의 충고.

"하지만 피할수록 소문의 신빙성이 높아진다고 생각하지

않을까요?"

"당연히 그러겠죠. 하지만 그걸 감안해도 숨어 있는 게 낫다는 판단인 거죠."

마담 루시가 품 안에서 초대장 하나를 꺼냈다.

"아티 님. 그럼 이건 거절할까요?"

오늘 마리에 공주와 함께 찾아갔을 때 황후께서 직접 주신 티 파티의 초대장이었다.

"당연히 거절이시겠죠?"

마담 루시가 웃으며 재차 질문해 왔다. 처음부터 내 선택은 하나였다.

"아니요, 갈 거예요."

✦ 👑 ✦

"아르칸젤로의 축복이 함께하시기를."

"어서 오렴, 새아가. 네가 참석해 자리를 빛내 주다니 무척이나 기쁘구나."

루드밀라 황후가 반색하며 나를 기특하게 바라보았다. 그 시선을 한 몸에 받으며 되도록 조심스럽게 인사했다.

"모처럼 황후 폐하께서 친히 초대해 주셨는데 응당 참석해야 마땅하죠."

"그래도 평소엔 거절하지 않았니."

루드밀라 황후가 감격에 젖어 고개를 흔들었다.

"마치 네가 내게 마음을 활짝 열어 준 것 같아 무척이나 기쁘구나."

"저야말로 황후 폐하의 배려에 몸 둘 바를 모르겠습니다."

"그저 편안하게 즐기면 된단다. 자, 오늘은 아무 걱정 하지 말고 편하게 즐기다 돌아가려무나."

"예, 폐하."

티 파티에 모습을 드러낸 후부터 미리 와 있던 영애들의 따가운 시선이 나를 향했다.

루드밀라 황후는 그런 분위기 따위는 아랑곳하지 않고 내게 편안하게 즐기고 돌아가라고 말했다.

다시 말해서 자신이 있는 앞에선 누구도 헛소문으로 나를 괴롭히지 못하게 만들어 주겠다는 엄포나 다름이 없었다.

그것이 진짜이든 아니든 황후의 말만으로도 천군만마를 얻은 듯 든든했다.

"새언니!"

황후 폐하께 인사를 드리고 안내에 따라 내 자리로 가니, 마리에 공주가 무척이나 걱정스러운 얼굴로 나를 불렀다.

내가 웃어 주자, 마리에 공주가 더 걱정스러운 표정을 지었다.

"새언니, 그냥 돌아가는 게 좋지 않겠어요? 모후께는 제가 잘 말씀드릴게요."

"걱정해 주셔서 감사해요, 마리에 공주 전하. 하지만 저는 괜찮답니다."

마리에가 걱정스러운 눈길로 나를 쳐다보았다.

"새언니가 조용히 있으면 3개월만 지나도 모든 소문이

다 수그러들 거예요."

"그동안 몸을 사리고 있는 것으로 호사가들이 좋을 대로 떠들겠죠."

자신만의 소문이었으면 크게 신경 쓰지 않았을 문제였다.

하지만 예비 황태자비를 노리고 이런 헛소문을 퍼뜨린 사람 때문에 몸을 사리는 건 황실에도 누가 되는 일이었다.

그리고…….

'정말 아무런 생각도 없이 참석한 건 아니니까.'

루드밀라 황후가 친히 여는 티 파티엔 그녀가 아끼는 네벨가의 영애인 가브리엘도 당연히 참석했다.

"황후 폐하! 이런 좋은 날에 저를 불러 주셔서 감사드려요. 이 가브리엘, 얼마나 기쁜지 알 수 없답니다."

"이렇듯 와 주어 고맙구나, 가브리엘."

"무슨 말씀이세요, 폐하. 당연히 참석해야죠."

황후의 총애는 자신의 것이라는 듯 가브리엘이 슬쩍 나를 보며 어깨를 으쓱였다.

다른 사람이면 몰라도 가브리엘이 나에 대한 헛소문이 퍼지기 좋은 이때를 놓칠 리가 없었다.

내가 없는 자리에서 얼마나 헛소문에 대해 떠들지 알 수 없었다.

마치 지금처럼.

"오늘도 면사를 쓰고 온 것 좀 봐."

"대체 얼마나 예쁜 얼굴이기에 열심히 가리나 했더니, 사실은 추녀였던 거야?"

"아드리안 황태자 전하께서도 속으신 게 아닐까?"

"확실히 저렇게 있으니까 절세미인처럼 보이잖아."

대놓고 들으라는 듯 속닥거리는 목소리가 우리에게 들리지 않을 리가 없었다.

"저것들이!"

마리에가 인상을 쓰며 그 영애들을 노려보았다.

길길이 화를 내며 당장이라도 뛰쳐나가려고 하는 마리에 공주의 손을 꽉 붙잡고 내가 고개를 가로저었다.

"새언니! 저것들이 언니를!"

"하지만 여기서 마리에 공주 전하께서 나서면 제 꼴이 더 우스워져요."

비록 제대로 된 데뷔를 한 것도, 사교계에 오래 있어 본 것도 아니었지만 대충 이 바닥의 생리는 알고 있었다.

누군가가 대신 나서서 옹호해 주면 옹호해 줄수록 겉으로는 잠잠해 보이나 수면 밑으로 숨어 버린 공격이 더 거세졌다.

'내가 매듭지어야 해.'

상대를 잘못 골랐다는 인식을 심어 주어야 했다. 그렇지 않으면 앞으로는 더 힘들어질 것이다.

그나마 내게 다행인 점은 이 헛소문은 '내 잘못'으로 일어난 것이 아니라는 것이었다.

나는 마리에 공주를 앉히며 미소 지었다.

"자, 얼굴 펴세요. 좋은 날이잖아요."

"하지만……!"

마리에가 짜증 난 건지 얼굴을 구겼다.

대놓고 노려보는 마리에 공주의 시선 탓에 소문을 떠들어 대던 영애들이 기가 눌려 아무 말도 하지 못하고 목소리를 낮추었다.

"새언니는 화나지 않아요?"

"당연히 나죠."

"그런데 왜 그렇게 태연해요?"

"화를 낸다고 해결될 문제는 아니니까요."

여기서 화를 내 봤자 평판만 깎일 것이다.

마리에는 공주이기 때문에 화를 내고 협박을 하고 깽판을 부려도 큰 문제가 없지만 나는 달랐다.

그동안 마담 루시가 해 준 이야기가 무척이나 도움이 되었다.

'사교계에선 끝까지 우아하게 웃고 있는 사람이 승리자예요.'

이기는 것도 중요하지만 가장 중요한 것은 어떻게 우아하게 이기느냐. 바로 이것이었다.

"그런데 새언니는 왜 얼굴 공개를 꺼리시는 건가요? 아무리 오빠가 가리라고 명령했다고 해도 소문이 이렇게 퍼지니 공개해 버리면 될 텐데요."

"그건……."

마리에의 의문에 나는 곧바로 답하지 못했다. 답하기가 곤란했으니까.

'얼굴을 공개해 버리면, 약속한 시간이 지나면 수도를 떠

날 수밖에 없으니까.'

내가 답하지 못하자 마리에는 고개를 갸웃하더니 더 이상 묻지 않았다.

마침 황후에게 모든 귀부인과 영애가 인사를 마쳤다.

"오늘 무척이나 맛있는 차가 들어와서 모두에게 맛보여 주려고 불렀답니다."

황후의 인사와 함께 스콘을 비롯한 맛있는 간식과 차가 들어왔다.

막 내 앞에 놓인 간식과 차를 살펴보는데 옆에서 찌를 듯한 눈빛이 사라지지 않았다.

"왜 그렇게 보세요?"

마리에 공주가 가만히 나를 뚫어져라 보았다.

"새언니 처음 봤을 때랑 정말 느낌이 달라서요."

"네?"

"여리고 쉽게 상처받을 것 같아서 챙겨 주고 싶었는데, 제가 생각한 것 이상으로 강한 사람이네요."

강한 사람인지는 몰랐지만 챙겨 주고 싶다는 마리에 공주의 말에 마음이 찡해졌다.

마음 착한 상사는 위치가 달라진 시녀에게 꾸준히 마음을 써 주고 있었다.

'진실을 말할 수 없다는 건 마음에 걸리지만……'

이것으로 속죄가 되길 바라며.

"저도 공주 전하가 좋아요."

"정말요?"

"네."

최대한 잘해 주고 싶었다. 아드리안의 동생이어서도, 옛 상사라서도 아닌, 마리에가 좋아서.

"오늘 정말 날이 좋네요. 그렇죠?"

평소엔 온실에서 열린다는 황후의 소규모 티 파티가 오늘은 정원에서 열렸다.

티 파티를 맞이해서 꾸민 정원의 싱그러운 꽃향기가 기분을 바꿔 놓았다.

마리에 공주도 조금 누그러진 반응으로 입을 열었다.

"기상학자들은 오늘 비가 온다고 했는데 날이 맑아서 정원으로 했다고 해요."

"정말요? 비가 왔으면 아쉬울 뻔했어요."

"그러게요. 사실 전 새언니를 봐서 좋기는 해요."

"정말요?"

"네. 오라버니가 언니를 안 보여 주려고 하니까."

"전하께서요?"

"네. 제가 막 시집살이 시키는 것처럼 못 만나게 한다니까요?"

"아……. 전혀 몰랐어요."

내가 고개를 가로저으니 마리에가 울상을 지으며 하소연했다.

"어제는 오빠가 얼마나 저한테 뭐라고 그랬는지 알아요? 새언니랑 나가지도 못하게 반대하고, 새언니랑 놀지도 못하게 했어요."

"그런 일이 있었어요?"

황태자가 내게는 먼저 돌아가라고 했기 때문에 그런 대화가 오고 갔는지는 전혀 몰랐다.

마리에가 억울하다는 듯 고개를 크게 끄덕였다.

"모후와 부황, 두 분께서 허락한 일을 가지고 자기가 뭔데 반대람!"

"전하께서 반대하실 줄 몰랐어요……."

축제 때 인파에 휩쓸려 불순한 무리에게 끌려갈 뻔한 기억이 있어서 그런지 아드리안이 반대했다니까 괜히 마음이 좋지 않았다.

'마리에 공주 전하께 새언니 노릇을 못 할 것 같았나?'

하지만 마리에는 아드리안을 전혀 신경 쓰지 않는 듯했다.

"오라버니는 무시하고 우리끼리 친하게 지내요. 전 새언니가 무척이나 마음에 들거든요."

"공주 전하께서 그래 주시면 저야 당연히 감사하죠."

"공주 전하는 무슨! 이름으로 불러요. 마리에라고."

마리에가 두 눈을 반짝였다. 예의상 거절할까 하다가 나는 그냥 고개를 끄덕였다.

"네, 마리에."

"아싸!"

마리에가 즐거워하며 내 팔을 붙잡았다.

"저 사실 되게 천방지축이거든요. 말괄량이에! 그래서 언니처럼 우아한 사람 보면 저도 모르게 좋아하게 돼요. 이상형이라 그런가?"

"제가 우아해요?"

"네. 무척 많이! 모르셨어요?"

"네……."

우아하다기보다 소심한 거라고 생각했는데, 이게 우아해 보일 수 있구나.

그동안 혼자 갈고닦은 노력이 빛을 보는 것 같아 기뻤다.

"아무튼 저는 언니와 정말 친해지고 싶어요. 지금도 친하다고 생각하지만 더더더더."

"왜요?"

이런 거 물어보면 안 되는 거 알지만 너무 궁금해서 나도 모르게 질문이 튀어나왔다.

다행히 마리에 공주는 불쾌하게 여기지 않았다.

"흐음. 아무래도 이 황궁은 크잖아요?"

"네."

"그래서 황궁 생활을 이해해 주는 영애는 별로 없다 이 말이죠."

아, 혹시 그것인가. 공주의 고충을 이해해 주는 친구가 없다?

비스킷을 먹으며 가만히 마리에 공주를 보았다.

나 역시 이해할 순 없을 텐데 무엇이 마리에의 마음에 든 것일까?

"그리고 말벗인 영애들이랑은 취향이 진짜 안 맞아요. 사실 그래서 더 심심한 것도 있어요."

"그러시군요."

그건 시녀 시절 때부터 알고 있던 사실이라 놀랍지 않았다. 그저 마리에가 정말 많이 심심했구나 싶었을 뿐.

"언니는 대체 오빠의 어떤 점이 좋아요?"

"……얼굴?"

"엑, 고작 그 얼굴이요?"

태어날 적부터 아드리안의 얼굴을 보고 자란 마리에는 이해할 수 없다는 반응이었다. 나는 살포시 웃었다.

"농담이에요."

"진심 같았는데."

"전하께서 상냥하시니까."

"오빠가 상냥하다고요?!"

믿을 수 없다는 듯 마리에가 인상을 구겼다.

나도 솔직하게 내뱉어 놓고 이건 좀 아닌가 싶었는데, 다시 생각해 보면 요 근래 황태자는 확실하게 상냥했다.

불꽃놀이를 보고 온 그때 이후로 묘하게 어색하긴 하지만…….

그래도 아무렇지 않게 대해 주어 그런 어색함도 참을 만했다.

"역시 연인이라 그런가, 평가가 후하네……."

마리에가 질린다는 듯이 한 말에 내가 웃어 버렸다.

"뭐, 오빠가 버림받을 일이 없을 것 같아 다행이네요."

"누가 버림받아요?"

"못 들은 걸로 해 주세요."

한창 마리에와 아드리안을 화제로 떠들었다.

이렇게 무사히 아무 일도 없이 티 파티가 끝나 가는 것인가 여겼을 때였다.

불현듯 주변이 조용한 것 같아 고개를 드니, 가브리엘이 친히 우리 곁에 다가와 있었다.

"악! 깜짝이야."

그녀의 등장에 마리에가 놀라서 소리를 지르니 가브리엘이 빙그레 미소 지었다.

"역시 제 미모가 그렇게 깜짝 놀랄 미모인가요? 호호호."

"아니, 그건 아닌데."

"마리에 공주 전하께서 부정하고 싶을 정도로 아름답다는 건 저도 잘 알고 있답니다."

"아니, 아니라고."

마리에가 뒤늦게 부정을 해 봤자 소용없었다.

"마리에 공주 전하께서 저를 이리도 좋게 생각하고 있을 줄은 미처 몰랐네요."

"완전히 자기 좋을 대로 생각하고 있잖아."

마리에가 질린 표정으로 가브리엘을 상대하길 꺼렸다.

마리에가 입을 다물자 가브리엘의 제비꽃 같은 보라색 눈동자가 나를 향했다.

"참으로 오랜만에 보는 것 같네요, 아티엔느 양."

"그러게요. 가브리엘 양."

도대체 무슨 소리를 하려고 여기까지 행차하신 것인가. 사실 이유는 뻔했다.

"제가 아티엔느 양에 대해서 좋지 못한 소문을 들었어요."

"그러시군요."

듣기만 한 게 아니겠지. 절로 차가운 대답이 흘러 나갔지만 마담 루시의 조언대로 은은하게 미소 짓고 있었다.

"가브리엘."

마리에가 가브리엘을 말리려고 했지만 소용없었다. 가브리엘이 신나게 미소 지으며 내게 물었다.

"혹시 아티엔느 양도 황궁 내의 소문을 들으셨나요?"

가브리엘의 노골적인 질문에 나는 루드밀라 황후 폐하가 있는 쪽을 바라보았다.

오늘 황후 폐하가 말씀하신 게 있는데 무시하고 노골적으로 내게 물어 오다니.

루드밀라 황후의 뜻을 거스른 것인가 싶었는데 황후에겐 다른 귀부인이 가서 이야기를 나누고 있었다.

'노렸군.'

아직 이곳의 상황을 인지하지 못한 듯 루드밀라 황후는 귀부인과 함께 즐거운 이야기를 나누는 중이었다.

아울러 이쪽은 어느새 가브리엘이 동원한 듯한 영애들이 둘러싸고 있어서 황후의 눈에 바로 띄지 않을 것 같았다.

티 파티에 참석한다고 했을 때부터 이런 일이 생길 수도 있다고 생각했지만, 이렇게 노골적으로 일을 벌일 줄은 몰랐다.

가브리엘을 바라보는 내 눈빛이 더욱 차가워졌다.

"제게서 무슨 대답을 듣고 싶은 건가요?"

느긋한 질문에 가브리엘이 입꼬리를 비틀어 웃었다.

"어머나. 무슨 말씀을 하시는 것인지 모르겠네요."

"제게 듣고 싶은 말이 있어 물어보신 게 아닌가요?"

"무슨 말씀을 그렇게 하세요, 아티엔느 양. 그저 소문에 대해 들으신 게 있느냐고 여쭈었는데 말이죠."

마리에가 이건 무슨 개소리냐는 듯 인상을 찌푸렸다. 나는 한마디 하려는 마리에를 제지하고 가브리엘을 바라보았다.

"무슨 소문인데요?"

내 질문에 미끼를 덥석 문 물고기를 낚아채듯 가브리엘이 눈을 반짝였다.

"바로 아티엔느 양에 대한 소문이에요."

가브리엘의 병풍들이 웅성웅성 떠들었다.

이미 다 알고 있는 마당에 새로운 이야기인 척하고 있는 꼴이 좀 가소로웠다.

"가브리엘, 항간에 떠도는 소문을 맹신하는 건 좋지 못한 태도예요."

내 만류에도 불구하고 결국 참지 못한 마리에가 가브리엘에게 한 소리를 했다.

"어머나, 마리에 공주 전하. 저를 걱정해 주시다니, 하긴 마리에 전하가 아니면 누가 저를 걱정해 주겠어요? 저희는 소꿉친구에 절친이잖아요!"

"하아. 뭐래."

마리에가 크게 한숨을 내쉬며 이마를 짚었다. 속이 뒤집어지는 모양이었다.

내가 가만히 있으니 가브리엘이 의기양양해져서 도도하

게 말했다.

"제 입으로 전해 드리기는 좀 민망하지만 모두가 아티엔느 양의 황태자비 자질을 의심하고 있어요. 모두가 거짓말을 했다고 생각하고 있거든요."

"제가 무슨 거짓말을 했다는 거죠?"

"후후. 그건 누구보다 본인이 더 잘 알고 있을 텐데요."

가브리엘이 마치 놀리듯 입을 열었다.

"대체 그 얼굴은 왜 가리고 있는 거죠? 소문대로 추녀인가요? 아니면 얼굴에 상처라도 있는 건가요? 무척 흉한 상처가 있어 남 앞에 맨얼굴을 드러낼 수 없다든지?"

의표를 찔렀다는 듯, 가브리엘이 확신에 차서 주장했다.

"이쯤 되면 여기서 얼굴이라도 보여서 모두의 신뢰를 회복해야 하는 것 아닌가요? 예비 황태자비로서 이런 소문은 황실에 누가 될 뿐이에요!"

"네. 그러게요."

이런 추문이 하나면 몰라도 여럿이 생기게 된다면 확실히 황실의 얼굴에 먹칠을 하게 되는 셈이었다.

내가 긍정할 줄 몰랐는지 가브리엘이 살짝 당황했다.

"아…… 알고 있는지는 몰랐네요. 그래요, 누가 될 뿐이죠! 그래서 해결책은 있으신가요?"

해결책이라…….

내가 막 가브리엘의 질문에 답을 하려는 순간이었다.

"꺄악!"

"저게 누구야?"

"황태자 전하?"

갑자기 정원이 소란스러워지더니 누군가가 모습을 드러냈다. 아드리안 황태자는 나를 보자마자 대놓고 인상을 구긴 채로 다가왔다.

"아티, 그대가 왜 여기에 있는 거지?"

척 봐도 '네가 왜 여기 있냐?'라고 말하고 싶은 걸 꾹 눌러 참고 예의를 차려 말한 것이었다.

"그러는 황태자 전하께서는 왜 이곳에……."

"어머, 전하. 이 가브리엘을 보러 오신 건가요?"

가브리엘이 우리 사이에 끼어들었으나 아드리안이 차갑게 노려보고 치워 버렸다.

이렇게 단호한 아드리안 황태자는 처음이었다.

"전하도 참! 수줍음이 많으시기는……."

가브리엘의 착각에도 불구하고 아드리안이 내 손을 잡고 말했다.

"돌아가자. 아직 바깥에 나와 있기엔 몸이 좋지 않을 테니."

나는 가만히 아드리안 황태자를 올려다보았다.

이렇게라도 나를 빼내 주려는 그의 행동이 이상하게 배려처럼 느껴져서 우스웠다.

난 괜찮은데.

"괜찮아요, 전하."

당장이라도 날뛰고 싶은 얼굴인 아드리안 황태자의 손을 도닥여 주며 빙그레 웃었다.

"그리고 아직 가브리엘 양과의 대화를 끝내지 못했거든요."

내 시선이 가브리엘을 향했다. 가브리엘이 뭐 어쩔 거냐는 듯 오만하게 얼굴을 치켜들며 나를 보았다.

나는 가브리엘을 포함해 가브리엘 뒤에 있는 영애들을 하나하나 쳐다보았다.

"모두들 이렇게 제 외모에 관심이 많으신 줄은 미처 몰랐어요."

가브리엘을 제외한 영애들의 몸이 움찔하는 것이 보였다.

"이렇게 소란스러울 정도로 궁금히 여기셨다니, 진즉 제게 여쭤봐 주셨으면 좋았을 텐데."

그러니까 즉, 이렇게 소란을 피울 정도로 내 외모가 궁금했냐는 비아냥거림이었다.

다행히 못 알아듣는 사람은 없었다. 딱 한 명을 제외하고는.

"누가 그런 걸 물어보겠어요?"

가브리엘은 평소와 다름없이 날뛰었다.

"그래서 가브리엘 양이 궁금한 건 뭐죠?"

"네? 그게 무슨 말이죠?"

"제게 그런 말을 해서 가브리엘이 얻는 것도 없을 텐데, 유난히 적극적이라고 생각해서요."

가브리엘이 인상을 찡그렸다. 이렇게 지적받아 본 적이 없는 모양이었다.

간단히 말해서 내 뜻은 '네가 그렇게 나를 깎으려고 드는 것은 결국 네가 이익을 보기 때문이 아니냐.'라는 의미였다.

다른 영애들은 내 말의 뜻을 알아듣고 눈치를 보고 있었다.

"제가 누구인지는 가브리엘 양이 제일 잘 아시겠죠?"

가브리엘이 아무리 가브리엘이고 네벨가가 그렇게 위세 높다고 하지만 나는 황실의 사람이었다.

오비에도 가문의 일원이라는 것을 제외하고 이미 황태자비가 될 몸인 것부터 나는 누구보다 귀한 사람인 것이다.

향후 황후가 될 수도 있는.

신분까지 들먹이니 가브리엘도 위기감을 느낀 것인지 평소와 다르게 반응했다.

"그냥 소문을 가지고 웃자고 이야기를 한 것인데 너그럽지 못하시네요, 아티엔느 양."

"가브리엘 양, 너그러운 것과 모욕을 받았을 때 분노하는 것은 다르다고 생각합니다."

"모욕이라고요?"

"그럼요."

내가 빙그레 웃었다.

"제가 미인이든 아니든 그것이 뭐가 그리 중요하죠? 아드리안 황태자 전하. 저를 왜 사랑하세요?"

"뭐?"

갑자기 화살이 아드리안에게 날아가니 아드리안이 당황한 듯 인상을 찌그렸다.

모두의 시선이 아드리안을 향했다.

나는 긴장했다. 아드리안이 오는 것을 몰랐기 때문에 스스로도 이런 질문을 던지는 것은 예상치 못했다.

가슴이 두근거렸다.

숨소리조차 들리지 않는 순간 아드리안이 나를 보며 말했다.

"무슨 소리야. 이유가 왜 필요해? 너니까 사랑하는 거지."

이게 너와 나의 차이란다, 가브리엘.

단순히 황태자가 내 편이라서 이런 말을 해 주는 거겠지만, 그래서 설레는 기분은 꾹 억눌러야 하겠지만, 지금 이 순간 나는 누구보다 사랑받는 여인이었다.

가브리엘이 인상을 찡그렸다. 가브리엘은 더 이상 상대할 필요가 없었다. 나는 좌중을 돌아보았다.

"마침 이 자리에 참석해 주신 많은 분들이 제 증인이 되어 주시겠네요."

내가 이 순간을 위해 어제오늘 공들여서 준비한 것이었다. 얼굴을 가린 면사를 벗었다.

순식간에 드러난 내 얼굴에 모두가 눈을 동그랗게 떴다.

"이제 가서 무엇이 진실인지 말씀해 주세요."

옅은 미소와 함께 내뱉은 말에 영애들이 홀린 듯 고개를 끄덕였다.

이제 얼굴을 보였으니 황궁을 나가면 수도에는 더 이상 머무를 수 없겠지.

공공연히 황태자비로서 얼굴을 알렸는데, 혹시나 누가 알아볼 수 있으니 이곳을 떠나야만 했다.

조금은 서글픈 마음이 들었다. 조금이라도 더 가까이 있고 싶었는데.

의미는 없지만 내가 다시 얼굴을 면사로 가리려고 했을 때였다.

아드리안이 나를 끌어당겨 내 얼굴을 감추었다.

"볼일 끝났으면 물러가라."

으르렁거리는 아드리안의 말에 영애들이 가브리엘을 데리고 물러났다.

"마리에. 모후께 말 좀 전해 줘."

"엉. 알았어. 오빠가 갑자기 나타나서 새언니를 납치해 갔다고 하면 되지?"

마리에의 말에 아드리안이 노려보다가 나를 데리고 정원을 벗어났다. 그 기세가 사나워서 사뭇 놀랐다.

"전하."

조심스럽게 아드리안을 부르니 그가 멈춰 섰다.

"전하. 왜 화가 나신 거예요?"

내가 무엇을 잘못했나?

아드리안의 복잡한 시선이 나를 향했다. 아드리안이 중 얼거렸다.

"……나만 봐야 했는데."

"네?"

아드리안의 목소리가 작아서 잘 들리지 않았다.

"아냐. 못 들었으면 됐다."

"아, 네……."

무슨 말을 했는지 알아듣지 못해 그가 왜 이렇게 분노하는 건지 알 수 없었다.

잠깐 어색한 시간이 흘렀다. 나는 가만히 아드리안의 눈치를 보았다.

아드리안도 내 눈치를 보았다. 이번엔 아드리안이 먼저 헛기침과 함께 입을 열었다.

"얼굴을 그렇게 드러내도 괜찮아?"

"네. 전 이제 누가 뭐래도 당당한 전하의 약혼녀잖아요."

"그건 그렇지만……."

아드리안이 복잡한 표정을 지었다. 그것도 기간제지. 나 역시 알고 있는 부분이었다.

아드리안이 걱정하는 건 계약이 끝난 후일 테지. 내가 괜찮다는 듯 웃어 보였다.

"그럼 앞으로는 얼굴을 가리고 다니지 않을 건가?"

"아니요. 되도록 가리고 다닐 거예요."

얌전히 고개를 가로저었다.

"하지만 필요하다면 오늘처럼 기꺼이 얼굴을 드러내기도 할 거예요."

"왜?"

"저 때문에 전하까지 헛소문에 시달리게 할 수는 없으니까요."

"아티……."

아드리안 황태자가 읽을 수 없는 표정으로 나를 가만히 보았다.

달싹이는 입술이 내게 무슨 말을 하고 싶어 했지만, 끝끝내 아무런 말도 하지 못했다.

✦ 👑 ✦

아드리안은 담담히 어제 있었던 일을 떠올렸다.

황궁 안에서 벌어진 일이라 이 일은 순식간에 화제가 되어 많은 사람의 입에 오르내렸다.

당연히 아티에 대한 헛소문도 자연스럽게 사라졌다.

대신 아티가 뛰어난 미인이었다느니, 그렇게 아름다운 여인은 또 없을 거라느니 온갖 찬양이 시작되어서 아드리안은 홀로 심기가 불편했다.

'이상한 기분이야.'

길지 않은 황태자 인생 통틀어서 이렇게 파란만장한 때는 없었다.

자신이 느끼고 있는 새로운 감정들이 낯설어서 이 감정이 오로지 자신의 것이 맞는지도 헷갈릴 정도였다.

사소하게는 더 이상 맨얼굴로 돌아다닐 수 없으니 그 핑계를 대고 내 옆에 더 잡아 둘 수 있겠구나 하는 제 자신이 생각해도 질척하고 추악한 마음과 자신을 위해서 기꺼이 맨얼굴을 드러냈다는 아티에 대한 오묘하고 거대한 감정.

아티를 만나고 난 뒤 아드리안은 매일매일 이전과 달라졌다.

가장 큰 변화는 이것이었다.

'자신이 없어.'

아티를 잘 붙잡아 놓을 수 있을지 어떨지, 아티의 마음을 사로잡을 수 있을지 이 모든 것에 자신이 없었다.

그를 아는 자들이라면 다 놀라 뒤집어질 생각을 하며 아드리안이 머리를 붙잡았다.

다른 문제도 있었다.

"가브리엘이 그렇게까지 나올 줄은 몰랐는데."

가브리엘의 단순한 머리로 그런 생각을 해낼 수 없을 테니, 이번 일도 본인 생각이 아니라 옆에 있는 인간들이 낸 생각일 것이리라.

어쨌든 아드리안은 이런 일이 일어난다는 것에 경각심을 가졌다.

"아드리안, 아드리안! 급해! 나 서류 결재 좀!"

때마침 테르니가 서류 뭉치를 들고 황태자의 집무실로 들어왔다.

아드리안은 테르니가 넘기는 서류를 받아 대충 훑다가 그를 흘긋 보았다.

"테르니."

"왜? 빨리 확인해 줘. 나 급해!"

"왜 급한데?"

"이거 빨리 끝내고 우리 아티 보러 가야 해서~♡"

"……."

훑어보던 서류를 내려놓고 아드리안이 테르니를 응시했다.

"조사한 건 어떻게 됐어?"

"아. 그거."

테르니가 음흉한 미소를 지었다.

"내가 또 엄청난 걸 알아 왔지. 후후후."

"보고해."

"축제 공연 위원회를 구성하는 관할 부서가 내무부 산하의 예부잖아? 그런데 이쪽 사람들이 전부 다 재상파인 거야."

"그럼 네벨 재상 짓이라는 건가?"

"뭐, 비슷해. 관리 중 하나가 재상한테 잘 보이려고 뇌물을 바치고 있는데, 그 뇌물의 출처 중 하나가 그 극단이 찌르는 뒷돈이다 이 말이지."

"그럼 재상과는 직접적으로 상관없지 않나?"

"아니지, 뇌물을 잘 바치라고 재상이 그쪽을 잘 봐주고 있는 중이거든."

"증거는?"

"다 확보해 놓았지!"

테르니가 자신만만하고 위풍당당하게 웃었다.

"판은 다 깔렸으니까 조만간 제대로 된 게 더 들어올 거야."

어둠의 마왕처럼 음흉하게 웃는 테르니를 지켜보며 아드리안은 그저 고개를 까딱였다.

"그래, 그럼 그런 걸로 치고."

"잠깐! 그런 걸로 치다니, 아드리안! 내 노고는? 치하 안 해 줘?"

"당연히 해야 할 일을 했을 뿐이잖아."

"와~ 너무하네."

테르니가 훌쩍였다. 아드리안은 개의치 않고 태연하게 말을 이었다.

"아티 건 말인데."

우는 척에 힘쓰고 있던 테르니가 '아티'라는 이름에 단번에 안색이 변했다.

집중하는 테르니를 보며 아드리안이 속으로 한숨을 내쉬었다.

"아티 건 뭔데?"

테르니가 재촉하자 아드리안이 마지못해 입을 열었다.

"가브리엘이 이렇게 아티를 견제하는 건 처음 있는 일이다."

"맞아! 에센이 아티였을 땐 없었던 일이었지. 가브리엘도 우리 아티의 위대함을 알아본 거야. 그러니까 갑자기 견제하고 나오는 거지!"

"그래서 걱정이야. 앞으로 이런 일이 빈번하게 벌어질 테니까."

"오오."

테르니가 놀란 눈으로 아드리안을 바라보았다. 아드리안이 이런 말을 하는 것이 믿기지 않았다.

'저거 진짜 아드리안 맞아?'

아드리안이 누군가를 걱정한다니, 세상이 멸망할 징조였다.

"아무튼 그래서 말인데 후처리를 어떻게 할까 생각 중인데……."

"그거 이미 내가 다 했는데."

"뭐?"

아드리안이 인상을 찡그리자 테르니가 뭘 그리 놀라냐는 듯 웃었다.

"오비에도와 우리 아티를 건드린 대가를 보여 줘야지. 후후후. 기대하고 있으라고!"

테르니의 말에 아드리안은 괜히 불안해졌다. 저 자식 또 이상한 사고를 친 건 아니겠지?

어쨌든 멍청한 녀석은 아니니 알아서 잘했을 거라고 여기며 아드리안이 고개를 끄덕였다.

문득 생각났다는 듯 테르니가 고개를 들었다.

"아, 맞아. 그러고 보니 에센이 너한테 할 말이 있다고 했는데."

"에센이?"

아드리안은 일순 좋지 못한 예감을 받았다.

Chapter 16. 우리는 모두 사랑(덕질)을 하고 있다

Chapter 16. 우리는 모두 사랑(덕질)을 하고 있다

돌아온 에센은 한동안 휴식을 취하고 곧바로 업무에 복귀했다.

지금까지 아드리안 황태자의 호위 업무를 맡고 있었기에 당연히 모두가 그 일에 복귀할 것이라 예상했다.

하지만 정작 에센이 출근한 장소는 포인세티아 궁이 아닌 릴리 궁이었다.

"당분간 에센이 네 호위를 맡게 될 거야."

"에센 님께서 제 호위 기사가 되어 주신다고요?"

"그래."

아드리안은 뭔가 석연치 않은 표정으로 아티에게 이 상황을 설명했다.

"너를 향한 헛소문이 잠잠해졌다고 해도 다음에 너를 노리고 무슨 일이 벌어질지 모른다는 게 우리의 판단이었다."

"그래서 호위 기사를 붙이시는 건가요?"

"맞아."

그렇게 말하면서도 아드리안은 영 좋지 못한 얼굴이었다.

"에센의 요청이었다."

에센이 말하길, '전(前) 아티엔느'로서 현재 아티를 돕기 위한 일종의 큰 그림이라고 했다.

"전임자가 옆에 있으면 도움이 될 테니까."

아티야 에센 님이라면 믿을 수 있다고 여겼기에 이 사실을 반겼다.

"저는 좋아요."

아티가 수락하자 아드리안은 이걸 달가워해야 할지, 말아야 할지 헷갈리는 표정으로 고개를 끄덕였다.

"황태자 전하의 배려에 감사드려요."

예를 차리며 아티가 인사를 하자 아드리안이 만족스러워하다가 다시 뾰로통해졌다.

"이름으로 부르라고 했을 텐데."

"네?"

"기억나지 않는 건가? 저번 외출 때 분명 평소에도 날 '아드리안'이라고 부르라고 했을 텐데."

아드리안과 번화가에 나갔을 때를 회상하며 아티가 곤란한 표정을 지었다.

"그…… 빈말 같은 것은 아니었나요?"

"내가 빈말할 사람으로 보이나?"

"아니요."

즉답이 나오자 아드리안이 만족스럽게 웃었다.

"그럼 다시 불러 봐."

"아, 아드리안…… 전하."

"다시."

"아드리안……."

그래도 한 번 저질러 봤던 무례라, 두 번째로 하는 건 어렵진 않았다.

여전히 눈치가 보이긴 했지만 아드리안이 자신을 보는 시선이 부드러워진 것 같은 기분도 들었다.

"좋아. 앞으로도 계속 그렇게 불러. 내가 없을 때도 말이야."

"전하가 없을 때도요?"

아드리안이 인상을 쓰자 아티는 제 실수를 바로 깨달았다.

"……아드리안이 없을 때도요?"

"그래. 잘하네."

아드리안이 웃으며 아티를 칭찬했다. 자연스럽게 아드리안이 아티의 머리를 쓰다듬자 아티가 수줍어하며 고개를 숙였다.

아티의 태도를 보고 아드리안도 스스럼없었던 자신의 행동을 깨닫고 헛기침을 했다.

"아, 참. 가브리엘이 퍼뜨린 헛소문은 신경 쓰지 않아도 된다. 고스란히 돌려받고 있으니까."

일전에 테르니가 말했던 '이에는 이, 헛소문에는 헛소문' 작전이었다.

아티도 황궁에서 들리는 소문을 접한 적 있었다.

"저도 들었어요. 저번에 아드리안 앞에서 하녀에게 차를 끼얹은 사건으로 구설수를 겪고 있더라고요."

"그래. 몇몇 네벨가의 하녀가 증인으로 나선 거라서 쉽게 진압하긴 어려울 거야."

그래도 둘 다 얼마 안 가 소문이 사라질 것이라는 데엔 이견이 없었다.

재상과 네벨가가 나설 테니까.

"어쨌든 에센이 있으면 네 신변상의 보호는 괜찮을 거야. 걔가 생긴 건 그래도 꽤 엄청나거든."

"디아노 경에게 들은 적 있어요. 무척이나 뛰어난 기사이시라고."

"디아노한테 들은 적이 있다고?"

아드리안은 아티가 말한 정보의 출처가 의심스러웠다. 둘이 언제 그렇게 친해진 거지?

디아노의 막냇동생인 아카시아 이야기를 하며 친하게 지내는 것은 알고 있었다. 하지만 이런 이야기까지 나누는지는 몰랐는데.

"디아노 경이 꼭 대련하고 싶다면서 벼르고 계시더라고요."

"아…… 걔는 원래 그런 놈이야."

디아노가 대련을 좋아하는 건 알았지만 왜 대련 이야기에 아드리안이 난색을 표하는지 아티는 이해하지 못했다.

"어쨌든 이제부터 수호 기사가 생길 텐데 괜찮나?"

"네? 아, 다른 분이었으면 불편했겠지만 에센 님이라면 괜찮아요."

"그래?"

아드리안은 아티가 너무 자연스럽게 이 사실을 받아들인다는 게 껄끄러웠지만 따로 무어라 말하진 않았다.

그리하여 바야흐로 첫 출근.

에센은 정식으로 기사 정복을 입고 릴리 궁으로 출근했다. 낯익은 궁전의 전경을 새삼스러운 눈으로 보며 익숙한 길을 걸었다.

'바로 몇 주 전까지는 여기에 감금당해 있었는데 이렇게 다시 오니 기분이 이상하군.'

오랜만에 입은 기사 정복은 입기 귀찮았다. 뭐 이렇게 껴입을 게 많은 건지.

그래도 더 입기 귀찮은 드레스가 아니라서 에센은 그럭저럭 만족했다.

가장 먼저 에센을 반긴 건 마담 루시였다.

"오호호홋, 어서 오세요. 에센 경."

"오랜만입니다."

"여기서 뵙는 것은 오랜만이네요."

마담 루시가 눈을 빛내니 에센이 어색하게 웃었다.

"후후. 걱정할 필요 없으세요. 그날의 일은 우리 둘만의 비밀일 테니까요."

"다섯의 비밀이겠죠."

"어머나. 하지만 에센 님의 속살을 본 것은 저뿐인걸요?"

"……."

에센의 얼굴이 창백해졌다.

"영원히…… 비밀로 간직해 주세요."

"오호호홋, 당연하죠!"

마담 루시의 웃음소리에 에센은 벌써부터 피곤해졌다.

생각해 보면 에센이 아티 시절 때부터 마담 루시를 이긴 적은 단 한 번도 없었다.

그땐 단순히 마담 루시의 뒤에 아드리안이 있기 때문이라고 생각했는데 이제 보니 꼭 그런 것만은 아니었다.

"아티 님께선 지금 옷을 갈아입고 계세요. 에센 님도 잘 알고 계시는 과정이죠."

"모르는데요."

"어머, 정말요?"

마담 루시가 눈을 빛내자 에센이 눈을 피했다.

무엇이 재미있는지 마담 루시가 소리를 내어 웃었다. 돌연 피곤함이 몰려와 에센이 한숨을 내쉬었다.

"에센 님!"

아티가 반색을 하며 나타났다. 아티의 얼굴이 보이자마자 에센의 기분이 한결 나아졌다.

"오랜만이야."

"네. 오랜만에 뵈어요."

기사 정복을 입은 에센의 모습은 전에도 본 것이었지만 다시 보니 정말 멋졌다. 화사한 미소를 머금으며 아티가 말했다.

"와, 잘생겼어요!"

손뼉까지 치며 아티가 좋아하자 에센의 표정이 굳어졌다.

자신을 보고 예쁘다는 말이 아니라 잘생겼다는 말을 한 사람은 아티가 처음이었다.

"어······. 고마워."

매번 신경질을 부리기만 했던 에센이라 이렇게 부드럽고 상냥한 미소엔 어떻게 반응해야 할지 놀라 버벅거렸다.

"앞으로 에센 님께서 저를 지켜 주신다니 정말 든든해요."

"그······. 열심히 할게."

"에센 님, 엄청 강하시다면서요? 아드리안에게 들었어요."

"아드리안?"

일순 표정이 굳은 에센이 되물으니 아티가 살짝 당황하며 고개를 끄덕였다.

"전하께서 그렇게 부르라고 제게 명령하셨거든요."

"아."

계속 존칭을 하던 아티가 아드리안을 편하게 부르는 게 낯설어서 공연히 물어보았는데 괜한 지적인 듯했다.

"아. 미안."

"아니에요. 저도 아직 호칭에 적응이 안 되어서 낯선걸요."

"그렇게 된 거구나. 아드리안이 잘했네. 난 아드리안 이름으로 불렀으니까."

"아, 역시 그래서인가 봐요."

아티는 잠시나마 자신에게 이름을 듣고 싶어 아드리안이 그런 억지를 부린 것인가 했던 생각을 그대로 지워 버렸다.

"역시 에센 님이라 이런 사소한 부분에서까지 도움이 되네요. 감사드려요."

"아니, 감사는 무슨."

에센은 어색해하며 이럴 때 무슨 말을 해야 할지 알 수 없어 입을 다물었다.

아티가 두 손을 꽉 쥐며 활기차게 외쳤다.

"앞으로 3년간 잘 부탁드려요!"

"3년? 아아."

테르니가 3년만 참으라고 했던 말을 믿고 있었던 모양이었다.

'3년이면 아티가 아티가 아니게 되는 건가?'

아드리안의 태도를 보건대 확신할 순 없었지만 에센은 막연히 그런 날이 왔으면 좋겠다고 생각했다.

이유는 자신도 몰랐다.

✦ ♕ ✦

에센이 오고 일상의 많은 것이 변했다.

첫 번째로는 혼자 산책 나가는 일이 줄어들어서 전보다 미카엘을 보러 갈 수 있는 날이 줄어들었다는 것이고, 두 번째로는 언제나 옆에 있어 주어서 든든하다는 것이다.

나는 내 옆에 서 있는 에센을 흘긋 보았다. 정자의 기둥에 기대어 서 있는 폼이 무척이나 근사했다.

"……?"

시선이 마주치자 에센이 고개를 갸웃했다.

미소로 답했지만 오히려 에센이 할 말이 있는 건지 살짝 얼굴을 붉히며 헛기침을 했다.

햇살이 좋아서 책을 들고 후원으로 나온 것인데 자연스럽게 함께 나온 에센이 계속 서 있기만 하니 신경이 쓰였다.

"에센 님."

"어?"

"다리 안 아프세요?"

"괜찮아."

에센이 고개를 가로저었다. 괜찮다니까 다행이지만 그래도 신경이 쓰이는 걸 멈출 수는 없었다.

"저쪽에 앉으실래요?"

"아니, 괜찮아."

옆에 있는 다른 벤치를 가리켰지만 에센이 단칼에 거절했다.

"그럼 제 옆에 앉으세요."

일부러 혼자 차지하고 있던 커다란 벤치에 자리를 만들어 주니 에센이 멈칫했다.

"그럼…… 거절하지 않을게."

에센이 내 옆에 앉았다. 다행이었다. 내가 만족스러워하며 웃으니 에센이 멋쩍은 미소를 지었다.

처음 봤을 때도 엄청난 미모라고 생각했지만 이렇게 가까이에서 보고 있으니 감탄만 나왔다.

사람이 어떻게 저렇게 생길 수 있지?

"왜? 내 얼굴에 뭐 있어?"

에센이 자신의 얼굴을 매만지며 내게 물었다.

흘긋대던 몸짓을 들켰다는 생각에 얼굴을 붉게 물들이며 고개를 가로저었다.

"아니에요. 너무 잘생기셔서 저도 모르게 그만……."

"아."

에센이 입을 벌린 채 아무 말도 하지 못하고 그대로 손을 들어 입을 가리고 고개를 돌렸다.

빨개진 귀가 보여서 그렇게 화가 난 건가 싶어 미안했다.

"죄송해요."

"아, 아냐. 크흠, 난 괜찮아."

에센이 고개를 가로저었다.

어쩜 이리 상냥한지! 일순 아드리안이 생각나면서 감동스러웠다.

'황태자라면 분명히 나한테 뭐라고 했겠지.'

뭘 봐…… 라든가.

빠르게 지난 기억이 뇌리를 스쳐 지나갔다.

"에센 님, 죄송해요. 제가 너무 빤히 쳐다봤죠?"

"어? 아니. 괜찮아."

에센이 고개를 가로저었다. 내가 미소 짓자 에센이 머쓱하게 나를 따라 웃었다.

어쩜 웃는 모습도 저렇게 멋있는 걸까? 과연 아드리안 황태자가 좋아할 만한 사람이었다. 황태자도 이래서 반했겠지.

'내가 이대로 있어도 되는 걸까.'

에센이 좋은 것과 별개로 가끔은 마음이 너무 소란스러

웠다. 두 사람에게는 내가 방해꾼일 테니까.

착잡한 마음을 미처 숨기지 못하고 있을 때였다.

"꺄아아악!"

"봤어? 봤어? 에센 님이 웃으셨어!"

"나도 봤어! 어떻게 저렇게 잘생기셨지?!"

소란스러운 목소리에 우리의 시선이 그쪽으로 향했다.

언제 쫓아온 건지 알 수 없는 황궁 시녀 세 사람이 수풀 속에서 떠들어 대고 있었다.

그들 딴에는 조용히 있었을지 몰라도 내 기준에서는 민폐였기에 주의를 주어야겠다고 생각했다.

그렇게 내가 막 일어난 순간, 나보다 먼저 일어나 정자 밖으로 나간 에센이 수풀에 숨은 세 시녀를 보며 인상을 썼다.

"뭘 봐? 꺼져."

갑자기 에센이 나타나서였을까? 놀란 표정으로 아무 말도 못 하고 세 사람이 도망을 쳤다.

에센은 쫓아갈 생각은 없는지 그저 인상을 구긴 채 다시 내 옆으로 돌아올 뿐이었다.

"괜찮으세요?"

"응. 괜찮아."

에센이 고개를 끄덕이며 말했지만 전혀 괜찮은 표정이 아니었다. 잘생긴 사람은 이런 일도 생기는구나. 힘들겠다.

나는 괜히 그를 흘긋 본 게 더 미안해졌다. 앞으로는 그러지 말아야겠다.

"이만 들어갈까요?"

"책 읽고 있었잖아. 다 읽었어?"

"네? 아니, 그건 아닌데……."

에센이 잠시 나를 빤히 보았다. 그리고 픽 웃으며 고개를 가로저었다.

"날 배려해 주는 거라면 신경 쓰지 않아도 돼. 이런 일은 흔하게 겪는 일이니까."

"하, 하지만……."

"책 다 읽으면 돌아가자."

휘적휘적 걸어온 에센이 다시 내 옆에 앉았다. 책을 폈지만 두꺼운 책은 아직 반도 채 읽지 못했다.

이걸 다 읽으려면 밤중이나 내일 돌아가야 할 것 같은데…….

어떻게 해야 할지 고민하고 있을 때였다.

"새언니!"

반가운 목소리에 고개를 드니 산책을 하고 있었던 건지 마리에 공주가 나를 보며 활짝 웃는 얼굴로 다가오고 있었다.

벤치에서 일어나 마리에가 오길 기다리자 에센도 불편한 심기를 드러내며 슬그머니 일어나 내 옆에 섰다.

"새언니, 이런 곳에서 다 보네요."

"마리에, 오랜만이에요."

"맞아요, 한 일주일 만인가?"

마리에가 샐쭉하니 입술을 삐죽였다.

"새언니 자주자주 보고 싶은데 오라버니가 어찌나 막아

서는지, 정말 억울해 죽겠어요. 내가 뭘 한다고!"

"아드리안이 막아서나요?"

"네! 엄청 많이!"

속사포처럼 하소연을 늘어놓으려던 마리에가 잠깐 멈칫했다. 초롱초롱해진 눈빛에 내가 고개를 갸웃하니 마리에가 웃으면서 말했다.

"전에는 오라버니를 전하라고 부르시더니, 이젠 아드리안이라고 부르시네요?"

"여기는 사석이니까요."

달라진 칭호에 어색하게 웃으며 말을 둘러대자 마리에가 음흉하게 웃으며 고개를 끄덕였다.

마치 네가 그렇게 말한다니 그런 걸로 해 줄게, 같은 눈빛이었다.

"그런데……."

마리에의 시선이 천천히 나에게서 에센으로 미끄러져 옮겨 갔다. 에센을 보고 마리에가 따지듯 물었다.

"에센 경이 여긴 왜 있어요?"

"업무."

두 사람의 시선이 허공에서 맞부딪쳤다.

에센은 아티와의 조용하고 단란한 시간을 방해한 마리에가 마음에 들지 않았다.

"업무?"

딱딱한 대답에 마리에는 무례를 지적할 생각도 하지 않고 아티와 에센을 번갈아 보았다.

"이게 무슨 말이에요, 새언니?"

아티가 부드럽게 웃으며 상황을 설명했다.

"에센 경이 앞으로 저의 호위를 맡아 주시기로 하셨어요."

"오빠가 허락했어요?"

"네."

마리에가 다시 한번 에센과 아티를 번갈아 보았다.

"혹시 오빠가 새언니 싫어해요?"

"네?"

"아니, 그건 당연히 아니라는 거 아는데 왜 하필 에센 경을……."

마리에가 미심쩍어하자 에센이 인상을 찡그렸다.

인상을 찡그려 봤자 에센은 에센이라서 빛나고 화사한 아름다운 미모는 오늘도 죽지 않았다.

'어쩌다 저런 절세 미모가 저런 성격 파탄자에게 가 버린 것일까.'

마리에는 속으로 한탄했다. 신은 불공평했다.

"제 레이디께 볼일이 없으시다면 꺼지십시오, 공주 전하."

"볼일 있거든!"

"있어도 꺼지십시오."

"아니, 왜?!"

에센이 날카롭게 지적했다.

"아드리안이 허락했습니까?"

"그건…… 아닌데……."

마리에의 목소리가 점점 줄어들었다.

아티는 두 사람을 보다가 고개를 갸웃했다. 그리고 조심스럽게 에센에게 물었다.

"에센 경, 마리에 공주 전하께 너무 무례한 게 아닌가요?"

"맞아, 에센 경. 내가 누구인지 잊었어요?"

아티를 등에 업고 마리에가 기세를 보이니 에센이 헛웃음을 지었다.

"제가 예의를 갖춘 모습을 보고 싶으면 먼저 예의를 갖춰 달라고 했던 시절은 이미 지났는데요. 기억하십니까?"

"……."

마리에가 할 말이 없는지 물러났다. 그리고 아티의 옆에 가서 조그맣게 자신의 죄를 고백했다.

"새언니, 사실 에센 경이 저렇게 된 데에는 제 책임도 있어요. 그래서 그 정도 무례는 그냥 넘어가요."

"아. 그렇군요."

"저뿐만이 아니에요. 아드리안 오빠도 황태자인데 그냥 넘어가잖아요."

마리에가 아드리안을 끌어들였다. 아티는 이해할 수 없었지만 그냥 고개를 끄덕였다.

"에센 오빠랑 어릴 적부터 알던 사이라서 이 정도는 눈감아 주고 있어요. 공식 석상에서는 또 그렇지 않기 때문에."

마리에가 속삭이는 말에 아티가 어영부영 고개를 끄덕였다.

아티는 유난히 에센이 마리에에게 까칠하게 군다고 생각했지만 에센에게도 다 이유가 있겠거니 생각했다.

에센 같은 사람이 이유도 없이 화를 내진 않을 테니까!

물론 이 사실을 에센을 제외한 다른 사람이 들었다면 아티가 에센에게 세뇌당한 것인가 의심했겠지만 그런 일은 벌어지지 않았다.

"새언니!"

"아, 마리에. 저도 그냥 이름으로 부르셔도 돼요."

"어머, 그럼 저도 아티라고 부를까요?"

어른들이 보면 버릇없다고 할 테지만 마리에는 이런 기회는 또 오지 않는다는 눈빛으로 아티의 제안을 덥석 물었다.

"그러세요."

아티가 선선히 수락하자 마리에가 빙그레 웃었다.

"그래도 어른들 앞에선 새언니라고 부를게요. 결혼하시면 황태자비 전하라고 불러야 하지만 말이에요."

"사석에선 괜찮지 않을까요?"

"그쵸? 저도 그렇게 생각해요!"

아티와 의견이 맞아 기쁜 마리에가 환하게 미소 지었다. 마리에의 환한 미소에 아티도 기뻤다.

"그럼 아티, 여기서 뭐 하고 있었어요?"

"책을 읽고 있었어요."

아티가 들고 있는 것은 〈루블로트의 원리를 이해하기 위해 마셀로프의 이론을 접목하여 헬싱의 현상을 사례로 든 예〉라는 이상하고 괴상한 제목의 긴 책이었다.

마리에는 일순 할 말을 잃었지만 간신히 답을 만들었다.

"······아티는 이런 취향이군요."

마리에의 극명한 반응에 아티가 웃으며 고개를 가로저었다.

"제목이 특이해서 한번 읽어 보고 싶었어요."

"이런 게 이해가 가기는 가요?"

아티가 고개를 갸웃했다.

"이해를 못 할 수도 있나요?"

마리에가 경악하며 말을 못 잇자 아티가 당황해서 사태를 수습했다.

"아니, 정말 쉽게 쓰여 있어서 이해하기가 쉬워요!"

"그렇군요. 아티는 이런 게 쉬운 무서운 사람이군요."

"네? 아니, 정말 쉬워요. 마리에도 한번 읽어 보면······."

"아뇨, 저는 이런 책은 취향이 아니라서."

"정말 재미있는데······."

"이런 게 재미있다고요? 아티랑 거리감 느껴지네요."

마리에가 질색을 하며 고개를 가로저었다.

아티는 억울했다. 정말 쉽게 쓰여서 재미있는 책이었는데 괜히 제목 때문에 억울한 상황이 되어 버렸다.

계속 이 이야기를 하면 상황이 나아질 것 같지 않아서 아티가 다른 말로 화제를 돌렸다.

"마리에는 어떤 책을 좋아하나요?"

"제가 좋아하는 책······."

심드렁하게 말하던 마리에가 갑자기 두 눈을 반짝였다.

"아티, 혹시 소설 좋아해요?"

"소설이요?"

아티가 최근 읽었던 소설을 떠올렸다.

"〈그리운 해 질 녘 들판〉이라든가 〈망가진 세계〉 같은 소설이요?"

"아니요, 그런 답답하고 고리타분한 소설 말고 〈에스터나의 일곱 명의 수호 기사〉 같은 책이요!"

아티가 고개를 갸웃했다. 처음 들어 보는 소설 제목이었다.

"그게 뭐예요?"

"아니, 이런 대작을 모르다니!"

마리에가 분개하며 고개를 가로저었다.

"어쩔 수 없다. 내가 아티에게 신세계를 보여 줄게요."

"신세계요?"

"아마 이걸 보면 그 이전의 삶으로 돌아갈 수 없을 거예요."

"네?"

마리에가 무슨 소리를 하는 건지 아티는 이해할 수 없었다.

혹시 도움을 받을 수 있을까 해서 에셴을 돌아봤으나, 무슨 말을 하는 건지 아는 듯한 기색인 에셴은 오히려 아무 말 없이 고개를 절레절레 흔들 뿐이었다.

"당장 준비할 순 없으니까 내일 릴리 궁으로 갈게요. 아시겠어요? 기다리고 있으세요! 알았죠?!"

마리에가 신신당부를 하며 시녀를 이끌고 사라졌다.

마리에가 가 버린 이후로도 아티는 마리에가 대체 왜 저렇게 흥분하는 건지 알 수 없어서 고개를 갸웃했다.

이 책, 재미있는데…….

"로맨스 소설 이야기하는 거야."

에센이 툭 말했다. 자신의 두꺼운 책을 만지며 못내 아쉬워하는 아티를 지켜보다가 한 말이었다.

"로맨스 소설이요?"

에센이 고개를 끄덕이자 아티가 고개를 갸웃했다.

"그게 뭐예요?"

"……."

아티는 처음 들어 보는 소설이었다.

에센은 어디서부터 설명해야 할지 몰라 침묵을 지키다가, 그냥 마리에게 일임하기로 했다.

"내일 마리에가 알려 줄 거야."

"아, 그렇군요."

아티가 가만히 고개를 끄덕이고 있을 때였다. 돌연 마리에가 사라진 길 쪽에서 디아노가 나타났다.

"아, 아티 님. 여기 계셨군요."

"디아노 경. 무슨 일이신가요?"

"오늘이 바로 '그날'입니다."

디아노가 목소리를 낮춰 말하자 아티가 바로 알아들었다.

'오늘 아사모가 회동하는 날이었구나!'

"미안해요. 잊고 있었어요."

"어쩐지. 계속 찾았는데 보이지 않으셔서 곤란했습니다."

"어서 오세요. 우리 자리를 옮길까요?"

"네. 그런데 그 전에……."

디아노가 조심스럽게 에센을 가리켰다. 아티의 시선이

에센에게 향했다.

"흠흠."

디아노가 바람을 넣자 아티가 미안한 표정으로 에센을 바라보았다.

'뭐지?'

에센은 불길한 느낌을 받았다.

에센은 뭐가 뭔지 상황 파악이 되지 않았지만 자신에게 불리한 상황이라는 건 알 수 있었다.

"죄송해요, 에센 님."

"……."

뭐가 죄송하냐고 묻고 싶었지만 아티가 진정성 넘치는 미안한 표정을 짓고 있어서 에센은 차마 그런 말을 내뱉을 수가 없었다.

"잠깐 디아노 경과 어디 좀 다녀올게요."

"어딜 가는 건데?"

에센의 질문에 디아노가 대신 답했다.

"그건 비밀입니다."

대번에 에센의 표정이 구겨졌으나 디아노는 개의치 않았다.

"제가 있으니까 호위는 걱정 마십시오. 정 걱정이 되면 멀리 떨어져 있으시든가요."

"뭐?"

"미안해요, 에센 님. 우리끼리 할 말이 있어서요."

에센이 눈썹을 일그러뜨렸다. 그가 보기엔 이 상황이 무척이나 수상하고 이상한 장면이었다.

에센이 답을 하지 않자 디아노가 들고 온 잘 포장된 무언가를 아티에게 넘겼다.

"우리의 '그분'께서 아티 님께 전해 달라 하셨습니다."

"우리 '그분'이!"

그분?

"뭔지 궁금해요! 빨리 풀어 보고 싶어요."

"여기서는 안 됩니다."

"그건 그렇죠."

아티가 흠흠 헛기침을 하며 에센을 흘긋 보았다. 디아노가 목소리를 낮춰 아티에게 속삭였다.

"오늘 아침에도 어찌나 귀여웠던지, 벌써 키가 0.01센티미터나 자랐습니다."

"벌써 그만큼 자랐나요! 어서 보고 싶어요!"

"어제는 또 얼마나 잘 먹던지. 제 월급이 거덜 나는 줄 알았습니다."

"나도 덕질로 가산 탕진하고 싶어!"

아티가 한 말을 알아들을 수 없어서 에센은 또 인상을 찌푸렸다.

'덕질이 뭐지? 가산 탕진하고 싶다는 말은 알아듣겠는데.'

"그건 저를 따라오실 수 없을 겁니다. 후후. 단연코 가산 탕진은 제가 제일 잘할 겁니다."

"질 수 없어요!"

"아무튼 이것 말고도 하고 싶은 말이 많이 있는데……."

디아노가 에센을 흘긋 보았다. 평소엔 대련해 달라고 매

달리던 녀석이 저러고 있으니까 에센은 빈정이 상했다.

"에센 님."

결국 아티가 나섰다.

"난 아티의 호위 기사니까 절대 떨어질 수 없어."

위기를 느낀 에센이 항변을 해 보았지만 아티에게 통하지 않았다.

"괜찮아요! 여기에 30분만 계세요!"

활짝 웃으며 아티가 에센에게 명령했다.

"자, 가요! 디아노 경!"

디아노를 데리고 가 버린 아티의 뒷모습을 보며 에센이 제 머리를 짚었다.

"······버려진 건가."

✦ 👑 ✦

헛소문에 시달린 이후 처음으로 가진 디아노와의 아사모 회동은 나를 무척이나 즐겁게 해 주었다.

아무리 사소한 것이라도 아카시아의 성장을 함께 이야기하고 즐거워할 수 있는 사람이 있다는 게 무척이나 좋았다.

"또 다른 아사모 회원인 미카엘 님에게도 오늘 알게 된 이야기를 해 드려야지."

모든 회원은 평등하게 아카시아에 대한 이야기를 알 권리가 있었다.

때문에 에센이 아드리안에게 간 짧은 틈을 타서 나는 정원으로 향했다.

"미카엘 님!"

혹시 오늘 못 만나면 어쩌지 걱정했는데, 정원에 가자마자 미카엘을 발견해서 기뻤다.

"라라."

"미카엘 님, 오랜만이에요!"

"그러게요. 그동안 잘 지냈나요?"

오랜만에 보는 미카엘은 조금 지쳐 보였다. 나는 웃으면서 고개를 끄덕였다.

"네. 잘 지냈어요."

"다행이네요."

"사실 많은 일이 있었는데 잘 해결되었어요!"

내 말에 미카엘이 옅게 미소 지었다.

"잘 해결되었다니 다행입니다."

내가 웃으며 고개를 끄덕였다.

"미카엘 님도 잘 지내셨나요?"

"요즘은…… 잘 못 지냅니다."

"요즘이요?"

미카엘이 고개를 끄덕였다. 관자놀이를 짚던 미카엘이 정말 피곤한 얼굴로 입을 열었다.

"동생이, 아. 전에 말씀드렸었죠. 제게 여동생이 하나 있는데 그 아이가 구설수에 휘말리게 되었습니다."

"저런. 구설수요?"

"네. 뭐, 본인이 잘못한 거니까 이런 일이 일어나도 어쩔 수 없다고 생각합니다만……."

미카엘이 큰 한숨을 내쉬었다.

"여동생은 자신은 하나도 잘못한 것이 없다는 생각이라서 그런 일이 다시 일어나지 않도록 단단히 일러두었는데, 아버님께서 너무 여동생을 오냐오냐하고 있어서 문제입니다."

"걱정이 크시겠어요."

바로 얼마 전에 구설수에 휘말린 터라 마음이 안 좋았다.

"저도 사실 얼마 전에 말도 안 되는 헛소문으로 구설수에 휘말렸었는데 정말 힘들었어요."

"그러셨군요."

"네! 제가 잘못한 것도 아니고 불필요한 오해 때문에 그렇게 된 거라서……."

다른 사람하고 이야기했을 때는 걱정할까 봐 제대로 내기분이나 생각에 대해서 말하지 못했는데 미카엘 앞이라서 그런지 말이 술술 나왔다.

"사실 그게 저를 무척이나 싫어하는 어떤 사람의 짓이었는데, 정말 졸렬하지 않나요? 저를 직접적으로 괴롭히다가 안 통하니까 그렇게 우회적으로 괴롭히는 방법을 바꾼 거예요."

아무리 생각해도 가브리엘은 이해가 되지 않는 사람이었다.

"내가 자신에게 못되게 군 것도 아닌데 왜 그렇게 저를 싫어하는 건지 이해할 수가 없어요. 싫어하더라도 굳이 그렇게까지 했어야 했는지……."

점점 황태자가 왜 '그 여자'라고 말하면서 가브리엘의 이름을 부르는 것조차 기피하게 되었는지 이해하게 되었다.

이해할 수 없는 누군가를 오랫동안 상대하는 건 정말 못할 짓이었다.

"하, 진짜."

여러 가지 감정이 복받쳤다. 그러다가 문득 미카엘이 조용해진 것을 느꼈다.

"미카엘 님?"

"아. 네. 듣고 있습니다, 라라."

미카엘이 머쓱해하며 답했다. 나는 괜히 같이 머쓱해졌다.

"좋은 이야기는 아니니까 넘어가요. 정말 피곤해 보이시는데 오늘은 집에 빨리 들어가서 푹 쉬세요."

"걱정해 주셔서 감사합니다. 그러겠습니다."

짧은 만남이었다. 자리에서 일어나니 미카엘이 같이 일어났다.

"라라도 푹 쉬십시오."

"네, 그럴게요!"

손을 흔들며 미카엘을 배웅하다가 뒤늦게 미카엘을 찾아온 이유를 깨달았다.

"아, 맞아! 아카시아 이야기 하려고 했는데!"

깨달은 후엔 이미 늦었다.

✦ ♛ ✦

아티의 호위를 잠깐 중지하고 에센은 포인세티아 궁으로 향했다.

아티는 에센이 아드리안을 보러 간 것이라 생각하고 있지만 실상은 달랐다.

"야, 나와."

디아노를 발견하자마자 에센이 검을 던졌다.

아드리안의 집무실을 지키고 있던 디아노가 어리둥절해하며 자리에서 일어났다.

"에센 경. 여긴 어쩐 일이십니까?"

"너한테 볼일이 있어서."

"네? 저한테요?"

디아노가 가만히 생각을 하더니 바로 반색을 했다.

"드디어 저와 대련을 해 주시는 겁니까?!"

순식간에 눈을 빛내는 디아노를 보며 에센이 차갑게 웃었다.

"아니. 이제부터 널 팰 건데."

"네?"

영문을 몰라 디아노가 머리를 긁었다. 에센은 답답했다.

"어제 일을 벌써 잊은 거냐?"

"어제 일이요?"

"아티랑 단둘이 가 버렸잖아!"

에센이 짜증을 내자 디아노가 이제야 떠오른 건지 깨달은 표정을 지었다.

"아, 어제 그런 일이 있었죠."

"뭐야, 잊었냐? 너 짜증 난다."

"하하. 그 일은 어쩔 수 없었습니다. 아무리 에센 경이라도 이것은 저희들의 신성한 모임이니까요."

"그게 대체 뭔데?"

에센의 질문에 디아노가 칼을 들며 말했다.

"대련해 주시면 말씀해 드리겠습니다!"

"결국 결론이 그거냐."

어차피 이렇게 될 것이라고 예상하긴 했지만 에센은 좀 김이 빠졌다.

말할 수 없다고 저항할 줄 알았는데 이렇게 덥석 미끼를 물다니.

'뭐, 내 입장에선 좋은 거지.'

좋은 게 좋은 거라고 여기며 에센이 고개를 끄덕였다.

"나와."

"넵!"

승부는 싱겁게 끝났다.

디아노는 천재라 불릴 만큼 손색이 없는 강한 기사였지만 밥 먹고 아드리안과 칼질을 해 댄 에센에겐 상대가 되지 못했다.

"크으. 역시 에센 경은 다릅니다! 전하만큼은 아니지만!"

"내가 왜 아드리안 밑인데?"

"전하는 최고이시니까요."

에센이 짜증을 부렸지만 디아노는 개의치 않았다. 어쨌든 약속대로 디아노는 자신의 비밀을 전부 털어놓았다.

"아카시아가 누군데?"

"제 동생입니다."

"네 동생? 너한테 동생도 있었냐?"

"네."

디아노가 헤벌쭉 웃으며 기분 나쁜 표정으로 자신의 동생이 얼마나 귀여운지 주접을 늘어놓기 시작했다.

에센은 초반부를 경청해 주다가 미친놈 보듯 보며 아카시아를 찬양하는 디아노를 두고 연무장을 빠져나왔다.

그리하여 릴리 궁으로 다시 돌아가는 길.

"아사모란 말이지."

에센은 어제 자신을 강타했던 강렬한 소외감을 기억하고 있었다.

'이제 절대 소외되지 않겠다.'

대충 아는 척하면 되겠지 싶어서 릴리 궁으로 돌아온 뒤, 바로 아티를 찾았으나 어째서인지 릴리 궁에서 아티를 찾을 수 없었다.

"마담 루시, 아티는?"

"아티 님께서는 지금 자리를 비우셨어요."

"뭐? 어딜 갔는데?"

"글쎄요. 오호호호홋."

호위 기사를 두고 어딜 혼자 다닌단 말인가? 에센은 기가 차서 말이 나오지 않았다.

"자신의 신분이 무엇인지 잊은 거 아냐?"

아티가 돌아오면 단단히 일러두어야겠다고 에센이 생각했을 때였다.

"에센 님! 돌아오셨네요!"

활짝 웃으며 다가오는 아티를 보며 에센이 고장 난 것처럼 멈칫했다.

"아드리안은 뵙고 왔나요?"

"어? 아니……."

"앗, 어째서요? 볼일이 있으신 거 아니셨어요? 제가 함께 가 드릴까요?"

"어? 아니, 괜찮아. 볼일은 다 보고 왔거든."

"그래요? 다행이다."

아티가 안도하자 에센은 잔소리하는 건 한 번쯤은 넘어가도 괜찮지 않을까 생각했다.

'그렇게 중요한 것도 아니고.'

어차피 지금부터 자신이 찰싹 붙어 있을 테니까.

"흠흠."

에센이 헛기침을 하며 아티의 눈치를 살폈다.

비밀을 알아 오긴 했는데 아사모에 관해 어떻게 말을 꺼내야 할지 알 수 없었다.

에센의 머릿속이 복잡해졌다.

'자연스럽게 말하는 게 좋겠지? 그럼 어제 뭐 했냐고 물어보는 게 좋을까?'

아니면 디아노에 대한 이야기를 먼저 꺼낼까, 무슨 화제부터 꺼낼까 에센이 심각하게 고민했다.

"에센 님, 괜찮으세요?"

"어?"

"표정이 어두워서요. 무슨 일 있으신 건 아니죠?"

아티의 상냥한 질문에 에센이 머쓱해졌다. 자신이 뭘 생각하고 있는지 알면 실망하려나…….

에센이 한숨을 내쉬었다. 그래, 이렇게 구는 건 자신답지 않았다.

"아티."

"네?"

"나 그거 알아."

아티가 고개를 갸웃했다.

"아사모."

에센이 짤막하게 말하자 아티가 두 눈을 동그랗게 떴다.

"그, 그걸 어떻게 아세요?"

최대한 티 내지 않으려고 조심했는데 어떻게 알아 버린 거지? 나의 위장이 실패한 것인가?

아티가 너무 놀라니까 도리어 먼저 이야기를 꺼낸 에센이 머쓱해졌다.

"디아노에게 들었어."

"아, 그렇군요."

아티가 눈에 띄게 안도하며 고개를 끄덕였다.

'여기서부터가 중요하다.'

에센이 눈을 빛내며 타이밍을 쟀다.

"나도 좋아해. 디아노 막냇동생."

"아카시아 정말 귀엽죠!"

"맞아, 아카시아."

"어쩜 이름도 아카시아인지!"

"양 갈래에……."

"맞아요! 귀여워!"

"자그맣고."

"맞아요! 귀엽죠!?"

"분홍 머리도……."

"어쩜 머리 색도 그렇게 귀여운지!"

아티가 행복해하며 활짝 웃었다. 에센은 조금 죄책감을 느꼈다.

'어디 가서 사기당할 것 같다.'

어쩔 수 없이 사기당할 일 없게 자신이 지켜 줘야 할 듯했다.

"역시 아카시아를 좋아하는 사람이 우리 두 사람……. 아니, 세 사람일 리가 없다고 생각했어요! 에센 님도 아사모에 들어오실래요? 덕질은 함께해야 제맛이죠!"

"그래."

최초의 목적을 달성했으나 에센은 썩 기쁘지 않았다. 뭐랄까 오히려 허무했다.

'이렇게 쉬워도 되는 건지.'

에센의 시선이 아티를 향했다. 아티는 여전히 신난 채로 아카시아에 대해 이야기를 늘어놓는 중이었다.

'뭐, 이거면 됐지.'

에센은 그것만으로 만족스럽다고 생각했다.

아티를 속이게 된 사소한 부분은 나중에 다른 일로 갚아 주면 된다는 단순한 결론을 내렸다.

"그래서요, 그날 아카시아가~!"

이렇게 신난 아티를 본 적이 있을까? 아티는 정말 행복해 보였다.

"정말 너무 귀엽지 않나요?"

"응. 귀여워."

아카시아를 귀여워하는 네가.

"그쵸! 정말 귀엽죠!"

"응. 좋네."

아카시아를 아끼는 네가.

에센이 동의하자 아티가 행복하게 미소 지었다.

이런 미소를 짓고 있는 아티를 보고 있노라니 에센의 입가에도 자연스럽게 미소가 퍼졌다.

"에센 님과 아카시아의 귀여움을 나눌 수 있어서 기뻐요."

"나도 기뻐."

에센이 드물게 진지한 얼굴로 고개를 끄덕였다. 아티가 막 새로운 이야기를 꺼내려고 했을 때였다.

"아티~!"

멀리서 들리는 마리에 공주의 목소리에 두 사람의 시선이 자연스럽게 한쪽으로 쏠렸다.

마담 루시의 안내로 이쪽으로 오던 마리에는 마음이 급한 건지 거의 달려오다시피 걸어왔다.

"아티, 여기 있었군요!"

"아, 마리에. 어서 와요."

아티가 미소로 맞이하자 마리에의 입가에도 미소가 퍼졌다.

도착하자마자 마리에가 고개를 갸웃했다.

어제와는 사뭇 다른 둘 사이의 분위기를 감지해 냈기 때문이었다.

"둘이 무슨 이야기 하고 있었어요?"

에센은 반사적으로 아사모에 대한 이야기를 숨기려고 했다.

"그러니까, 무슨 말을 했냐면……."

"아사모에 대해 이야기하고 있었어요!"

"……."

숨길 생각이 없는지 바로 다 털어놓는 아티를 흘긋 본 에센이 왜인지 절망적인 기분을 느꼈다.

'어제 내 앞에선 그렇게 숨기려고 했으면서?'

에센의 따가운 시선이 느껴지지도 않는 건지 아티와 마리에는 즐겁게 이야기를 나눴다.

"아사모요? 그게 뭐예요?"

"제가 만든 모임이에요."

"아티가 만든 모임?"

"네. 제가 무척이나 아끼고 좋아하는 한 레이디가 있는데 그 아이를 사랑하는 모임이랍니다!"

마리에가 흥미를 보였다.

"아티가 아끼는 게 누구인데요?"

"아카시아 양이에요!"

"아카시아?"

"아카시아 플라다 베네데토! 베네데토 가문의 막내 따님이에요. 혹시 마리에도 아시나요?"

"아!"

마리에가 아는지 밝은 표정으로 알은체를 해 왔다.

"이렇게 자그맣고 귀여운 아가씨 아닌가요? 전에 파티에서 봤던 것 같아!"

"맞아요. 마리에. 요즘 저와 사이좋게 지내 주고 계시는 귀여운 분이시랍니다."

"헉. 뭐야, 나도 귀여운 여동생 갖고 싶어요."

마리에가 안달 난 표정으로 울상을 지었다.

"후후. 가끔 아카시아를 불러서 티타임을 갖는데 마리에도 오실래요?"

"당연하죠! 아티, 정말이에요! 약속!"

"네, 약속할게요."

아티가 후후 웃자 마리에가 과하게 좋아했다.

"저 평소에도 그 레이디가 귀엽다고 생각했어요."

"어머, 정말이요?"

"네. 어쩐지 그 어울리지 않는 덩치 큰 분홍 머리 옆에 천사가 착 달라붙어 있더라니. 동생이었군."

뭔가 마음에 들지 않는 듯 마리에가 혀를 찼다.

"아사모라니, 정말 재미있겠다. 아티, 저도 아사모 하고 싶어요. 저도 껴 주세요. 네?"

"후후. 아사모의 회장이 바로 저랍니다. 원래는 아무나 들이지 않지만…… 특별히 마리에니까 허락해 드리죠."

"꺄! 역시 아티예요!"

마리에가 아티를 끌어안았다. 에센은 오늘도 소외당했다.

에센이 마리에를 어떤 표정으로 노려보고 있는지도 모른 채 마리에가 아티의 손을 잡아끌었다.

"아티, 이쪽으로 와요. 보여 줄 게 있어요."

"보여 줄 것이요?"

Chapter 17. 신세계를 보여 주마

Chapter 17. 신세계를 보여 주마

마리에의 손에 이끌려 간 곳은 릴리 궁의 서재였다.

그곳 테이블엔 언제 준비된 것인지 모를 책들이 한가득 쌓여 있었다.

"자, 어서 여기 앉아요."

소파 옆자리에 아티를 앉힌 마리에가 자랑스럽게 책 세 권을 아티 손에 쥐여 주었다.

"이게 말이죠, 우리 아펜니노는 물론 시리우스에서도 초대박을 친 명작인……."

아티의 눈동자가 책의 제목을 읽어 냈다.

"〈에스티나의 일곱 명의 수호 기사〉?"

마리에가 눈을 빛내며 고개를 끄덕였다.

"하지만 이건 아직 보기 이르니까 이 책들을 소개할게요. 원래 입문작은 따로 있는 법이죠."

이번엔 아티의 손에 다른 책이 쥐여졌다. 이번에도 제목은 특이했다.

〈내가 이세계의 숨겨진 공주라고?〉

"마리에, 이거 좀 이상한 거 같은데…….""

마리에가 갑자기 한숨과 함께 이마를 짚었다. 관자놀이를 문지른 마리에가 음울한 목소리로 입을 열었다.

"아니, 그게 진짜 제목이……. 하. 별론데…… 진짜 재밌어요."

"아, 재미있군요."

"네. 한번 읽어 봐요."

아티가 다른 책에 시선을 두었다.

"폐하의 외동딸, 황제의 강아지."

"고전 중의 고전 입문작이죠."

"이건 무슨 내용이에요?"

그동안 읽어 왔던 책에 비해서 어떤 내용일지 짐작하기가 어려웠다.

아티가 질문하니 마리에가 웃으며 고개를 가로저었다.

"읽어 보면 알아요."

"그렇구나."

아티가 편견 없이 고개를 끄덕였다.

"한번 읽어 볼게요."

"정말요?"

"네."

아티가 고개를 끄덕였.

"마리에가 좋아하는 것이니 저도 이해해 보고 싶어요."

"아티……."

감동받은 마리에가 훌쩍거렸다.

"아티는 혹시 천사예요?"

"네? 그건 아닌데."

"흑흑. 아티, 사랑해요!"

갑자기 자신을 덥석 끌어안은 마리에의 등을 토닥여 주며 아티는 마리에가 감정 표현이 풍부하다고 생각했다.

원래도 좋은 사람이긴 했으니까.

"진짜 꼭 읽어 보세요. 절대 후회 안 할 거예요! 오히려 제게 고마워하게 될걸요? 이런 신세계를 알려 줬다고!"

"무슨 말을 하는 건지 이해는 안 되지만 빌려주신 책이니 재미있게 읽을게요."

"그럼 내친김에 지금 읽을까요?"

"네? 여기서요?"

아티가 고개를 갸웃하니 마리에가 무언가를 기대하는 표정으로 고개를 끄덕였다.

"저 지금 한가하거든요. 그리고 이거 재주행 할 거예요."

"재주행이 뭐예요?"

"다시 처음부터 읽는다는 뜻이에요!"

"이미 읽으신 거 아니에요?"

"맞아요!"

다시 읽을 만큼 재미있었다는 뜻처럼 느껴져서 아티가 조용히 웃었다.

마리에가 에스티나 어쩌구 소설을 좋아하는 마음이 느껴졌기 때문이었다.

'제목은 좀 이상하지만.'

아티의 시선이 마리에가 쥐여 준 책으로 떨어졌다.

내가 이세계 공주 어쩌구는 제목에서부터 진입 장벽을 크게 느껴서 고심 끝에 아티가 잡은 것은 〈황제의 강아지〉였다.

"그것부터 보는구나."

"강아지 좋아하거든요."

아티가 쑥스러운 듯 미소를 짓자 마리에가 호탕하게 웃었다.

"즐거운 독서 하세요!"

"마리에도요."

두꺼운 책을 펴니 미색의 종이를 바탕으로 인쇄된 검은색의 활자가 눈에 들어왔다.

익숙한 텍스트를 읽어 가며 아티가 서서히 이야기 속에 빠져들었다.

우연찮게 죽어서 강아지로 환생한 주인공은 다름 아닌 황제 소유의 강아지였다.

'어떻게 이런 상황이 일어날 수 있지?'

이상하다는 생각을 안 한 건 아니지만 재미있었다. 강아지로 상상하니 모든 상황이 그저 귀엽고 사랑스럽기만 했다.

낯설고 독특한 관점의 이야기를 집중해서 읽다 보니 어느새 해가 저무는 시간이 되어 있었다.

"다 읽었어요."

완결이라는 글자를 확인하고 책을 덮으니 마리에가 흥미로운 눈으로 아티를 보고 있었다.

"어때요?"

"음……."

자신의 감상을 기다리는 마리에의 초롱초롱한 눈동자를 바라보던 아티는 어떤 말을 해야 할까 말을 골랐다.

"환생이 뭔지 모르겠지만 재미있었어요."

"아이, 참. 그런 건 중요하지 않아요!"

"그리고 황제가 참 다정하네요. 좋은 사람이랑 잘 되어서 다행이에요."

"그쵸?! 역시 다정남은 세상을 구한다."

마리에가 만족스럽게 고개를 끄덕였다.

"그런데 이렇게 젊은 황제가 있을 수 있는 건가요? 잘은 모르지만 보통 황제 폐하께서 즉위하실 때 연세는 마흔이 넘지 않나요?"

"소설적 허용이에요. 그런 생각은 그만두세요."

"그렇지만……."

아티는 여전히 잘 모르겠다는 표정으로 고개를 갸웃했다. 그러다가 마리에가 다 읽어 가는 소설에 시선이 멈추었다.

"마리에, 그건 무슨 소설이에요?"

"아, 이거요."

마리에가 헛기침을 하며 잠깐 목을 가다듬었다.

"에스티나라는 여왕과 그의 기사들의 이야기예요."

"여왕의 이야기요?"

"네. 1권에서는 에스티나 여왕이 아직 황태자인 시절 호위 기사이자 에스티나의 첫 번째 기사인 남주와 어릴 적부터 서로 좋아했는데 이어지는 내용이에요."

"낭만적이네요."

"그죠? 그런데 이 첫 번째 기사가 전쟁 중에 실종이 되고 1권에서 서브 남주였던 두 번째 기사가 본격적으로 2권에서 여왕과 그렇고 그런 사이가 되어 가는데……."

"네?"

"여왕의 세 번째 기사는 막 나가는 쓰레기인데 어느 날 여왕이 민간에 잠행을 나가서 주워서 데려와요. 얘랑도 서로 좋아하는 사이가 됩니다."

"……?"

"참고로 저는 세 번째 기사가 제일 취향이에요. 다음은 네 번째 기사 이야기인데……."

아티가 잠깐 마리에의 이야기를 멈췄다.

"설마 혼자서…… 전부 다 사귀는 건가요?"

"네."

"……."

아티의 표정이 굳었다. 아티가 슬금슬금 거리를 두고 물러나니 마리에가 당황해서 아티를 꼭 붙잡았다.

"아니, 그게! 아티, 내 말 좀 들어 봐요! 그게 다 이유가 있어요!"

"어쨌든 다 사귀는 거죠?"

"응? 으응. 그렇죠."

"그렇군요."

"그래요……."

어색한 정적이 지나갔다. 마리에는 말없이 〈에스티나의 일곱 명의 수호 기사〉 1권을 넘겨주었다.

아티는 머뭇거렸으나 결국 1권을 건네받았다. 아티가 1권을 펴고 약 한 시간의 시간이 지났다.

"재미있네요."

아티가 즐거워하며 웃자 마리에가 흐뭇하게 고개를 끄덕였다.

"그쵸? 재미있죠?"

"네."

"나도 일처다부제 하고 싶어."

아티는 마리에의 말에 조용히 공감했다.

"이런 남자가 일곱이나 있는데 다 데리고 살아야죠."

"맞아."

두 소녀는 현실에 없을 남자를 떠올리며 안타까움이 담긴 한숨을 내쉬었다.

✦ ♛ ✦

아드리안은 요새 기분이 좋지 못했다.

요 며칠 재상의 뒤를 판다고 너무 바빴더니 정신을 차려

보니 뭔가 허전했다.

대체 무엇이 허전한 거지?

"아."

한동안 바빠서 아티를 보지 못했다.

다시 한번 곰곰이 생각해 보았지만 역시 아티를 보지 못했다.

고작 며칠 못 봤을 뿐인데 이렇게 허전하다니, 중병도 이런 중병이 따로 없었다.

"오랜만에 보러 가 볼까?"

그러고 보니까 에센이 아티의 호위 기사가 된 이후엔 제대로 들여다보지 못한 듯했다.

재상의 뒷조사도 일단락됐고 급하게 처리할 일도 없으니 아드리안은 가벼운 마음으로 릴리 궁에 갔다.

"마담 루시, 아티는?"

"오호호호, 아티 님께서는 지금 서재에 계신답니다."

"책을 읽고 있나?"

"네."

마담 루시가 의미심장한 표정으로 고개를 끄덕였다.

오늘따라 마담 루시가 이상하다고 생각했지만 아드리안은 아티를 보고 싶은 마음에 무시하고 서재로 향했다.

서재의 문은 열려 있었다. 아드리안이 막 그 안으로 들어가려고 했을 때였다.

멈칫―

열린 서재 문 안에서 아티의 맑은 웃음소리가 들려왔다.

"이거 정말 재미있어요, 마리에."

"그죠? 그죠?!"

"나도 이런 남자 하나만 있었으면 좋겠다."

한숨 어린 목소리에 문고리를 붙잡은 아드리안의 손에 힘이 들어갔다.

'남자?'

아티가 지금 무슨 이야기를 하고 있단 말인가.

"에이, 꿈 깨요. 아티. 현실에 없는 남자라고! 그래서 이게 다 환상 소설인 거예요."

"그래도 한 명쯤은 실존하지 않을까요?"

"와, 그랬으면 좋겠다. 이왕이면 내 남자가!"

마리에가 외치고 꺄르르 웃었다. 아티도 덩달아 웃어 버렸다.

"에스티나 이것만 읽고 있으면 꼭 진정한 사랑이 하나일 필요가 있을까? 같은 생각이 들어요."

"맞아, 맞아."

"우리나라도 일처다부제면 참 좋을 텐데."

"그러게요."

진하게 아쉬운 목소리를 들으며 아드리안은 제 안에서 뭔가의 줄이 끊어지는 기분을 받았다.

저 책의 이름을 알아내면 금서로 지정해 버려야겠다.

막 그렇게 다짐을 하고 안으로 들어가려고 했을 때였다.

"아드리안? 언제 왔어?"

"에센."

익숙한 목소리에 재빨리 정신을 차린 아드리안은 이번엔 처음 보는 광경에 혼란스러워졌다.

"……뭐 하냐?"

에센은 직접 간식과 차가 담긴 트레이를 운반하고 있었다.

평소 에센이라면 상상할 수도 없는 광경에 아드리안이 놀라 인상을 썼다.

"뭐 하긴, 보면 모르냐?"

오늘도 평소처럼 퉁명스럽게 답한 에센이 아드리안을 지나쳐 서재 안으로 향했다.

"아가씨들, 기다리시던 차 대령합니다."

어설프게 고어로 말하는 에센 때문에 아티와 마리에의 웃음이 터졌다.

"에센 경! 그게 뭐예요!"

"뭐."

"에센 경, 정말 웃겨요."

"그래? 다행이네."

마리에의 말엔 차갑게 대꾸한 에센이 아티의 말에 언제 그랬냐는 듯 풀풀 풍기던 냉기도 지우고 따뜻한 봄날의 미소를 지었다.

"……?"

처음 보는 에센의 미소에 순간 불쾌함이 밀려와 아드리안은 몸을 떨었다.

불쾌함을 가라앉히려 관자놀이를 짚고 있으니 에센이 아드리안을 돌아보았다.

"안 들어오고 뭐 해?"

에센의 말에 깜짝 놀란 건 아티와 마리에였다.

"누구 있어요?"

"어머, 오빠!"

세 사람의 시선을 한 몸에 받으며 서재 안으로 들어간 아드리안은 아티와 마리에 주변에 쌓여 있는 괴랄한 제목의 책을 보며 인상을 찌푸렸다.

평소 아티가 들고 다니던 책과는 전혀 다른 제목이었다.

'이거 분명히…… 마리에가 좋아하는 거였지.'

마리에를 슬쩍 노려보니 마리에가 빙그레 웃으며 자신의 옆자리를 권했다.

"오라버니, 언제 오셨어요. 여기 앉으세요."

아드리안이 마리에와의 거리를 벌렸다.

"네가 언제 나한테 존댓말을 했다고?"

"무슨 소리예요, 오라버니. 호호. 전 언제나 예의 바른 동생이잖아요."

'대체 언제부터?'

아드리안이 인상을 찡그렸다. 아티가 웃으면서 마리에를 칭찬했다.

"마리에는 정말 예의 바르네요."

"어머, 당연하죠. 아티!"

분명 아드리안 자신에게 하는 행동이었는데 마리에의 시선은 아티에게 가 있었다.

'이거 다 아티 보여 주려고 쇼한 거로군.'

아드리안이 혀를 찼다. 그리고 본격적으로 마리에에게 이상한 책에 대해 추궁을 하려고 했을 때였다.

"오라버니, 저희 막 산책을 가려고 했는데 같이 가실래요?"

"산책?"

에센이 이제 차를 가져왔는데 이대로 산책을 하러 간다고?

아티도 산책이라는 소리에 금시초문인 듯 고개를 갸웃했다.

의도가 뻔히 보이는 마리에의 수작에 아드리안이 막 한소리를 하려고 했다.

"아드리안, 함께 산책하실래요?"

"응. 갈게."

아티의 권유에 아드리안은 반사적으로 승낙해 버렸다.

"자자. 그럼 산책을 하러 나가 봅시다. 어서어서."

마리에가 호들갑을 떨며 자리에서 일어났다. 아티도 얌전히 자리에서 일어났다.

그 뒤를 따라 에센도 따라나섰다. 아드리안이 물었다.

"넌 왜 가냐?"

"무슨 소리래, 호위 기사잖아."

에센이 까칠한 목소리로 답했다. 맞는 말이지만 아드리안은 뭔가 석연치 않은 기분을 느꼈다.

'뭐지, 이 기분?'

이전엔 단 한 번도 느껴 본 적 없는 기분이었다.

나란히 후원으로 향하면서 마리에가 에센에게 친근하게 말을 걸었다.

"에센 오빠, 나중에 내 호위 기사 해 주면 안 돼요?"

"안 돼."

"칫."

"그리고 호칭 바꿔."

"아, 에센 오빠가 뭐 어때서."

에센이 경멸하듯 인상을 쓰자 마리에가 투덜거리면서 호칭을 바꿨다.

"네네, 에센 경."

마리에가 입술을 삐죽이든 말든 에센의 시선은 올곧게 정면을 향해 있었다.

그 모습은 마치 온몸으로 외치고 있는 듯했다.

말 시키지 마! 꺼져! 건드리지 마!

"정말 너무해!"

공주를 대하는 태도치고는 건방지긴 하지만 너무나 일상적인 모습의 에센이라서 아드리안은 그러려니 마리에의 불만을 흘렸다.

그때 돌연 아티가 환하게 웃으며 에센을 돌아보았다.

"에센 경, 오늘 날씨가 참 좋죠?"

"그러네. 햇살도 바람도 기분이 좋은걸."

"......?"

아드리안의 표정이 굳었다. 에센이 웃고 있었다. 그 에센이!

"에센 님도 이런 날씨를 좋아하시나요?"

"이런 날씨를 싫어하는 사람은 아마 없지 않을까?"

"......?"

너 어제만 해도 싫어했잖아.

아드리안은 기억하고 있었다. 에센이 바로 어제 날씨가 왜 이렇게 화창하냐고 투덜거렸던 것을.

"저랑 에센 님은 정말 잘 통하는 것 같아요."

"그래? 나도 아티랑 말이 잘 통하는 것 같아서 좋아."

"저도요!"

결국 아드리안은 참지 못하고 자신이 들고 있던 검을 칼집째 던져 버렸다.

"얌전한 척하지 마!"

"뭐?

난데없는 아드리안의 폭발에 에센이 인상을 찡그렸다.

"얌전한 척하지 말라고! 너 이런 놈 아니잖아! 그 간드러지는 목소리 좀 집어치워!"

"뭔 소리야?"

갑작스러운 아드리안의 난동에 아티는 아드리안이 왜 저러는 걸까 놀란 눈으로 바라보았고 마리에는 이럴 줄 알았다는 듯 고개를 끄덕였다.

"아티, 이리 와."

에센을 노려보던 아드리안이 돌연 아티의 팔을 붙잡았다.

"둘 다 따라오지 마!"

에센과 마리에에게 으름장을 놓은 아드리안이 아티를 데리고 사라졌다.

남은 두 사람은 이 상황이 어떻게 된 건지 이해할 수 없어 혼란스러웠다.

"에센 경, 오라버니가 갑자기 미쳤나 봐요."

마리에는 역시 이 황궁에 정상은 나밖에 없다면서 고개를 끄덕였고 에센은 사라진 아드리안의 뒷모습이 있던 자리를 보면서 어두운 표정을 지었다.

'역시 아드리안 저 자식, 아티를 좋아하는군.'

✦ ♔ ✦

나는 아직도 어제 대체 무슨 일이 있었던 건지 의아했다.

아드리안이 갑자기 에센에게 화를 내더니 그대로 자신을 이끌고 따로 나와 버렸다.

그러고서 우리는 별 대화 없이 후원을 산책하고 헤어졌다.

"대체 뭐였지?"

무척 화가 난 것처럼 보였는데, 이유를 알 수 없었다.

혹시 에센은 이 이유를 알까 싶어 물어봤는데 묘한 미소만 짓고 고개를 가로저을 뿐이었다.

"뭐지……."

책을 펴 놓은 채 읽지는 않고 멍하니 창밖을 보고 있을 때였다.

"으악!"

"꺄!"

갑자기 들린 큰 소리에 놀라 일어났다. 뒤를 돌아보니 언제 온 건지 모를 마리에가 큰 소리로 웃고 있었다.

"……마리에."

익숙한 상대라 안심하면서도 살짝 원망을 담아 흘겨보니 마리에가 깔깔 웃다가 어깨동무를 했다.

"놀랐잖아요."

"아티, 대체 무슨 생각을 하고 있었기에 내가 왔는데 그렇게 정신이 빠져 있어요?"

"그냥 이런저런 생각을 하고 있었어요."

사실은 어제 있었던 일에 대해서 생각하고 있었다.

어제 일로 확신했다. 나는 아무리 오래 알아도 아드리안 속은 알 수 없을 것 같았다.

"그런데 오늘은 무슨 일로 왔어요? 마리에 말벗이 입궁하는 날 아닌가요?"

"아아. 이바나가 오는 날이긴 하죠."

마리에가 탐탁지 않다는 듯 턱을 괴었다.

대놓고 인상을 찌푸리고 있었지만 나는 가만히 마리에를 보고 있을 뿐 아무런 말도 하지 않았다.

그게 서운했던 건지 마리에가 고개를 돌려 나를 보았다.

"무슨 일인지 안 물어봐요?"

"실례가 될까 봐……."

"이런 상황은 물어봐 달라고 시위하는 거라고요!"

"아, 그런 건가요?"

하지만 자신이 이런 걸 물어봐도 될지 모르겠다. 조심스러웠지만 결국 마리에가 원하는 대로 해 주었다.

"무슨 일인가요?"

"이바나가 마음에 안 들어요."

"그렇군요."

"이유는 안 물어보는 거예요?"

"음. 왜 마음에 안 드신 거예요?"

"가브리엘이랑 친하거든요."

마리에가 한숨과 함께 자신의 이야기를 털어놓았다.

"어렸을 때부터 가브리엘이 오라버니 뒤를 쫓아다녔던지라, 동갑인 저하고도 참 자주 마주쳤는데 언니도 보면 알겠지만 가브리엘은 어릴 때도 그랬어요. 아니, 더 심했나?"

타인에 대한 배려라고는 눈곱만큼도 없는 주제에 어른들을 속이는 건 탁월해서 마리에는 종종 가브리엘을 괴롭힌 걸로 혼이 났다고 했다.

"물론 진짜 괴롭히긴 했는데, 내가 하나를 괴롭혔으면 걔가 과장해서 두세 개를 일러바치는 바람에 엄청 혼났어요."

"그런 일이 있었군요."

"처음엔 가브리엘을 골탕 먹여야겠다고 생각했는데 나이 먹고서는 피곤해져서 가브리엘을 멀리했거든요. 그래서 말벗을 들일 때 가브리엘이 아닌 이바나를 들였죠."

어린 공주의 말벗은 황실 어른들이 골라 주는 것이긴 하지만 마리에가 유일한 공주인만큼 발언권이 없지는 않았다.

"가브리엘이 말벗인 건 죽어도 싫었거든요."

여차여차 이바나가 말벗으로 들어와서 처음엔 사이가 좋았다.

이바나가 가브리엘의 괴롭힘에 못 이겨 가브리엘에게 붙어 버리고, 마리에의 일거수일투족이 가브리엘 귀에 들어간 일이 생겨 버리자마자 이바나와 마리에의 사이가 급격하게 멀어졌다는 것이었다.

"이바나가 말을 옮긴다는 건 어떻게 아셨나요?"

마리에가 떨떠름하게 책을 들었다. 마리에가 추천해 준 괴상한 제목의 책들이었다.

"나를 모욕하는 것도 참을 수 없지만 내가 좋아하는 걸 모욕하는 건 더 참을 수 없거든요."

요컨대 어떤 파티에서 영애들이 모여 마리에가 즐겨 읽는 책에 대해 뒷담을 늘어놓았다는 것이었다.

마음이 무거웠다. 제목은 이상해도 재미는 있는 책들인데.

"저런……."

내가 안쓰러운 표정으로 바라보니 마리에가 슬그머니 나를 보았다.

"……그래서 말인데요, 아티."

"네."

"저랑 같이 티 파티 가 주시면 안 돼요?"

마리에가 울상을 지었다.

"혼자 가면 너무 심심하단 말이에요!"

지금까지의 구구절절한 이야기는 결국 이 말을 꺼내기 위한 밑밥에 불과했다.

기승전파티 합류 제안에 어색한 미소를 지어 보았지만 마리에에게는 통하지 않았다.

"말벗도 없이! 친구도 없이! 외롭게 파티! 얼마나 슬픈지 아세요?"

"마리에……."

"모후의 명령이라서 빠질 수도 없어요! 네? 아티! 새언니! 같이 가요! 네?!"

"하지만 전 초대장도 없는데……."

"나와 함께하는데 뭐가 문제죠?! 아티는 모두가 반길 거예요!"

결국 마리에의 끈질긴 설득에 힘입어 승낙해 버리고 말았다.

어차피 예비 황태자비로서 사교계 활동은 해야 했으니까.

이거, 괜찮겠지?

✦ ♛ ✦

마리에가 권유한 티 파티는 르베르티 공작 부인이 주최하는 대규모 티 파티였다.

석 달에 한 번 주최한다는 티 파티에 아티는 행여 실수라도 할까 봐 걱정했지만 다행히 별일은 생기지 않았다.

르베르티 공작 부인이 마리에를 배려해 네벨가의 영애를 초대하지 않았기 때문이었는데, 덕분에 아티는 마리에와 실컷 즐기다가 돌아왔다.

무엇보다 마리에가 공작 부인에게 부탁해서 베네데토 영애도 불러왔기에 아티는 티 파티에서 아카시아와 신나게 놀 수 있었다.

제일 뜨거운 반응을 보인 것은 마리에였다.

"정말 귀여워! 이 뺨 봐 봐!"

"간지러워요!"

"말랑말랑해! 귀여워!"

"꺄~."

"크으. 내 동생 하자! 아카시아! 오늘부터 넌 내 동생이다!"

평소 귀엽다고 생각했던 아카시아를 가까이에서 보자 이성을 잃어버린 마리에가 아카시아를 끌어안으며 절대 베네데토에 돌려주지 않겠다고 외쳐 댔다.

"공주 전하, 전 오빠들이 좋아요!"

"언니라고 불러!"

"네, 언니!"

아드리안을 오빠로 둔 마리에로서는 아카시아가 디아노와 시시뉴를 좋아하는 이유를 이해할 수 없었지만 귀엽고 깜찍한 아카시아가 좋다고 하니 마냥 고개를 끄덕일 수밖에 없었다.

아카시아를 끌어안고 '나도 이런 여동생!'을 연신 외쳐 대던 마리에는 헤어질 때 아카시아를 황궁으로 데려가지 못해 무척이나 아쉬워했다.

아카시아에 푹 빠져 버린 마리에를 보며 아티가 흐뭇해했다.

"어때요, 아카시아의 실물을 영접한 기분은?"

아티의 질문에 마리에가 두말할 것도 없이 엄지를 척 들었다.

"최고!"

두 손의 엄지를 드는 것만으로는 부족한 것이었는지 마리에가 훌쩍였다.

"아사모에 가입하길 잘했어. 흑흑. 살면서 두 번째로 잘한 짓이에요."

"그럼 첫 번째는 뭐예요?"

"당연히 아티를 만난 거죠!"

마리에의 말에 아티가 웃음을 터뜨렸다.

아티는 반쯤 장난으로 받아들였으나 그 순간 마리에는 진심이었다.

"아티는 정말 오빠한테 아까워요!"

✦ ♛ ✦

마리에와 어울리며 본격적인 대외 활동을 시작하자 예비 황태자비로서 순식간에 바빠졌다.

사교 활동을 시작하면서 처음엔 크게 걱정을 했으나 막상 하고 나니 괜찮았다.

마담 루시와 공부하고 단련했던 터라 큰 문제는 없었다.

나를 만난 사교계의 그 누구도 나를 깔보거나 얕잡아 보지 않았기 때문이었다.

이미 가브리엘을 상대해 본 경험이 있는 바, 그 일이 알게 모르게 도움이 된 모양이었다.

"가브리엘은 워낙 악명이 높으니까요."

마리에가 어깨를 으쓱이며 말했다. 뭐 이런 거 가지고 그러냐는 태도였다.

항간에선 우리 또래의 레이디들이 뒤에서 가브리엘을 '네벨가의 공주'라고 부르는 것도 종종 목격했다.

'틀린 말은 아니지. 정말 공주처럼 굴고 있으니까.'

"절대 가브리엘한테 지면 안 돼요!"

마리에는 마치 자신의 일인 것처럼 나서서 적극적으로 나를 도와주었다.

절대 가브리엘이 내 자리를 넘보게 해서는 안 된다며 가장 먼저 마리에가 권한 것은 바로 루드밀라 황후와 친분을 다지는 일이었다.

"어머, 아티 왔구나."

"오랜만에 뵙습니다, 황후 폐하."

"호호, 서운하게 황후 폐하가 뭐니. 격식을 차리는 건 그만두고 여기 앉거라."

"네."

매일같이 그레이스 궁으로 루드밀라 황후와 티타임을 보내러 가면서 동시에 크리스텐 궁도 들르게 되었다.

카를로만 황제가 이따금 나를 불렀기 때문이었다.

"황후에겐 매일같이 간다면서 짐에겐 자주 오지 않으니 섭섭하구나, 새아가."

"자주 방문할게요."

"옳지, 그래. 잘한다."

만족스럽게 웃은 카를로만 황제가 나에게 수줍게 제안했다.

"그런 의미로 아빠라고 불러 보지 않으련?"

그럴 때면 어김없이 마리에 공주가 나타나서 나를 도와주었다.

"아빠! 진짜 주책이야!"

마리에 공주가 구박하기만 하면 카를로만 황제는 언제 그랬냐는 듯 딸의 구박에 깨갱 하고는 했다.

"며느리에게 사랑받고 싶으면 칼같이 예의를 지키는 시아버지가 되라고! 알았어?!"

"그래, 알았다. 이제 그만하거라. 마리에."

"그만하긴 뭘 그만해?! 그리고 아빠, 작은 동물 좀 그만 사! 모후가 사육장이 부족하다고 걱정하시잖아."

"아, 사육장 정도야 증축하면 되는데 뭐가 문제더냐."

"당연히 문제지! 아빠는 그게 문제야!"

옥신각신하는 부녀를 보며 나는 조용히 고개를 절레절레 가로저었다.

입궁 전, 황실 사람은 평범한 사람과는 다르다는 이야기를 귀에 못이 박히게 들어온 터라 처음부터 나는 막연히 그들이 무척이나 특별한 존재일 거라 생각했다.

하지만 몇 달을 황궁에서 같이 지내다 보니 그들도 다른 평민들과 다름없는 똑같은 사람이라는 것을 깨달았다.

단지 돈이 많고 화려한 곳에서 생활하며 별다른 부족함 없이 산다는 점이 달랐을 뿐이었다.

"뭐, 그게 많이 다른 거지만."

어쨌든 황궁 생활이 여느 때보다 순조로운 어느 날의 일이었다.

"외출하고 싶어!"

아드리안이 출입 금지를 명했지만 아랑곳하지 않고 릴리 궁에 들락날락하던 마리에가 내 팔을 붙잡고 울먹였다.

"아티, 나 외출하고 싶어!"

"그건 내가 들어줄 수 없는 부탁이야, 마리에."

서로 존댓말 하던 우리는 어느새 상호 합의하에 말을 놓기로 했다.

어른들 앞에서는 여전히 서로 존대를 하긴 하지만 우리끼리 있을 때는 친구들처럼 말을 놓았다.

"아아아아, 나가고 싶어. 신작! 신간! 보고 싶어!"

"마리에, 진정해."

에스티나 4권 정발이 불발되었다가 이번에 발매된다는 소식에 마리에는 하루가 멀다 하고 궁 밖으로 나가고 싶다고 몸부림을 쳤다.

당연히 황실 어른들이 반대한 것은 두말할 것도 없는 상황이었다.

"나갈 수는 있잖아."

"호위를 줄줄이 끌고 나가는 게 무슨 나가는 거야! 딱 봐도 내가 누구인지 티가 나면 놀러 나가는 보람이 없다고!"

마리에가 훌쩍였다.

"에스티나 4권 정발 누구보다 빨리 갖고 싶었는데……."

"어차피 황궁으로 들어오지 않아?"

"그건 뭔가 맛이 안 나."

마리에가 입맛을 다셨다.

"서점에 가서 진열된 책을 딱 이렇게 들어 가지고 내가 직접 돈을 내고 펴 보는 거랑 맛이 다르다고!"

이해가 될 듯 말 듯 한 말이었다. 한참을 몸부림치던 마리에가 불현듯 고개를 들었다.

"아티."

"응?"

나를 보는 마리에의 눈이 과할 정도로 번뜩이고 있었다.

맛이 간 눈인데, 저건.

"아티, 우리 친구 맞지?"

"으응, 맞는데. 왜?"

불안을 삼키며 반문하니 마리에가 씩 웃었다.

"우리 나가자!"

"엉?"

"기억 안 나? 부황과 모후께서 아티랑 나가면 호위를 둘만 데려가도 된다고 했단 말이야!"

"둘이라면……?"

"당연히 에센 경은 아티 호위 기사니 따라올 테고, 그럼 나머지 하나는…….”

마리에가 검지로 뺨을 톡톡 건드리다가 손뼉을 쳤다.

"그 분홍 머리 데려가자!"

딱히 이름을 말하지 않아도 누구인지 알 수 있는 대목이었다.

Chapter 18. **이 구역의 정상인은 나야!**

Chapter 18. 이 구역의 정상인은 나야!

　마리에의 계획에는 크나큰 복병이 하나 있었다. 당연히 두말할 것도 없이 아드리안 황태자였다.

　하지만 마리에는 그 큰 복병을 간단하게 극복했다.

　"어차피 반대할 테니까 아예 말을 안 하고 나오면 되지!"

　"아! 그런 방법이……."

　라고 말할 줄 알았냐. 아티는 진심으로 걱정했다.

　"아드리안이 알게 되면 힘들어질 텐데."

　"괜찮아, 괜찮아. 아티는 걱정 말고 나를 따라오라고!"

　가벼운 외출 드레스로 갈아입고 마리에를 따라나서면서도 아티는 연신 불안했다.

　대체 마리에가 뒷감당을 어떻게 하려고 그러는 건지 걱정되었다.

　"놔둬. 쟤 아드리안 동생이야."

마리에 걱정으로 아티가 심각해지자 가만히 따라오던 에센이 툭 내뱉듯 말했다.

간단한 말이었지만 아티는 깊은 깨달음을 얻었다.

'그래, 뭐. 방법이 있겠지.'

편하게 마음먹기로 한 아티와 디아노의 시선이 마주쳤다.

평화롭게 황태자 집무실을 지키다가 아카시아를 미끼로 얼떨결에 끌려 나온 디아노는 아직도 뭐가 뭔지 모르는 기색이었다.

양심이 살짝 아팠지만 전부 마리에의 계획이었기 때문에 어쩔 수 없었다.

미안함을 담아 아티가 웃자 디아노가 더 의아해했다.

"날씨 좋다."

오랜만에 나온 황궁 바깥은 같은 풍경이었음에도 색다르게 느껴졌다.

'헬머 아저씨는 잘 지내실까?'

틈이 나면 가 보고 싶지만 그런 기회는 생기지 않을 듯싶었다.

에센은 바로 옆에서 걷고 있는 아티를 보았다.

황궁에서 지낼 때의 다소 화려한 드레스 차림도 잘 어울리고 좋았지만, 이렇게 수수하고 간편한 차림의 아티도 귀여웠다.

'왜 아드리안이 얘를 좋아하는지 알 것 같군.'

이해하고 싶지 않은 걸 이해해 버린 기분이란 대체 무엇일까.

에센은 좀처럼 아티에게서 떨어지지 않는 제 시선을 이미 눈치채고 있었다.

"아드리안이 신경 쓰여?"

"아무래도 신경이 쓰이죠."

아티가 한숨과 함께 답을 하자 에센이 알 만하다며 웃었다.

그래도 에센은 이렇게 밖에 나와 아티의 새로운 면모를 보고 있는 것 자체로 만족스러웠다.

여긴 아드리안도 없으니까.

"아티, 저기 봐!"

마리에가 커다란 목소리로 아티를 부르며 그녀를 붙잡고 끌고 갔다.

에센이 인상을 찡그렸지만 마리에는 아랑곳하지 않고 아티를 독차지했다.

"저기! 저거! 저것 좀 봐 봐!"

마리에가 가리킨 것은 커다란 운송 마차였다. 시장의 재고를 채우기 위해 움직이는 모양이었다.

"놀랍지 않아?!"

아티에게는 어렸을 때부터 봐 왔던 친근한 풍경이라 별다른 감흥이 없었다.

"마차에 저렇게 짐을 쌓아서 다녀도 되는 걸까? 난 늘 저게 의아했어."

"음. 아마도 불법일 거야."

"뭐? 정말?!"

마리에가 놀라서 아티를 보았다. 아티가 자그맣게 고개

를 끄덕이자 마리에가 고개를 갸웃했다.

"그런데 왜 치안대는 단속을 안 하는 거지?"

"내가 알기로는 저 운송 마차를 다 단속하게 되면 물류에 커다란 차질이 생기기 때문에 놔두는 걸로 알고 있어."

"그래? 하지만 저러면 위험하지 않아?"

"위험하기야 하겠지만…… 정작 저런 걸로 사고가 일어났다는 소리는 들어 본 적이 없어."

아티가 변호하자 마리에는 이해할 수 없다는 얼굴이었지만, 그렇다고 콕 집어 나쁘다고 말할 수도 없는 모양이었다.

"아티는 별 걸 다 아네."

"아……."

아티가 어색하게 웃었다.

"어떻게 공주인 나보다 더 꽁꽁 감싸여 키워진 아티가 바깥 사정에 빠삭한 거지?"

마리에의 날카로운 지적에 아티가 어색하게 미소 지었다. 그때 나지막한 목소리가 두 사람의 관심사를 돌려놓았다.

"저기 〈달이 기우는 서점〉이다."

다른 곳으로 주의를 끌어 준 에센에게 아티가 감사의 마음을 담아 눈인사를 했다.

"앗, 도착했다! 아티, 이리 와!"

에센의 의도대로 서점을 발견한 마리에가 신나서 아티를 붙잡고 서점까지 끌고 갔다.

마리에의 단골 서점은 예상외로 무척이나 아담한 가게였다.

번화가에서도 가장 큰 건물을 차지한 서점일 거라고 생

각한 것이 무색하게 상상보다 두 배는 작았다.

딸랑—.

문을 열고 들어서자 문에 달린 종이 소리를 내었다. 맑은 풍경 소리에 절로 귀가 시원해졌다.

"어때, 좋지?"

"응."

아티가 고개를 끄덕이자 마리에가 자랑스럽게 웃었다. 서점 특유의 고즈넉한 분위기가 마음을 편하게 해 주었다.

"오, 이게 누구신가. 우리 예쁜 마리 아가씨가 아니던가?"

"폴 아저씨, 오랜만이에요."

"마리야말로 오랜만이야. 하도 안 와서 무슨 일이라도 있는 줄 알았어."

"집안에 일이 좀 있었어요."

"오호, 그래? 그렇다면 뭐 어쩔 수 없었겠지. 그리고 보니 옆의 아가씨는 처음 보는군."

서점 주인 폴의 시선을 받은 아티가 살짝 긴장했다.

'이 주변을 많이 다니긴 했으니 어쩌면 알아볼 수도 있지 않을까?'

아티가 어색하게 웃자 마리에가 둘 사이에 끼어들었다.

"아저씨! 우리 아티가 예쁘다고 그렇게 뚫어져라 보시면 안 돼요. 숙녀에게 실례라고요."

"아, 미안. 미안. 보기 드문 미인이라 내가 실례를 저지르고 말았네. 거 미안하외다, 아가씨."

대답을 하는 대신 아티가 옅게 미소 지었다.

폴은 더 이상 아티를 신경 쓰지 않고 계산대로 가서 근처에 있는 짐 더미를 뒤졌다.

"자, 기다리신 물건 여기 있습니다. 〈에스티나의 일곱 명의 수호 기사〉 4권."

"꺄! 드디어!"

마리에가 광분을 하며 폴의 손에 들린 책을 빼앗듯 낚아챘다.

"내 새끼! 많이 기다렸지!"

책을 펴 보기도 전에 품에 끌어안고 뽀뽀부터 하는 마리에를 보며 아티는 정말 마리에가 책을 좋아한다고 생각했다.

뿌듯한 듯 마리에를 보던 폴이 말을 덧붙였다.

"그거 내가 얼마나 힘겹게 지켜 낸 책인 줄 알아? 웃돈까지 얹어 주며 제발 좀 팔아 달라고 하는 사람도 있었는데 마리 아가씨와의 의리를 생각해서 남겨 놓은 거야."

"당연히 저와의 의리를 우선시하셔야죠! 제가 이 서점의 VVIP인데 말이에요!"

마리에가 당차게 대꾸하자 폴은 좋다고 껄껄 웃어 댔다.

"거럼, 거럼. 내가 이래서 마리 아가씨를 좋아해."

그러면서도 은근슬쩍 자신의 공을 어필하는 것도 잊지 않았다.

"아직 정발 전이라서 이 아펜니노에선 마리 아가씨가 이 책을 가진 첫 번째 사람이 되는 거야. 내가 이거 구해다 주려고 얼마나 애썼는지 잘 알지?"

"당연히 알죠, 알죠!"

"내 인맥이 없었으면 구하기 어려웠을 거야. 뭐, 자랑하려는 건 아니고 알아 두라고."

폴의 말에 마리에가 호탕하게 웃었다.

"그래서 그 웃돈 얹어 주려던 사람은 얼마를 불렀는데요?"

"알고 싶어?"

"네."

"알게 되면 부담스러울 텐데."

"저 엄청 부자니까 신경 쓰지 말고 말씀하세요."

"뭐, 그렇다니 편하게 말할게. 200골드였어."

마리에의 표정이 살짝 변했다. 아티도 무척이나 놀란 상태였다. 200골드면 수도의 평범한 4인 가정의 4년 치 생활비였다.

"혹시 누가 그런 제안을 한 건지 기억해요?"

"글쎄, 누구더라……. 어떤 높으신 귀족 집사라고 했는데."

"대충 기억나는 거 아무거나 말해 봐요."

"그 뭐더라, 재상 각하 들먹인 건 기억해."

재상이라면 짚이는 곳은 하나였다.

"……가브리엘."

마리에의 표정이 차가워졌다.

'이바나랑 같이 내가 읽는 책들을 깠으면서 뒤에선 웃돈까지 얹어 가며 구하고 있었다니.'

"그 집안 아가씨가 무척이나 갖고 싶어 한다면서 사정하면서 애걸복걸하기에 나도 조금 마음에 걸리더라고."

"잘했어요, 아저씨. 앞으로도 이렇게만 해 주세요."

"뭐, 잘한 일이긴 한데."

"사례로 400골드를 드리죠."

"엑?"

폴도 아티도 놀라서 마리에를 보았다.

가브리엘에게 질 수 없다는 듯 의지를 불태운 마리에는 거칠 것 없이 품 안에서 100골드와 맞먹는 가치의 코인을 4개 꺼내 폴에게 건넸다.

황립 통화 기금의 인장과 카를로만 황제의 얼굴이 그려진 코인을 확인한 폴은 놀라서 마리에와 코인을 번갈아 보았다.

"마리 아가씨, 이렇게 부자였어?"

뒤늦게 정신을 차린 마리에가 머쓱하게 웃었다.

"그건 아니지만, 자존심 상하잖아요."

"허허. 자존심에 집도 팔아넘길 위인일세."

좋아서 웃는 건지 어이가 없어서 웃는 건지 알 수 없는 너털웃음을 지은 폴 아저씨가 끙 앓는 소리를 내더니 코인 2개를 마리에에게 돌려주었다.

"양심상 두 배는 힘들고 나도 상인이니까 딱 이 정도만 받을게."

"그럼 이것도 받아 주시고 다음 권 잘 부탁드릴게요. 미리 구매한다고 여기시면 될 거예요."

"허허. 이걸 또 미리 구해 달라고? 이 아가씨가 어려운 걸 요구하네."

"미리 구해 주면 좋지만 아니어도 제 몫은 미리 빼놔 주세요. 또 직접 찾으러 올 거거든요."

마리에가 씩씩하게 말하니 돈을 보고 갈등하던 폴이 결국 두 손을 들었다.

"그래, 아가씨가 편한 대로 해."

그러면서도 한마디 덧붙이는 건 잊지 않았다.

"대신 오늘 사 갈 책은 다 서비스로 주지."

"와, 정말요?"

"그렇다고 막 쇼핑하면 안 돼. 내가 다 지켜볼 거야."

"흥. 제가 언제 막 사는 거 보셨어요?"

"맨날 마차 두 대에 실을 만큼 사 가잖아."

"자주 못 나오니까 어쩔 수 없다고요!"

마리에가 아티의 손을 붙잡았다.

이글이글 타오르는 마리에의 눈을 보며 아티는 그동안 나오지 못했던 것만큼 실컷 쇼핑하려는 그녀의 의지를 읽었다.

"아티, 저기부터 가자!"

"으, 응."

"아티도 골라 담아. 오늘은 내가 쏜다!"

마리에는 정말 작정한 듯이 모든 매대를 쓸었다.

아티가 옆에서 동참했지만 아티가 두 개 고를 동안 마리에는 벌써 20권을 들고 있었다.

"이건 주인공이 공주네. 공주가 주인공인 건 별로야."

"왜 공주가 주인공인 건 별로야?"

마리에가 못마땅한 표정으로 대답했다.

"주인공이 공주면 약 90퍼센트의 확률로 정략결혼을 하거나 계약 결혼을 하게 되는데 그 상대가 북부 공작이거나 외국의 왕자거든? 난 거기서부터 흥미가 식어."

"현실적이라서?"

마리에의 반응에 아티가 웃었다.

"아니! 공주 설정이 어떤 줄 알아? 한결같이 현명하고 인내심 많고 사람을 다스릴 줄 알고! 이건 사람이 아니라 완전 인형이야!"

한참을 왜 공주물이 싫은지 구구절절 늘어놓던 마리에가 한숨을 내쉬었다.

"아무튼 난 이런 건 별로야. 이런 공주가 어디 있어? 안 봐. 아티도 보지 마."

"궁금한데……."

아티가 애원의 눈길을 보내 보았지만 마리에의 철벽은 단단했다.

"절대 안 돼. 눈만 버려."

결국 아티는 마리에가 질색하는 책을 끝내 살 수 없었다.

"도대체 뭘 하는데 이렇게 오래 걸려?"

서점에서 나오자마자 에센이 불평했다.

원하던 책을 얻고 기분 좋게 나온 마리에는 에센을 보자마자 인상을 썼다.

"아니, 오래 걸릴 수도 있지. 왜 그렇게 까칠해?"

"사람 많은 거 싫다면서 우린 밖에 세워 두더니 안 나오니까 그러는 거 아냐."

"여자랑 쇼핑 처음 해 봐? 에센 오빠 이런 식이면 여자 못 사귄다."

"……."

에센이 얼굴을 일그러뜨리며 입을 다물었다.

뜻밖의 승리에 오히려 마리에가 두 눈을 동그랗게 떴다.

"뭐야, 왜 그래? 여자가 무슨 상관이냐고 나와야지. 오빠, 무슨 일 있어?"

에센이 말없이 마리에를 노려보았다.

마리에는 그게 더 무서웠다. 평소처럼 까칠하게 성질을 부릴 때가 차라리 더 나았다.

"혹시 좋아하는 여자라도 생긴 거야?!"

"……."

에센의 시선이 짧게 아티를 향했다. 바로 눈을 돌려 버렸으나 눈치채지 못할 아티가 아니었다.

"……?"

아티가 고개를 갸웃했으나 정작 마리에는 눈치를 채지 못했다.

"헉, 진짜?! 에센 오빠가?!"

두 눈을 동그랗게 뜬 마리에는 몇 초가 지나자마자 먹잇감을 발견한 하이에나가 되어 에센에게 달라붙었다.

"누군데?! 내가 아는 레이디야? 어디서 만났는데? 어?

오빠, 말 좀 해 봐!"

"저리 떨어져라, 마리에."

"말해 주면 떨어질게!"

마리에가 끈질기게 에센에게 들러붙었다.

에센이 짜증을 부리며 마리에를 떨어뜨리고 디아노 뒤로 숨었다.

얼떨결에 방패가 된 디아노는 그대로 마리에와 붙어 버리고 말았다.

"으악!"

"아악!"

어쩌다 디아노 품에 안기게 된 마리에는 그대로 디아노와 함께 바닥으로 넘어졌다.

"윽."

"아야……."

에센이 피한 자리로 넘어진 둘을 보며 아티가 안쓰러운 표정을 지었다.

특히 머리가 직격으로 바닥에 부딪힌 디아노가 걱정되었다. 마리에가 먼저 정신을 차리고 일어나 디아노를 걷어찼다.

"공주의 앞길을 막다니 무엄하다!"

마리에가 소리쳤으나 디아노는 손가락 하나도 까딱하지 않았다.

"마리에, 네가 죽인 거야."

에센이 한심한 표정으로 말했다.

"무슨 소리지, 에센 오빠 때문이잖아!"

"그래도 디아노를 죽인 건 너잖아."

"난 죽이지 않았어. 야! 일어나 봐! 일어나 보라니까!"

마리에가 주저앉아 디아노의 멱살을 잡고 흔들었다. 아티는 진심으로 디아노의 상태가 걱정되었다.

"이제 틀렸어. 다신 살지 못할 거야."

"에센 오빠, 그런 재수 없는 소리 하지 마! 안 죽었어!"

한참을 흔들었지만 꿈쩍도 않는 디아노 때문에 마리에가 덜컥 겁을 집어먹었다.

'정말 죽은 거면 어떡하지? 내가 사람을 죽였단 말인가?'

혼란스러워하던 마리에가 툭 눈물을 흘렸다.

"마, 마리에?"

아티가 놀라 마리에를 다독여 주었다. 디아노를 깔아뭉갠 채로 마리에가 훌쩍였다.

"내가 사람을 죽이다니……. 말도 안 돼. 일어나라고, 일어나!"

마리에가 울고 있을 때였다. 돌연 상체를 일으킨 디아노가 그대로 마리에와 머리를 부딪쳤다.

쿵!

"마리에……!"

마리에가 옆으로 쓰러졌다.

"아."

정신을 차린 건지 디아노가 에센과 아티를 보며 입을 열었다.

"잠깐 잠이 들었나 봅니다."

아니. 당신, 방금 죽을 뻔한 거야.

아티는 그렇게 말하고 싶은 걸 꾹 참아 내고 어색하게 웃었고 에센은 말없이 디아노와 머리를 부딪힌 마리에를 바라보았다.

"어?"

바닥에 널브러진 마리에를 보며 디아노가 당황했다.

머리를 부딪친 충격으로 정신을 잃은 건데 막 깨어난 디아노로서는 알 수 없는 일이었다.

"공주 전하께선 왜 이러고 계신 겁니까?"

"글쎄, 그걸 우리에게 물어봐도……."

일부러 말을 돌리듯 에센이 어깨를 으쓱였다.

"이 상태면 더 이상 돌아다니지도 못하겠지."

에센의 시선을 받은 아티가 동의하듯 고개를 끄덕였다.

옅게 미소 지은 에센이 이내 표정을 가다듬고 디아노를 보았다.

"디아노, 네가 마리에를 업어. 궁으로 돌아가자."

"어……. 네."

왜 자신이 공주 전하를 업어야 하는지 모르겠지만 디아노는 순순히 에센의 명령에 따랐다.

✦ ♛ ✦

"하."

아드리안은 지금 자신이 보고 있는 광경에 어이가 없어

서 혀를 찼다.

디아노가 슬픈 표정으로 고개를 푹 수그렸다.

"죄송합니다. 전하."

90도로 허리를 굽힌 디아노의 옆에는 '내가 왜 사과를 해야 하지?'라는 뻔뻔한 표정의 에센과 어색하게 웃고 있는 아티가 있었다.

"그러니까 이 모든 원인이……."

아드리안의 말에 모두의 시선이 아티의 침대에 누워 있는 마리에게로 향했다.

공주가 기절한 상태로 루피너스 궁으로 돌아가면 분명 소란이 있을 수 있다며 에센이 릴리 궁에 막 데려다 놓은 참이었다.

"하. 이것 참."

막 아티가 사라진 걸 깨닫고 분노에 차서 달려온 아드리안으로서는 무척이나 맥이 빠지는 상황이 아닐 수 없었다.

'불안하더니 결국 사고를 쳤군.'

처음 아티가 사라졌을 땐 심장이 덜컹 내려앉는 감각에 동생이고 뭐고 봐주지 않을 생각이었는데, 막상 다친 곳 없이 멀쩡한 아티를 눈으로 확인하고 나니 머리끝까지 치솟았던 분노가 봄눈 녹듯 사라져 버렸다.

아드리안은 스스로가 생각해도 어이없는 일이라서 괜히 머쓱해졌다.

"죄송해요, 전하."

꼼지락거리며 손을 붙잡던 아티가 자그마한 목소리로 용

서를 구했다.

"······알면 됐어."

아티가 저렇게 눈치를 보며 잘못을 구하는데, 아드리안으로서는 당연히 용서해 줄 수밖에 없었다.

에센은 그런 아드리안을 보며 혼자 안색이 어두워졌다.

'다른 인간이 이랬으면 잘못한 걸 아는 인간이 왜 이런 짓을 벌였냐면서 추궁할 놈이.'

자신이 성질 나쁘다는 이야기를 듣긴 했지만 에센은 아드리안 성질도 그 못지않다는 걸 누구보다 잘 알고 있었다.

디아노가 침중하게 고개를 푹 숙였다.

"전하, 죄송합니다."

"죄송할 짓을 왜 했냐? 한 달간 대련 금지야."

"아앗! 전하! 그것만은 안 됩니다! 한 번만 봐주십시오!"

"두 달 금지."

"악! 안 돼!"

"여기서 얌전히 마리에가 깨어나길 기다리고 있다가 일어나면 돌려보내도록."

디아노가 울먹이며 고개를 끄덕였다.

여기서 아드리안이 내린 명령을 어기거나 거역한다면 두 달 금지가 얼마나 더 늘어날지 알 수 없었다.

디아노를 처리한 아드리안이 이번에는 말없이 에센을 노려보았다.

에센은 그가 왜 자신을 노려보는지 이해할 수 없어 불쾌한 표정으로 마주 노려보다가 이내 아드리안의 짜증의 원인을 찾았다.

'내가 아티와 있는 게 마음에 안 드는 거로군.'

황궁 사람들이 빈틈없이 감시하고 있는 황궁 안과 자유로운 밖은 달랐다.

아드리안의 눈길에 담긴 감정을 눈치챈 에셴이 허탈하게 웃었다.

"남자의 질투는 추하다."

"뭐?"

아드리안이 무슨 헛소리를 하냐는 듯 인상을 찡그렸다.

아마도 스스로 무슨 행동을 하는지도 모르는 모양이었다.

'모른다고?'

그 아드리안이?

에셴은 믿을 수 없었다.

까마득한 어린 시절부터 함께 자라 온 사람으로서 아드리안의 지금 행동은 전부 다 낯선 것이었다.

"모른다면 됐어."

"뭐야? 싱겁게."

인상을 찡그린 아드리안이 이번엔 아티를 보았다.

언제 짜증스러웠냐는 듯 부드럽게 녹은 시선을 보며 이번엔 에셴의 표정이 굳었다.

'어떡하지. 많이 화났나?'

자신에게 닿은 아드리안의 시선을 느끼며 아티가 고개를 푹 숙였다.

'이럴 줄 알고 나가지 말자고 한 건데!'

알아서 해결해 줄 줄 알았던 마리에가 정신을 잃은 상태여서 어쩔 수 없었다.

"죄송해요, 전하."

"이름으로 부르라고 했을 텐데."

"죄송해요, 아드리안."

아드리안이 픽 웃었다. 고작 이런 것에 화가 풀리는 경험을 하다니, 살다 보니 이런 날도 있었다.

아티는 모르는 눈치였지만 아드리안은 이미 화가 다 풀렸다. 그럼에도 화난 척을 하고 있는 이유는…….

"네가 뭘 잘못했는지 알고 있겠지."

"네."

"그럼 이제부터 해야 할 일도 알고 있겠군."

"이제부터 할 일이요?"

"수습."

"아."

아티가 고개를 끄덕였다.

"부황과 모후께 이게 어떻게 된 일인지 사정을 설명드려. 이실직고하면 크게 벌하시진 않을 테니까."

무사히 돌아왔다면 모를까 마리에가 기절을 해 버려서 어긋났다.

이미 보고를 받아 두 분 폐하께서 알고 있을지도 모르니 최대한 빠르게 가서 사정을 설명하고 선처를 구하는 것이 가장 좋았다.

빠르게 이해를 한 아티가 고개를 끄덕였다.

"네, 그럴게요."

"내가 옆에 있어 줄 테니까 걱정 말고."

넌지시 아드리안이 던진 말에 아티가 작게 웃었다.

"감사합니다, 아드리안."

아티의 미소를 지켜본 에센의 표정이 일순 굳었다.

'설마……'

아직 누구도 에센의 변화를 눈치채지 못했다.

마치 둘만의 세계에 있는 것 같은 아드리안과 아티를 보며 에센이 눈살을 찌푸렸다.

'아티도 아드리안을 좋아하는 건가?'

✦ ♛ ✦

"그렇게 된 일이구나."

처음으로 아티와 아드리안이 방문한 장소는 루드밀라 황후가 있는 그레이스 궁이었다.

마침 따뜻한 오후의 햇살을 즐기며 티타임을 즐기고 있던 루드밀라 황후는 두 사람을 따뜻하게 맞이해 주었다.

일련의 사정을 전해 들은 루드밀라 황후가 입을 다물더니 그대로 찻잔을 받침 접시에 내려놓았다.

"아드리안, 잠깐 나가 있거라."

"제가 있는 곳에서 말씀하십시오."

"부드럽게 권유할 때 나가 있지 않으련?"

우아한 미소와 함께 루드밀라 황후가 축객령을 내리자

아드리안이 표정을 확 구겼다.

못마땅한 아들의 무시무시한 기운을 눈치챘지만 루드밀라 황후의 표정은 미동조차 없었다.

"따라오시지요, 황태자 전하."

"쯧."

결국 시종의 안내에 따라 아드리안이 격리당했다.

두 사람 사이에 맴돈 날이 선 공기에 위축되어 있던 아티는 루드밀라 황후와 단둘만 남자 아예 눈을 질끈 감았다.

곧 불호령이 들려올 거라고 생각했던 순간이었다.

덥석!

불호령 대신 루드밀라 황후가 아티의 두 손을 꼭 붙잡았다.

"내가 정말 미안하구나, 새아가."

"죄송해요, 잘못했…… . 네?"

이게 갑자기 무슨 일이던가. 아티가 놀라 두 눈을 동그랗게 뜨니 루드밀라 황후가 정말 미안한 표정으로 말을 이었다.

"마리에와 아드리안 사이에서 네가 고생이 많구나."

"아, 아니에요. 괜찮습니다, 폐하."

"아니긴. 정말 이게 무슨 일이람…… ."

제 뺨을 쥔 황후가 크게 한숨을 내쉬었다.

"마리에가 책에 미쳐 있는 건 알았지만 이 정도였을 줄이야. 아드리안의 말 사랑에 비하면 평범한 수준이라고 생각했는데 그도 아닌 모양이야."

"……책을 좋아하는 건 좋은 일이죠."

"좋은 책을 읽어야 좋은 거지."

루드밀라 황후가 깊은 한숨을 내쉬었다.

"역시 이 집안에 정상은 나밖에 없구나."

황후의 말에 아티가 할 수 있는 건 그저 어색하게 웃는 것밖에 없었다.

✦ ♛ ✦

루드밀라 황후 다음으로 아티가 찾아간 사람은 당연하게도 카를로만 황제였다.

아펜니노의 지고한 태양인만큼 쉽게 알현할 수 없을 거라 생각했는데 의외로 알현은 빠르게 이루어졌다.

다만 한 가지 다른 점이 있었으니, 황제는 처음부터 황태자의 동석을 불허했다.

"그런 일로 내게 온 것이로구나."

"예, 폐하. 황후 폐하께서도 제가 직접 말씀드리는 게 좋다고 하셔서 이렇게 실례를 무릅쓰고 알현을 요청했습니다."

"실례는 무슨, 우리 며늘아기의 방문은 언제든지 환영이다. 걱정 말고 편하게 오너라."

"배려에 감사드립니다, 폐하."

드레스 자락을 잡고 살짝 몸을 굽혀 예를 차리자 카를로만 황제가 흐뭇한 표정으로 고개를 끄덕였다.

"그나저나 마리에가 기절까지 할 정도로 책을 좋아하는 줄은 몰랐구나."

"하하……."

책이 좋아서 기절한 건 아닌데, 어째 최대한 돌려 설명을 하다 보니 그렇게 이해를 한 모양이었다.

아티가 어색하게 웃자 카를로만 황제가 같이 웃어 주었다.

"걱정 말거라, 새아가. 이런 일로 너를 벌하지는 않을 테니. 게다가 따지고 보면 이건 다 마리에의 잘못이 아니더냐, 하하하."

"그건 그렇죠⋯⋯."

이게 웃을 일인지는 모르겠으나 아티는 고개를 끄덕였다.

"마리에와 아드리안 모두 황후를 닮아 수집벽이 있어서 그렇단다. 황후는 찻잔을 모으고 아드리안은 말을 모으고 마리에는 책을 모으거든."

"그렇군요."

아티가 고개를 갸웃했다. 그러는 황제 폐하는 작고 귀여운 동물을 모으는 취미가 있었다.

"쯧쯧. 다들 그렇게 무언가를 모으는 데 열중을 하다니. 거참."

카를로만 황제가 고개를 절레절레 가로저으며 한탄했다.

"역시 이 집안에 정상은 나밖에 없구나."

"⋯⋯."

이거 어디서 많이 들은 소리인데.

아드리안과 함께 릴리 궁으로 돌아온 아티는 쩔쩔매는

시녀들을 발견했다.

"마리에 공주 전하께서 깨어나셨습니다."

정신을 차린 마리에가 한바탕 소란을 피웠다는 게 그 이유였다.

디아노를 보고 한바탕 해 버린 마리에가 연신 아티를 불러오라며 난동을 부렸다는 것이었다.

침실에 돌아가자마자 마리에가 부리나케 물었다.

"아티, 대체 어딜 갔던 거야?"

아티와 함께 들어온 아드리안이 혀를 찼다.

"네가 저지른 일 수습하러 다녀왔다."

"내가 저지른 일?"

마리에가 고개를 갸웃하며 아티를 보았다.

"못 들었어? 황후 폐하와 황제 폐하께 다녀왔어."

"뭐? 거길 왜 갔어!"

"네가 기절해서 돌아왔잖아. 어떻게 된 일인지는 말씀드려야지."

"그럼 다음에 외출하기 더 힘들어진단 말이야! 으아악!"

머리를 쥐어뜯던 마리에가 베개를 들어 아드리안에게 던졌다.

"오빠가 일러바친 거지!"

"뭐?"

두 남매 사이에 순식간에 냉랭한 기류가 피어났다.

"오빠가 일러바친 거잖아!"

더 들을 것도 없다는 듯 마리에가 윽박질렀다. 아드리안의 표정이 싸해지자 아티가 먼저 선수를 쳤다.

"마리에. 진정해. 이런 일로 남매간의 우애가 상하면 안 되지. 내가 먼저 말씀드리겠다고 했어."

"뭐? 정말?"

마리에는 믿기지 않는 눈치였지만 아티가 계속 설득하자 망설였다.

"아드리안, 잠시만 나가 주실래요?"

"내가 왜?"

마리에를 노려보며 팔짱을 낀 채로 제대로 자리를 잡은 아드리안이 어깨를 으쓱였다.

"마리에와 단둘이 이야기를 하고 싶어서요."

마리에가 요청했다면 듣는 척도 하지 않았겠지만 아티가 부탁하자 어쩔 수 없이 아드리안이 자리를 비켜 주었다.

그레이스 궁에서부터 묘하게 아티 옆에 있지 못해서 아드리안은 기분이 무척이나 상해 있는 상태였다.

어쨌든 아드리안이 자리를 피해 주자 아티가 웃으며 마리에의 손을 잡았다.

"걱정 마. 내가 두 분 폐하께 다음에도 외출할 수 있도록 잘 말씀드렸어."

"정말?"

"응. 정말."

곧 울 것 같았던 마리에의 얼굴에 화색이 돌았다.

"꺄! 역시 나한텐 아티밖에 없어! 아티 최고!"

물론 외출에 한 가지 조건이 추가되었지만 지금은 말하

지 않아도 될 듯했다.

"그런데, 아티. 모후도 그렇고 부황이 뭐 이상한 말 안 했어?"

발을 구르며 좋아하던 마리에가 언제 그랬냐는 듯 재빠르게 이성을 되찾고 물었다.

아티는 자신이 들었던 말을 떠올렸지만 고개를 가로저었다.

"별말씀 없으셨어."

"그래?"

마리에가 고개를 갸웃했다.

"이상하다. 그럴 리가 없는데."

"왜?"

"이 집구석에서 정상인 건 나밖에 없거든."

마리에가 당당하게 대답했다. 아티는 일순 그건 아니라고 부정하고 싶은 충동을 열심히 참아 내었다.

"이제 다 끝났나?"

그새를 못 참은 아드리안이 노크와 함께 모습을 드러냈다.

"그새를 못 참냐?"

"어."

마리에의 핀잔에도 당당하게 나타난 아드리안이 마리에를 보며 턱짓했다.

"이제 꺼져."

"아, 진짜."

다른 때면 버틸 마리에가 이번엔 순순히 물러났다. 눈빛과 태도로 마리에를 내쫓은 아드리안이 아티를 돌아보며 걱정했다.

"괜찮나?"

"네. 괜찮아요!"

아티가 쌩쌩하다며 웃어 보이자 그제야 아드리안이 안심
했다.

"마리에 때문에 괜히 고생했네."

"저는 괜찮아요, 아드리안."

말뿐만이 아니라 정말 괜찮았다. 아티가 해맑게 웃어 보
이자 아드리안은 걱정스러운 마음이 들었다.

'저렇게 착해 빠져서 이 험한 세상을 혼자 어떻게 살아가
려고 할까.'

역시 자신이 지켜 줘야 할 듯싶었다.

"다음에 마리에가 또 억지를 부리면 내 핑계 대면서 빠
져나와."

"네, 그럴게요."

아티가 얌전히 고개를 끄덕이자 아드리안이 만족스럽게
웃었다.

그러나 곧 오늘 있었던 일을 회상하며 아드리안이 깊은
한숨을 내쉬었다.

"역시 이 집안에서 정상인 건 나밖에 없어."

그럴 리가 있겠냐만은 아드리안 앞이라서 아티는 최대한
말을 아꼈다.

'……역시 이 황궁에서 정상은 나밖에 없어.'

Chapter 19. 자고로 삽질은 모르고 하는 맛

Chapter 19. 자고로 삽질은 모르고 하는 맛

나는 가만히 어제 있었던 일을 떠올렸다.

유난히 심기가 안 좋아 보이던 아드리안과 냉랭한 태도를 유지하던 에센이 뇌리에서 지워지지 않았다.

그 급박한 상황 중에도 좀처럼 아드리안의 시선이 에센에게서 떨어지지 않는 걸 보았을 때, 알 수 없는 감각이 나를 구렁텅이로 밀어 넣었다.

"당연한 건데."

그 둘은 사랑하는 사이였다.

예비 황태자비 생활에 바빠서 잠시 잊어버렸지만 아드리안의 옆자리는 원래 에센의 것이었다.

"에센 님이 남자의 질투 어쩌구 한 것도 이것과 관련이 있는 거겠지."

갑자기 현실을 자각하고 나니 기분이 가라앉았다.

"아티, 아티!"

오랜만에 듣는 방정맞은 목소리에 기분이 살짝 나아졌다. 테르니가 달려오더니 그대로 나를 폭 끌어안았다.

"아티, 그동안 이 오라버니가 보고 싶지 않았느냐!"

"그러고 보니 오랜만에 보네요."

"그러고 보니라니! 너무해! 매정한 거 아냐?!"

테르니가 울상을 지으며 내게 항의했다.

"내가 널 위해, 어? 얼마나 많은 일을 하고 왔는지 알아?!"

"얼마나 많은 일을 하고 왔는데요?"

"나도 모르지롱."

"……."

반가웠던 마음조차 사르르 녹게 하는 테르니의 위력이었다.

"어제 재미있는 일 있었다며!"

"재미없었어요."

"아냐, 내가 다 들었어. 디아노랑 마리에 공주 전하랑 이런저런 일이 있었다며."

"이런저런 일 없었어요."

"웃기지 마! 오늘 아침부터 마리에 공주가 집무실로 찾아와 디아노를 끌고 갔단 말이야!"

테르니의 말에 내가 더 놀랐다.

"마리에가요?"

"응!"

도대체 무슨 일이 있었냐면서 테르니가 닦달하는 통에 어쩔 수 없이 그동안 있었던 일을 털어놓았다.

"내 동생, 한층 성장했구나."

"……?"

"역시 내 동생이 될 만한 자질이 있어!"

예전엔 테르니가 이러면 도대체 무슨 말을 하는 건지 이해할 수 없어서 힘들었는데 지금은 그냥 그렇구나 넘어가게 되었다.

사람은 역시 적응의 동물인 것일까. 저 사람은 뭘 해도 놀랍지 않다.

"그래서 마리에와 디아노 경은 어디에 있어요?"

"모르는데?"

테르니가 고개를 갸웃하며 말했다.

잠깐 화가 치밀었지만 최대한 미소를 유지하며 다시 입을 열었다.

"오라버니는 모르는 게 없는 만능이잖아요."

"그치!"

"그러니까 당연히 마리에와 디아노 경이 어디 갔는지도 아시겠죠?"

"아, 역시. 날 알아주는 건 아티 너밖에 없구나. 이 맛에 동생을 키우는 건가!"

언제 날 키웠다고 이러는 건지 모르겠다. 어쨌든 난 원하는 답을 얻어 낼 수 있었다.

"후원으로 끌고 가더라! 디아노를 해치울 기세였어!"

테르니의 답을 듣자마자 자리에서 벌떡 일어났다.

마리에가 대체 왜 디아노 경을 끌고 갔는지 이유는 정확히 몰라도 결코 좋은 상황은 아니었다.

"마리에, 안 그래도 황후 폐하께 근신 명령을 받은 터인데."

이런 상황에서 사고를 치기라도 하면 더 상황이 좋지 않았다.

아직도 마리에와 디아노가 거기 있을지는 미지수였지만 열심히 후원으로 찾아갔다.

"아티, 어디 가? 나도 같이 가!"

졸졸 따라오는 테르니를 무시하고 후원에 도착했을 때였다.

"꺄아! 너무 귀여워!"

마리에의 목소리를 듣고 그 자리에 멈춰 섰다.

이건 무슨 소리지?

마리에가 디아노를 보고 좋아할 리는 없었다. 어쩌다 멈춰 선 테르니도 마리에의 목소리에 의문을 표했다.

"저게 무슨 소리야?"

"저도 모르겠어요."

"뭐가 귀엽다는 거지?"

궁금증을 못 이겨 빨리 마리에에게 가 보려고 하는 테르니의 목깃을 붙잡고 나는 조심스럽게 마리에가 있는 장소로 다가갔다.

"이건 제가 늘 갖고 다니는 아카시아가 준 첫 선물입니다."

"아카시아가 몇 살 때 준 선물인데?"

"후후. 14개월이죠."

"흑흑. 나도 보고 싶어! 아카시아 어릴 적!"

마리에가 울부짖었다. 아카시아의 어린 시절을 가까이서

지켜본 승리자 디아노는 옅은 미소를 짓고 있을 뿐이었다.

나도 마리에처럼 슬프게 중얼거렸다.

"나도 보고 싶다. 아카시아 어릴 적……!"

아사모의 회장으로서 좀 더 빨리 아카시아를 만나지 못한 것이 못내 아쉬울 뿐이었다. 이 상황에서 오로지 테르니만이 고개를 갸웃했다.

"아카시아가 누구였지? 아, 디아노 동생?"

테르니의 질문은 가볍게 무시하고 두 사람을 살폈다.

살벌한 분위기가 펼쳐질 거라 생각했는데 둘의 분위는 무척이나 훈훈했다.

디아노에 대한 마리에의 평가가 달라진 듯했다.

"알고 보니 좋은 사람이었잖아?"

디아노도 마리에도 흡족한 표정으로 고개를 끄덕였다.

"앞으로 잘 부탁드립니다."

"나야말로 잘 부탁해, 아사모 선배."

두 사람의 사이가 냉랭한 상태면 중재를 하기 위해 지켜보고 있었는데 이 상태면 조용히 빠져도 될 듯했다.

그렇게 조심스럽게 뒷걸음질을 치고 있는데 내 등이 누군가의 가슴에 닿았다.

당연히 테르니인 줄 알고 인상을 쓰며 고개를 들었을 때였다.

"여기서 둘이 뭘 하는 거지?"

아드리안이 인상을 찡그린 채 나를 내려다보고 있었다.

"앗."

화들짝 놀라서 아드리안에게 몸을 떼고 물러났다. 아드리안이 뭔가 마음에 들지 않는 듯 나를 보았다.

"전하, 언제 오셨어요?"

"이름."

"아아, 아드리안."

호칭을 지적한 아드리안이 여전히 불만족스러운 듯 나를 보았다.

"탈주한 테르니를 붙잡으려고 왔는데 너와 어딘가를 가더군. 그 뒤를 따라왔다. 그런데 여기서 뭘 하고 있는 거지?"

"그건……."

뒤를 흘긋 보니 마리에와 디아노가 여전히 아카시아에 대한 이야기꽃을 피우고 있었다.

"땡땡이치는 놈을 여기서 두 명이나 잡다니."

아드리안이 어이없다는 듯 웃었다. 테르니가 반박했다.

"무슨 소리야, 아드리안. 나는 땡땡이를 치는 게 아냐! 위대한 임무를 하는 중이라고."

"무슨 위대한 임무이신데?"

"그건 바로! 가족 간의 화합이다!"

테르니가 거침없이 내 손을 붙잡고 흔들었다.

왜 부끄러움은 내 몫일까?

어린아이처럼 좋아하는 테르니를 보며 홀로 부끄러워하고 있는데 아드리안이 코웃음을 쳤다.

"이제 아티와 가족이 되는 건 나다."

그리고 테르니가 잡지 않은 다른 쪽 손을 잡아 자신의 품으로 끌어당겼다. 뺨이 확 달아올랐다.

"지금 당장 가족은 아니잖아!"

테르니가 징징댔다.

"무슨 상관이지? 어차피 가족이 될 건데."

"아냐! 아티의 가족은 나라고!"

"아티를 먹여 주고 재워 주는 건 나인데?"

"그럴 수가!"

충격이라도 받은 듯 테르니가 몸을 부르르 떨었다.

대체 어디서 충격을 받은 건지 하나도 이해할 수 없었지만 테르니라서 그냥 넘어갔다.

"전하, 저기……."

아드리안의 품에 안겨 있는 게 부담스러워 조심스럽게 빠져나왔다.

아드리안의 표정이 단번에 굳었다. 역시 나와 닿아 있었던 게 불쾌했던 모양이었다.

눈치를 보며 나를 잡고 있던 아드리안의 손도 슬그머니 뺐다. 아드리안의 표정이 더더욱 굳었다.

아드리안이 막 무슨 말을 하려고 입을 열었을 때였다.

"뭐야? 웬 소란인가 했는데 오빠는 언제 왔어?"

마리에와 디아노가 우리가 있는 쪽으로 다가왔다.

"아티~!"

"마리에."

마리에가 다가와 내게 안겼다. 나는 마리에에게 안긴 채로 등을 토닥여 주었다.

나도 모르게 뒤를 슬쩍 보았다가 우리를 보는 차가운 아드리안의 얼굴을 보고 조금 놀랐다.

이번엔 또 왜 그러는 걸까?

✦ ♛ ✦

아드리안은 무척이나 기분이 상했다.

아티가 제 품에서 스르륵 빠져나가질 않나 슬그머니 손을 빼지 않나, 전에 없던 행동이 미친 듯이 신경에 거슬렸다.

'무슨 일이 있었던 것인가.'

아티와 마리에가 이야기를 나누고 있지만 둘이 무슨 말을 나누는지는 귀에 들어오지 않았다.

오로지 아티가 자신에게 보인 낯선 행동만 떠오를 뿐이었다.

"전하, 저를 찾으셨습니까?"

디아노가 와서 말을 걸었지만 아드리안은 그를 흘긋 볼 뿐, 별다른 답을 하지 않았다.

테르니가 디아노를 붙잡고 목소리를 낮췄다.

"아드리안이 네가 아침부터 탈주해서 무척이나 화가 난 상태야."

"헉."

"걱정 마. 내가 있잖아."

"역시 나한텐 너밖에 없다, 테르니."

헛소리를 하고 있는 두 머저리들은 놔두고 아드리안의

시선은 계속 아티를 좇았다.

그때 테르니가 아드리안을 붙잡았다.

"아드리안, 보고할 거 있어. 집무실로 돌아가자!"

아드리안은 당장 돌아가고 싶지 않았다.

하지만 그다음에 이어지는 테르니의 말에 어쩔 수 없이 몸을 돌려야 했다.

"재상의 비자금 출처를 찾은 것 같아!"

여전히 시선은 마리에와 대화 중인 아티에게 가 있었지만 아드리안은 떨어지지 않는 발걸음을 옮겼다.

✦ ♛ ✦

"아드리안이 다녀갔다고?"

아까 대체 어딜 갔었냐고 본의 아니게 자신이 직무 유기를 하지 않았냐며 에센이 슬퍼하는 바람에 아티는 방금 있었던 일을 털어놓을 수밖에 없었다.

"마리에가 디아노 경을 죽이지 않아서 다행이에요."

아티는 다른 곳에 신경을 쓰고 있었지만 에센은 아드리안이 다녀갔다는 사실에 더 신경이 쏠렸다.

에센은 살아오면서 아드리안이 누군가에게 이렇게까지 신경 쓰는 걸 본 적이 없었다.

그 자식은 여자든 남자든 인간이면 전부 싫어하는 이상한 놈이니까.

"마리에가 제안해서 다음 주에 아사모 모임을 가지려고

하는데 어떠세요?!"

"뭐, 좋아."

사양할 것 없는 제안을 수락하고 에센은 잠깐 고민에 빠졌다.

아티도 역시 아드리안을 좋아하는 것 같기는 한데…….

'그냥 물어볼까?'

떠보거나 돌려 말하는 능력이 없는 에센으로서는 참으로 난감한 상황이 아닐 수 없었다.

"에센 님?"

"어? 아. 뭐 말했어?"

아티의 얼굴이 가까워졌다. 에센의 얼굴이 달아올랐다.

"기분이 안 좋으신 것 같아서요. 괜찮으세요?"

"……괜찮아."

간신히 대답한 에센이 한숨을 내쉬었다.

"너, 자각 좀 해."

"네?"

"아냐, 됐어."

아무것도 모른다는 듯 순진한 표정을 짓고 있는 아티를 보고 있노라니 썩은 건 자신뿐인 것 같았다.

"저기, 아티."

"네?"

"뭐 하나만 물어봐도 돼?"

역시 에센은 돌려 말하는 재주가 없었다.

갑작스러운 질문에 아티가 고개를 갸웃하다가 웃었다.

"네. 물어보세요."

에센의 목소리가 긴장으로 굳어졌다.

"아드리안 좋아해?"

아티가 두 눈을 깜빡였다.

빠르게 붉어진 아티의 뺨을 보며 갑자기 에센은 자신의 기분이 곤두박질치는 이유를 알고 싶지 않았다.

"예? 아, 아니요. 앗, 아니. 그러니까 좋아하느냐는……. 그게, 좀……. 좋……."

제대로 말도 하지 못하고 아티의 얼굴이 빨갛게 불타올랐다.

에센은 사람의 얼굴이 그렇게 빨개지는 건 처음 보았다.

"그, 그러니까 절대 깊은 감정은 아니고 그냥 호감이에요. 인간적인 호감! 요즘 잘해 주시니까 생긴 감정이에요! 절대 오해하시면 안 돼요. 아셨죠?!"

아티가 왜 이렇게 필사적으로 부정하는 건지는 알 수 없으나, 에센은 그 때문에 살짝 기분이 나아졌다.

자신을 신경 써서 이러는 것인가. 어쨌든 아직은 자신에게도 기회가 있는 것 같아서 안심했다.

"그래, 솔직하게 말해 줘서 고마워."

"그러니까……."

아티가 뺨을 감싸 쥐었다.

"그, 그런 거 갑자기 물어보지 마세요."

에센은 일순 부끄러워하는 아티를 그대로 끌어안고 싶은 충동에 휩싸였다.

그러나 곧 그런 자신을 도무지 이해할 수 없었다.

내가 왜 이러는 거지?

✦ ♛ ✦

테르니의 보고를 듣고 중요한 업무를 보고 있었지만, 아드리안의 머릿속에는 계속 아까 전의 아티가 떠나가지 않았다.

'거리를 두고 싶어 한다고 느낀 건 내 착각일까?'

묘하게 다른 때에 비해 냉랭했다.

돌이켜 생각해 보니 아티가 자신에게 눈길 한 번 주지 않았다는 게 떠올랐다.

"젠장."

결국 아드리안은 업무를 다 보지도 못하고 일어났다.

"아드리안!"

"전하!"

테르니와 디아노가 불렀으나 상관하지 않고 그대로 릴리 궁을 향해 걸었다.

아티를 다시 만나면 이 묘한 찝찝함도 사라질 것 같은 기분이었기에.

"어디에 있는 거지."

평소 잘만 보이던 마담 루시도 눈에 띄지 않았다. 궁 내부를 뒤져 봤지만 아티 비슷한 것도 보이지 않았다.

이제 남은 곳은 두 곳, 정원과 후원. 설마 다시 후원 쪽으로 간 것일까?

정원으로 갔을 수도 있지만, 아침에 아티를 발견했던 장소를 떠올리며 무작정 발길을 옮겼다.

"에센 님도 참!"

멀지 않은 곳에서 들려온 아티의 목소리에 아드리안의 발걸음이 멈췄다.

맑은 웃음소리가 들려왔다. 아티가 웃고 있었다.

에센을 향해 웃고 있는 아티를 보자마자 아드리안의 피가 식었다.

당장 달려가서 나 말고 다른 사람한테 웃어 주지 말라고 윽박지르고 싶은 충동을 가까스로 참아 낸 아드리안은 머리를 쓸어 올리며 깊은 한숨을 내뱉었다.

점점 자신이 미쳐 가는 것 같았다.

"진정하자."

이대로라면 미친놈 취급이나 받게 될 테니까.

심호흡을 하며 화를 가라앉히던 아드리안은 문득 에센을 바라보는 아티의 시선이 남다르다는 것을 눈치챘다.

유난히 친근해 보이는 둘.

거기다 에센은 드물게 미소까지 짓고 있었다. 아드리안의 두 눈이 가늘어졌다.

"설마 저 녀석······?"

나는 문득 고개를 들어 달력을 보았다.

"그러고 보니……."

지난번 테르니와 함께 외출한 이후로 꽤 오랫동안 헬머 아저씨를 보지 못했다.

내게는 가족이 없기 때문에 헬머 아저씨가 아빠와 다름없었다.

앞으로 3년 동안 이렇게 지내야 할 텐데, 그럼 헬머 아저씨도 자주 만날 수 없겠지?

"에셴 님."

에셴을 부르며 고개를 돌리자마자 눈이 마주쳤다. 마침내 쪽을 보고 있던 듯했다.

그런데 이상하게도 에셴의 얼굴이 빨갛게 달아올라 있었다.

"더우세요?"

"아니, 그게 아니고……. 왜, 왜?"

갑자기 왜 이렇게 허둥대시는 걸까?

뭔가 사정이라도 있나 보다. 궁금했지만 물어보지 않기로 했다.

"잠깐 랭트리 구역에 다녀오고 싶은데, 어려울까요?"

"잠깐 정도야 상관없을걸. 그런데 거긴 왜? 구해야 할 게 있으면 나한테 말해. 구해다 줄 테니까."

나는 황급히 고개를 저었다.

"만나야 할 사람이 있어서요. 아마 저를 계속 기다리고 있을 거예요."

계속 술만 마시며 건강을 축내고 있을 헬머 아저씨를 생각하니 가슴이 답답해졌다.

역시 아드리안의 허락이 없으면 안 되려나? 그가 외출을 순순히 허락해 줄 것 같지는 않았다.

반쯤 포기한 심정으로 에센을 올려다보았다.

"에센 님. 외출이 어려울까요?"

"나가자."

"네?"

아직 제대로 된 설득은 시작도 안 했는데 바로 나가자니 상당히 당혹스러웠다.

당연히 곤란하다고 할 줄 알았는데, 대답이 너무 빨랐다.

벌떡 일어나 문가로 향하는 에센의 뒤를 따르며 조심스럽게 물었다.

"황태자 전하께 말씀 안 드려도 돼요?"

"아, 그거? 괜찮아."

"그래요?"

그 정도는 괜찮다는 거겠지? 안도하려는 찰나—.

"황성 정도는 몰래 빠져나갈 수 있거든."

"……."

몰래 빠져나가는 거였냐고…….

어차피 잠깐 헬머 아저씨만 보고 오려는 거니까 큰 문제는 없겠거니 싶었지만, 아무래도 허락도 받지 않고 몰래 나가는 건 마음에 걸렸다.

일전의 마리에 일도 있고.

내 표정이 어두워지자 에센이 내 어깨를 조심스럽게 두드려 주었다.

"걱정 마, 아티. 어차피 아드리안은 너한테 화 못 내."

"아니에요. 에센 님은 아무것도 몰라요!"

아드리안이 화나면 얼마나 무서운데! 최근 들어 드물긴 했지만, 그래도 황태자는 황태자였다.

그렇지 않아도 테르니가 한껏 얻어맞아서 터진 전적이 있지 않았던가.

"테르니 그 자식이야, 늘 사서 맞을 짓 하고 다니는 거고. 너는 괜찮다니까? 아드리안 그 자식, 뺨을 쳐도 좋다고 웃을걸."

대체 에센 님 머릿속의 황태자는 뭐 하는 사람인 거지?

나는 가만히 에센을 올려다보았다. 오늘도 에센의 미모는 빛을 발하는 중이었다.

아! 새삼스러운 깨달음을 얻었다.

아무래도 아드리안 황태자는 사랑하는 에센이 뺨을 때려도 좋다고 웃었던 모양이다.

……알고 싶지 않은 사실을 알아 버렸다.

"표정이 왜 그래?"

"아무것도 아니에요. 그래도 포인세티아 궁에 가서 전하를 뵙고 말씀드려야 할 것 같아요."

"아티 네가 그게 더 마음이 편하다면 그렇게 해. 어차피 허락해 줄 테지만."

당연히 아드리안이 외출을 허락할 거라고 확신하는 에센이 이상했다.

그건 상대가 에센 님, 당신이라서가 아닐까요?

어찌 됐든 오늘도 한 줌 남은 양심을 지키기 위해 포인세티아 궁으로 향했다.

그런데 집무실 안에는 아무도 없었다.

디아노만이 검 한 자루를 소중하게 끌어안고 섬세하게 손질하고 있을 뿐.

"아드리안 어디 갔어?"

"아, 황제 폐하께서 부르셔서 잠깐 나가셨습니다."

"너는 왜 안 따라가?"

"내가 귀찮으시다고 하셔서……."

"자랑이다."

디아노에게 퉁명스럽게 답한 에셴은 곧바로 황태자의 집무용 책상에 다가갔다.

그러고는 대충 서류 하나를 들고 와 그 위에 무언가를 휘갈겨 썼다.

"됐어. 이제 나가자."

"서류에 그렇게 써도 되는 거예요?"

"알 게 뭐야."

"……네?"

너무나 냉정한 에셴의 태도에 순간 넋이 나갔다. 내가 아는 에셴은 이런 사람이 아닌데…….

살짝 놀라 올려다보자 에셴이 나를 향해 활짝 웃어 보였다. 아주 무해한 웃음이었다.

"……아니. 괜찮아. 그거 별로 중요하지 않은 서류였어."

"그렇구나."

난 그것도 모르고 에센을 차가운 사람으로 오해할 뻔했네.

어쨌든 직접 허락을 구하지는 않았어도 쪽지를 남겨 두었다는 사실에 마음이 다소 편해졌다.

우리는 단출한 옷으로 갈아입은 후에 황성을 빠져나왔다.

기사단의 정복이 아닌, 평민들이 자주 입는 의복을 입고 있는 에센의 모습은 또 색다른 맛이 있었다.

"우와. 진짜 멋있어요!"

"그래……?"

"네! 에센 님은 뭘 입든 다 잘 어울려요!"

……드레스도!

뒷말은 덧붙였다가는 큰일이 날 것 같으니 일부러 속으로만 했다.

마차를 타고 헬머 아저씨의 집으로 가는 중에 시선을 들어 에센을 보았다.

이번에도 곧바로 눈이 마주쳤다. 나는 먼저 눈을 피하려는 에센을 불렀다.

"에센 님."

"……어?"

"아까 서류에 뭐라고 써 두고 나오신 거예요?"

"으응. 그냥 잠깐 나갔다 올 테니까 걱정하지 말라고."

내심 마음 한구석에 찜찜함이 있었는데 그런 내용을 남겼다면 걱정할 필요가 없을 듯싶었다.

거기다 혼자 나온 것도 아니고 호위 겸 조언자인 에센이랑 함께 나왔으니까 더 안심할 수 있었다.

사실 테르니보다야 에센이 더 믿을 만하기도 하고.

"그런데 아티. 지금 누굴 만나러 가는 거야?"

"아, 저한테 아주아주 소중한 분이에요."

"……소중한 분?"

"네!"

대답을 하고 보니 에센의 표정이 뭔가 이상했다.

"남자야?"

"네? 네."

생물학적으로 헬머 아저씨가 여자는 아니지……? 고개를 끄덕이자 에센이 창밖으로 시선을 돌렸다.

"잠깐 나온 거니까 금방 들어가야 하는 거 잊지 마."

"네, 알겠어요."

어쩐지 분위기가 이상해진 것 같은 느낌은 단지 내 착각이겠지?

덜컹—.

갑자기 마차가 멈춰 서는 바람에 몸이 크게 휘청거렸다. 에센이 그런 나를 붙잡았다.

"괜찮아?"

"네. 그나저나 이제 도착했나 봐요."

에센의 에스코트를 받으며 마차에서 내렸다. 바로 앞에 헬머 아저씨의 집이 있었다.

낡은 집을 본 에센의 반응은 일전의 테르니의 반응과 별반 다르지 않았다.

"여기야?"

"네. 겉은 이래도 안은 멀쩡해요."

"……부디 그래야 할 텐데."

이보다 더 열악한 곳에서 지낸 적 있는 나로선 에센의 반응을 이해할 수 없었지만, 그저 웃었다.

똑똑—.

이번에는 노크를 하기 무섭게 문이 바로 열렸다.

"라라!"

"헬머 아저씨!"

나는 곧바로 헬머 아저씨에게 안겼다.

술을 줄이라는 내 말을 귓등으로도 듣지 않는지 독한 술 냄새가 풀풀 풍겼다. 코를 틀어막으며 인상을 썼다.

"아저씨, 또 술 마셨죠?"

"아, 아니. 라라. 다 옆집—."

"한스 녀석이 마시자고 졸라서 어쩔 수 없이 마셨다고요?"

하도 많이 들은 변명이라 외워 버린 지경이었다. 헬머 아저씨도 할 말이 없는지 그저 입을 벙긋대었다.

"일단 들어와. 마실 거라도 한잔 주마. 그런데……."

헬머 아저씨의 시선이 내 뒤로 향했다. 이제야 에센을 발견한 모양이었다.

"라라."

"네?"

"못 본 사이, 남자를 갈아치우는 취미라도 생긴 거냐?"

"……네에?"

갑자기 무슨 말도 안 되는 헛소리를 하시는 거지?

찰싹! 헬머 아저씨의 팔뚝을 때렸다.

"말조심하세요, 헬머 아저씨! 이분은 황성에서 일하시는 분이라고요!"

"아, 아니. 난 저번에 같이 온 남자랑—."

찰싹!

"그분도 황성에서 일하시는 분이고요!"

웬만하면 넘어가겠는데 나를 테르니와 그렇고 그런 관계로 엮다니 도무지 참을 수가 없었다.

내가 테르니랑?! 세상에 할 말이 있고 못 할 말이 따로 있지!

"아니면 말지 왜 그렇게 흥분하는 거냐?"

"아저씨께서 먼저 헛소리를 하셨잖아요!"

"그래, 그래. 내가 다 잘못했다. 어서 들어오기나 해."

나는 헬머 아저씨를 째려보다가 에셴을 집 안으로 들였다. 그런데 에셴의 표정이 어쩐지 이상했다.

"왜 그러세요, 에셴 님?"

"아니. 그냥 내가 참…… 멍청하다 싶어서."

에셴의 말을 알아들을 수가 없었다. 갑자기 왜 자기 비하를 하는 거지?

"아니에요. 에셴 님이 얼마나 현명하신데요. 그보다 금방 들어가야 한다고 했죠? 빨리 얘기 끝낼게요!"

"아냐, 천천히 해도 돼."

아까는 분명 금방 들어가야 하는 걸 잊지 말라고 강조까지 했는데?

"하지만 아까……."

"정말 괜찮으니까 천천히 얘기 나눠."

에센은 상냥하고 다정하게 미소 지었다. 그 아름다운 광경에 절로 마음이 풀어졌다.

"그럼 조금만 기다려 주실래요?"

"얼마든지."

역시 에센은 천사인 게 분명하다. 어쩜 이렇게 마음씨가 아름답고 친절할 수가.

"자, 라라. 네가 좋아하는 과자도 있으니 많이 먹어라."

헬머 아저씨가 내 앞에 과자가 잔뜩 담긴 접시를 쭉 밀었다.

에센에게는 권하지도 않으니 괜히 내가 민망해서 슬쩍 에센의 앞으로 접시를 두었다.

그 유명한 장인 위르겐답지 않게 사용하는 식기는 무늬도 없는 투박한 그릇이었다.

에센이 입을 열었다.

"라라는……."

"아, 어릴 적부터 불리던 제 애칭이에요."

"그렇구나."

에센이 작게 '라라'라고 중얼거리는 게 들렸다. 특이할 것도 없는 애칭인데 새삼 신기한 모양이었다.

하긴 나도 최근에는 '아티'라고만 불려서 내 진짜 이름을 잊어버리곤 했으니까.

"요새 시녀 일은 좀 어떠냐. 할 만하더냐?"

"그럼요. 다들 잘해 주시고 일도 손에 익어서 괜찮아요.

이렇게 외출도 나올 수 있고요."

갑자기 거짓말을 하려니 심장이 좀 떨리네.

내 연기력이 늘긴 늘었는지 헬머 아저씨는 전혀 의심도 하지 않았다.

"자주 나오고 좀 그래라. 얼굴 보기가 이렇게 힘들어서야, 원."

티를 내지 않으려고 해도 느낄 수 있었다.

헬머 아저씨는 자주 출궁하지 않는 내게 내심 서운해하고 있었다.

하지만 부담이 될까 봐 말 못 하는 것뿐이겠지.

나는 아저씨를 보며 최대한 밝게 웃었다.

"기쁜 소식이 있어요."

"기쁜 소식?"

"네. 제가 맡고 있던 직책이 더 높아졌거든요."

"오, 축하한다. 라라."

"그래서 그런데, 아저씨."

"응?"

"이제부터 황궁 밖으로 나오기 어려워질지도 몰라요."

헬머 아저씨의 표정이 어두워졌다. 하지만 금세 호탕하게 웃으며 내 등을 두드렸다.

"뭐냐, 난 또! 잘된 일 아니냐? 축하한다, 라라!"

아저씨를 따라 밝게 웃으면서도 마음이 불편했다.

앞으로 얼굴 보기 힘들 거란 말을 하면서도 거짓말을 할 수밖에 없는 이 상황이 그저 죄스러웠다.

"3년 정도만 있으면…… 자주 나올 수 있을 거예요."

"3년?"

잠깐 멈칫하던 헬머 아저씨가 다시 껄껄 웃었다.

"그 정도야 금방 흐르지 않느냐. 조금만 고생해라, 라라. 가능하면 편지도 종종 보내고."

헬머 아저씨도 아무렇지 않은 듯 웃는데, 내가 감정을 드러낼 수 없었다.

나는 새롭게 맡게 된 일이 기대되는 것처럼 환하게 웃었다.

"돈 많이 벌어 올게요!"

"그래. 이제 이 아저씨 호강시켜 줄 때도 됐지."

헬머 아저씨가 능청스럽게 대답했다.

아무래도 3년 정도는 헬머 아저씨를 못 본다고 생각하니까 걱정이 이만저만이 아니었다.

"헬머 아저씨. 제가 감시 안 한다고 매일 술 마실 건 아니죠?"

"아, 아니지. 날 뭘로 보고?!"

"술고래요."

"무슨 소리냐, 라라. 이 아저씨는 일주일에 한 번만 마신다고! 그것도 다 한스……. 아니, 아무튼. 알았다, 줄이마."

"그리고 그릇들 좀 그만 깨고요. 재료값 낭비예요."

사실 재료값 낭비라기보다는 다른 이유가 더 컸다.

헬머 아저씨의 작품을 황후 폐하께 선물로 드렸을 때의 파급력이 내 상상보다 훨씬 어마어마해서, 그것들을 다 깨 버리는 아저씨가 이해되지 않았다.

많은 사람들이 가치를 알아주는데, 만든 스스로는 인정하지 못한다.

"그건……."

"오늘도 그릇 좀 들고 가도 돼요?"

"그래, 그래라."

아저씨가 전부 깨 버리기 전에 그냥 내가 들고 가 버리는 게 나을 듯싶었다.

아저씨는 내가 그릇들을 어디에 쓰는지 관심도 없어 보였다.

아저씨와 소소하게 대화를 나누다 보니 어느새 시간이 훌쩍 흘러 있었다.

에센은 아무 말도 하지 않았지만 아마 기다리느라 지겨울 것 같았다.

"아저씨. 저는 이제 돌아가야 해요."

"벌써 시간이 그렇게 흘렀나."

"기회가 되면 꼭 편지할게요."

아저씨가 문밖까지 나와 나를 배웅해 주었다.

아주 어릴 때 보았던 헬머 아저씨는 젊고 건장했는데, 어느새 많이 늙었다. 기분이 이상했다.

"언제나 건강 먼저 생각하는 거 잊지 마세요, 아셨죠?"

"알다마다. 귀에 딱지가 앉을 정도다. 그보다 라라."

"네?"

"최근 들어 이 근처에 수상한 자들이 어슬렁대는 것 같아. 종종 문을 두드리고 사라지곤 하더구먼. 랭트리 구역이라도 조심하는 게 좋을 게다."

나는 두 눈을 휘둥그레 떴다.

"아저씨는 괜찮으세요?"

"내 모습을 보고도 그런 말이 나오냐? 이렇게 험악한 인 상인데 누가 감히 덤벼들겠어?"

"하하……."

그 말대로 아저씨의 몸은 나이에 비해 아주 건장하고 다 부졌다.

근육으로만 따진다면 디아노를 능가할지도 모르겠다.

"그래도 몸조심하세요, 헬머 아저씨."

"오냐. 너도 조심히 들어가라."

헬머 아저씨는 아쉬운 듯 내가 완전히 사라질 때까지 집 안에 들어가지 않았다.

어느덧 거리에는 땅거미가 지고 있었다.

뉘엿뉘엿 넘어가는 석양을 바라보다 몸을 돌려 내 뒤를 따라오던 에센을 올려다보았다.

"그럼 이제 돌아갈까요?"

"잠깐 걸을까?"

응? 바로 돌아가자고 할 줄 알았는데?

"아티. 네 말대로 당분간은 나오기 힘들 테니까, 잠깐 구 경하는 것도 나쁘지 않겠다 싶어서."

"아. 좋아요!"

생각지도 못한 에센의 배려에 웃으며 고개를 끄덕였다. 역시 에센 님은 날개 없는 천사가 분명해.

우리는 노을이 드리운 저녁 거리를 함께 걸었다.

고급 상업 구획인 엘도라도 거리보다는 다소 번잡하지만 랭트리의 시장은 소란스럽고 정겨웠다.

우리는 시장을 구경하며 소소한 이야기를 나누었다.

"황궁에 들어오기 전에는 헬머 아저씨라는 사람이랑 같이 지냈어?"

"네. 오갈 데 없는 저를 돌봐 준 아주 고마우신 분이에요."

"딱 봐도 너를 아끼는 게 눈에 보이더라. 아빠라고 해도 믿겠던데."

"사실 헬머 아저씨가 제 아빠나 다름없어요. 이 세상에 남은 유일한 가족이거든요."

테르니와도 헬머 아저씨의 집을 방문한 적 있지만 나에 대해서 궁금해한 적은 없었다.

그래서 에센의 질문에 감회가 새로웠다.

아무도 황궁에 들어오기 전의 나에 대해서는 궁금해한 적 없었으니까.

"아드리안이랑 약속한 3년이 지나면 뭘 할 생각이야?"

"이미 제 얼굴이 아티엔느라고 밝혀진 이상 수도에서 머무는 건 힘들 것 같아요. 중소 도시로 내려가는 게 좋지 않을까요?"

"역시, 그렇겠지……."

어쩐지 에센이 아쉬워하는 것처럼 느껴진다면 내 착각일까?

"이제 그만 돌아가요, 에센 님."

"그래. 아, 잠깐만—."

나를 내려다본 에센이 가까이 다가오며 팔을 뻗었다.

순식간에 가까워진 거리에 에센의 품이 바짝 붙었다.

"저……."

"아, 이거 때문에. 놀랐지? 미안."

에센의 손에는 마른 나뭇잎이 들려 있었다. 대수롭지 않게 에센에게 건네받은 나뭇잎을 바닥에 떨어트리던 그때였다.

"……잠깐."

"네?"

에센의 표정이 삽시간에 굳었다.

"누가 미행하고 있어."

"미행이요?"

설마, 아까 헬머 아저씨가 말했던 그 수상한 자들인가?

불안한 눈으로 주위를 살폈지만, 한가롭게 길을 걷는 행인들밖에 보이지 않았다.

"우리를 미행하는 게 확실해요? 이렇게 사람이 많은데 착각한 걸 수도 있잖아요?"

"아냐. 난 착각 안 해."

에센은 단호하게 대답하며 내 손을 잡고 인적이 드문 곳으로 향했다.

이윽고 지나는 사람이 아무도 없을 때, 에센은 나를 벽 쪽에 세워 두고 나지막하게 말했다.

"잠깐만 기다려."

말을 끝내기가 무섭게 에센의 모습이 순식간에 사라졌다.

나는 초조하게 에센이 돌아오길 기다리며 수상한 자들에

대해서 생각했다.

헬머 아저씨의 주변을 맴돈 이유가 뭘까? 그리고 우리를 미행한 이유는? 에센 님은 괜찮으실까?

불안감이 극에 달했을 때—.

챙강!

검이 맞부딪히는 소리가 선연하게 울렸다.

나는 당장에라도 달려가 상황을 확인하고 싶은 마음을 꾹 참고 에센을 기다렸다.

하지만 검이 맞부딪히는 소리는 더 이상 들려오지 않았다.

"야! 네가 왜 여기에 있어?!"

에센의 외침에 눈가를 찌푸리며 소리가 난 곳으로 달려갔다.

나는 어째서 검 부딪히는 소리가 한 번에 그쳤는지 알 수 있었다.

"……날씨가 좋아서."

여상한 어조로 대답하며 검을 다시 칼집에 꽂아 넣는 이 남자는…….

다름 아닌 아드리안 황태자였다!

Chapter 20. 오늘 날씨가 참 좋네요

Chapter 20. 오늘 날씨가 참 좋네요

아드리안은 황성 밖을 나갈 생각이 추호도 없었다. 처리해야 할 일도 많고 피곤하기도 했다.

그도 그럴 게 최근 들어 자신을 덮치는 과도한 의심 탓에 잠을 제대로 이루지 못했으니까.

'에센. 그놈이 수상하단 말이지.'

아티를 보는 눈이 아주 불순했다.

생전 남에게 상냥하게 대한 적도 없으면서 순한 척 구는 꼴이 가관이었다.

"그래. 그럼 수고해라."

"예, 부황."

황제와의 대화를 끝낸 아드리안은 곧바로 집무실에 돌아왔다.

처리해야 할 급한 서류가 한 건 있었다.

자리에 앉아 그 서류를 집어 든 아드리안은 흠칫 굳고 말았다.

[아티랑 잠깐 나갔다 옴. 수고.]

"……."

무례한 쪽지에 아드리안은 할 말을 잃고 말았다.

격식 따위는 개나 줘 버린 그 쪽지에는 발신인도 쓰여 있지 않았다. 행선지는 또 어디다 팔아먹었단 말인가.

무엇보다 용건을 남겨 둔 이 서류는…… 기밀 서류였다.

아드리안은 줄곧 이 집무실을 지키고 있었을 측근을 응시했다.

"디아노."

"예, 전하."

"언제 에센이 왔다 갔지?"

"10분 전입니다."

10분. 그 정도면 따라잡기에 늦지 않은 시간이다.

아드리안은 태평한 태도의 디아노를 잠시 노려보다가 곧 외면했다. 질책하는 것도 귀찮았다.

단출한 옷으로 환복한 그는 말에 올라 곧장 성문 밖으로 나섰다.

이미 흑영에게 아티와 에센이 향한 방향을 보고받은 아드리안은 헤매지 않고 달릴 수 있었다.

그는 머지않아 거리를 가로지르는 마차를 발견했다.

"도대체 어딜 가는 거지?"

마차가 향하는 곳은 엘도라도 거리가 아닌 랭트리 방향

이었다.

평민들의 거주 구역에 대체 무슨 용건이 있단 말인가.

'에센 자식이 행선지만 알렸어도 직접 황궁 밖으로 나오는 일은 없었을 텐데.'

골목에 접어든 마차가 속력을 줄이더니 이내 멈춰 섰다. 아드리안은 멀찍이 떨어진 곳에서 마차를 주시했다.

먼저 에센이 내리고, 다음으로 아티가 내렸다.

평민들이 입는 옷을 차려입은 아티의 모습은 수수하고 청순했다.

'빌어먹게도 예쁘잖아.'

하마터면 저 모습을 못 볼 수도 있었다고 생각하니 배알이 꼴렸다.

에센의 에스코트를 받으며 마차에서 내린 아티는 즐거워 보였다.

역시 자신과 함께 있을 때에는 전혀 보이지 않는 모습들이었다.

아드리안은 짜증 나는 심정으로 그들을 관찰했다.

기척을 완벽하게 숨긴지라 에센은 그의 존재를 전혀 눈치채지 못했다.

무어라 이야기를 나누던 그들은 웃으며 어떤 폐가 안으로 들어갔다.

방향 탓에 집 안의 모습은 전혀 보이지 않았다.

"……폐가?"

점점 더 에센과 아티가 외출한 목적을 알 수가 없어졌

다. 아드리안은 그들이 나오기만을 기다렸다.

하염없이.

"왜 안 나오는 거야?!"

인내심에 한계가 오기 시작했다.

아드리안은 괜히 애마의 갈기를 쓰다듬으며 초조한 마음을 가라앉혔다.

아무튼 에센이 문제였다. 왜 제 약혼녀에게 친한 척 굴어서 기분 나쁘게 만들고 난리란 말인가.

점점 해가 지기 시작했다. 아무리 기다려도 아티가 나오지 않자 아드리안은 고민에 빠졌다.

"쳐들어가야 하나?"

저 안에서 무슨 일이 벌어지고 있는지 전혀 알 수가 없으니 답답하기 그지없었다.

'무슨 일이라도 생긴 건가?'

에센이 함께 있으니 그럴 일 없겠지만 혹시 모르는 일이니.

"아니야. 그냥 기다리자."

겨우 이성을 되찾는가 싶다가도.

"쳐들어가자."

아드리안은 말까지 근처 여관에 맡겨 두며 본격적으로 쳐들어갈 준비를 했다.

그렇게 그가 막 쳐들어가려 문 쪽으로 걸어갈 때, 기다렸다는 듯 문이 열렸다.

아드리안은 서둘러 옆 골목에 몸을 숨겼다.

"그럼 이제 돌아갈까요?"

"잠깐 걸을까?"

에센의 제안에 그들은 마차로 돌아가는 대신 나란히 거리를 걷기 시작했다.

대체 저 집 안에서 무슨 일이 있었던 건지 들어가기 전보다 분위기가 더욱 화기애애했다.

'짜증 나는군.'

왜 아티는 에센을 보며 저렇게 행복하다는 듯 웃고 있는 걸까.

에센도 따라 좋다고 내숭을 떨고 있는 꼴을 보니 기분이 한층 더러워졌다.

어둠 속에 스며든 채 그들의 뒤를 쫓고 있을 찰나, 길 가던 행인의 대화 소리가 그의 귀를 거슬리게 만들었다.

"신혼부부인가? 잘 어울리네."

"그러게. 아주 예쁜 부부야."

'……?'

그들의 시선은 에센과 아티에게 향한 채였다. 아드리안은 도무지 이해할 수 없었다.

신혼부부? 잘 어울려? 도대체 어디가?

'내 약혼녀와 잘 어울리는 건 나뿐이라고.'

그것은 아드리안의 한 치의 의심도 없는 확고한 믿음이었다.

'싹 뒤엎어 버리고 싶다.'

아드리안이 엄청난 인내심으로 본능을 억누르고 있을 때, 사건이 벌어졌다.

사람들이 오가는 길거리 한복판에서, 에센이 아티에게 몸을 숙여 서서히 팔을 뻗기 시작한 것이다!

"······저 자식이?"

엄청난 감정의 동요 탓에 순간 기척을 드러내고 말았다. 아드리안은 기척을 재빠르게 수습했다.

아주 찰나였으니 에센도 눈치채지 못했을 것이다.

더구나 사람들이 이렇게 많이 오가는 길 한복판이라면 더더욱.

아드리안은 그들을 계속 미행했다.

그 이후로 에센은 아티에게 더 이상 접촉하거나 가까이 다가가지 않았다.

아드리안은 두리번거리며 걷는 아티의 모습을 보느라 정신이 팔려 저들이 점점 인적이 드문 곳으로 향한다는 사실조차 인지하지 못했다.

인지했을 때에는 이미 늦은 후였다.

눈앞에서 날카로운 칼날이 번뜩였다. 아드리안은 반사적으로 검을 뽑아 칼날을 막았다.

챙강!

서로 검을 맞부딪힌 상황에서 눈이 마주쳤다.

아드리안의 얼굴을 확인한 에센이 입을 떡 벌렸다. 머지않아 아티가 달려오는 소리가 들렸다.

아드리안은 되지도 않는 변명을 할 수밖에 없었다.

"······날씨가 좋아서."

"······?"

에센이 그를 미친놈 보듯 바라보았다. 아드리안은 그 시선을 피하지 않고 마주 보았다.

미묘한 시선이 오고 갔다.

그 뜨거운 눈빛 전쟁을 본 아티는 조용한 깨달음을 얻었다.

'사랑싸움이구나!'

저렇게 뜨거운 눈빛으로 서로를 바라보다니, 역시 엄청난 사랑을 하고 있는 게 틀림없다.

아티는 자신에게는 눈길 한번 주지 않는 아드리안을 보며 내심 들었던 기대를 버렸다.

'난 또, 나 따라오는 줄 알았네……'

✦ ♛ ✦

유난히도 날이 좋은 날이었다.

바람이 살랑살랑 불고 볕이 잘 들어서 산책하기에 제격인 그런 날, 아티는 억지웃음을 지으며 신세를 한탄했다.

"이렇게 좋은 날에 실내에 박혀 있는 것보단, 정원에 나와 함께 담소를 나누는 편이 더 좋지요?"

가브리엘이 부채로 입가를 가리며 고상하게 웃었다.

'……날씨 죽여 버릴 거야.'

아티는 가브리엘을 따라 웃으며 날씨를 저주했다.

오늘도 황후 궁에 방문한 가브리엘이 날도 좋으니 티 파티를 가지면 좋겠다고 제안했고 황후는 흔쾌히 그 제안을 수락했다.

그리하여 릴리 궁에 있던 아티가 꼼짝없이 불려 나온 것이다.

다행이라면 에센이 함께 있다는 사실일까.

혼자 이 역경을 헤쳐 나가지 않아도 된다는 사실이 큰 위안을 주었다.

티 파티에 참석한 인원은 그리 많지 않았다. 황후 대리로 티 파티를 개최한 가브리엘과 말동무인 열댓 명의 레이디들, 그리고 아티였다.

마리에는 주최자가 가브리엘이라는 말에 가짜로 앓아누워 불참했다.

'나를 버리다니. 마리에, 너무해!'

아티가 뒤에 서 있던 에센에게 손짓했다. 그녀가 그의 귓가에 조곤조곤 속삭이며 물었다.

"에센 님. 에센 님은 가브리엘 양과 주로 어떤 대화를 나누셨어요?"

간지러운 귓가를 애써 외면하며 에센은 고민에 빠졌다.

가브리엘 플로라 네벨이라.

정면을 보자 가브리엘이 이 무대의 주인공인 양 환하게 웃고 있었다.

에센은 그녀를 보며 싸늘하게 대답했다.

"대화 같은 거 안 나눴는데."

"네?"

"어차피 말도 안 통하잖아."

"아아……."

아티는 탄식했다.

'에센 님이 아티엔느였던 동안은 가브리엘의 말 같은 건 다 무시했구나.'

이렇게 원통할 수가 없었다. 진작 이 사실을 알았다면 가브리엘과 대화를 하게 될 일도 없었을 텐데.

"아티엔느 양? 어디 불편하신 곳이라도 계신지?"

가브리엘의 말에 모든 이들의 시선이 아티에게 몰렸다.

그녀는 이제 제법 익숙해진 사교계 전용 미소를 지으며 고개를 가로저었다.

"아니에요, 가브리엘 양. 차 맛이 좋아서 음미하고 있었 답니다."

"흠. 당연하죠! 이 찻잎에 대해서 말하자면 네벨가에서만 유통되는 귀하디귀한 찻잎이랍니다. 이번 티 파티를 위해 특별히 챙겨 왔지요. 아마 다들 처음 보시겠지요? 후후."

가브리엘의 일방적인 자랑 시간이 시작되었다.

가브리엘이 자랑을 늘어놓으면 양옆에 있는 레이디가 맞장구를 치는 식이었다.

'지겹다.'

에센은 다소 짜증스러운 감정을 느끼며 자리를 지켰다.

당연히 그는 다른 이들이 그러하듯 가브리엘에게 악감정이 있었다.

자신이 여장을 하게 된 원흉. 저 여자만 아니었어도 아드리안에게 놀아날 일이 없었다.

당연히 도주하는 개고생을 할 필요도 없었고!

"어머. 에센 경. 저를 왜 그렇게 열렬히 사모하는 듯 바라보시나요?"

에센의 강렬한 시선을 느낀 가브리엘이 의미심장하게 웃었다.

"……."

에센의 표정이 싸늘하게 굳었다.

"물론 에센 경은 아주 예쁜 분이시지만, 전 관심 없어요!"

그 순간 아티는 보고 말았다. 허리춤의 칼집으로 향하는 에센의 손을.

'에센 님, 참으세요!'

아티는 눈빛으로 간청하며 에센의 손을 부여잡았다.

단지 검을 뽑지 못하게 만류하려는 목적의 접촉이었으나, 에센은 당황하고 말았다.

'……깜짝이야.'

간절하게 자신을 올려다보는 아티의 눈망울이 너무 예뻤다.

거기다 떨쳐 내지 못할 정도로 부여잡은 손에 뭘 어떻게 해야 할지 알 수 없었다.

상념은 길었으나 순간은 짧았다. 에센의 행동을 저지한 아티는 곧바로 손을 놓았다.

가브리엘은 그 모든 장면을 똑똑히 목격했다.

'뭔가 심상치 않은걸?'

촉이 왔다! 저 두 사람 사이에 무언가 있다는 강렬한 직감!

가브리엘은 그 기회를 놓치지 않았다.

"아티엔느 양과 에센 경. 두 사람의 사이가 이렇게 돈독한 줄은 미처 몰랐네요. 다들 그렇게 생각하지 않나요?"

그녀의 목소리는 다정했지만 눈빛은 그렇지 않았다.

가브리엘은 바로 전까지 닿았던 두 사람의 손을 빤히 바라보았다.

그에 질세라 다른 레이디들이 동조했다.

"그러게요. 아주 친밀해 보였어요!"

"스스럼없이 손을 잡는 사이셨군요?"

"문득 그런 말이 생각나네요. 사랑하는 사이면 서로 닮는다는데. 아, 그냥 떠올라서 해 본 말이랍니다. 오호호."

그녀들은 가브리엘의 의도를 파악하고 웃으며 물어뜯기 시작했다.

상황이 이상하게 돌아가자 아티는 황당해졌다.

'설마 에센 님이랑 내 사이를 의심하는 거야?'

기가 찼다. 손을 잡은 순간은 고작 1초 정도. 그것도 가브리엘의 목숨을 구하기 위해 검을 뽑으려는 에센을 만류한 것이다.

빤히 그녀가 아드리안 황태자의 약혼녀라는 것을 알면서 에센과의 사이를 의심하는 목적은 뻔했다.

'이번에도 또 추문을 만들어 보겠다는 속셈이겠지.'

더불어 이 티 파티 장소에 아티의 편이라고는 오로지 에센밖에 없었다.

나머지는 모두 가브리엘의 말이라면 죽는시늉도 하는 레이디들뿐이었다.

사방이 적이다. 아티는 황태자의 약혼녀로서 이 상황을

무사히 종결시켜야 할 의무가 있었다.

"무슨 헛소리—."

아티는 욱하며 끼어들려는 에셴을 말렸다. 이 일은 에셴이 아닌 스스로가 해결해야 의미가 있었다.

"재미있는 농담이네요."

그들의 공격에도 아티가 아무렇지 않은 듯 미소를 짓자 레이디들은 서로서로 눈빛을 공유하기 시작했다.

아티는 무언의 작전을 세울 틈을 주지 않았다.

"에셴 경은 황태자 전하의 친우이자 호위 기사이니 제게는 오라버니 같은 분이시죠. 황태자 전하께서 '특별히' 제 수호 기사로 임명해 주셨답니다."

일부러 강조한 의도를 알아챘는지 가브리엘이 미미하게 눈살을 찌푸렸다.

"제게 훈계라도 하려는 건가요?"

"그럴 리가 있나요, 가브리엘 양. 모르시는 것 같아 말씀 드리는 것뿐이랍니다."

아티의 눈길이 좌중을 훑었다. 상냥하게 미소 짓고 있는 표정과 다르게 눈빛은 날카로웠다. 이윽고 그녀가 말을 이었다.

"여러분의 말대로라면 마치 황태자 전하께서 자신의 약혼녀가 다른 사람과 친밀하게 지내는 것을 그저 두고 보고만 있는 멍청이인 것처럼 들려서요."

"그럴 리가 없잖아요?!"

한 레이디가 발끈하며 외쳤다. 아티는 그녀를 보며 방긋 웃었다.

"그렇죠. 그럴 리가 없죠?"

"그, 그게—."

아티에게 쏘아붙였던 레이디는 당황하며 가브리엘의 눈치를 살폈다.

졸지에 가브리엘의 말을 부정한 셈이 되었다.

부채를 펴서 얼굴의 반을 가리고 있는 가브리엘은 심기가 아주 불편해 보였다.

'의왼데.'

에센은 감탄했다. 당하고만 있을 줄 알았더니 아드리안의 핑계를 대며 교묘하게 비꼬기까지 했다.

평소에는 순한 사슴 같더니 이런 상황에서는 나름 강단이 있었다.

'아드리안이 붙들고 안 놔주는 이유를 알겠네.'

사랑스러워서 눈을 못 떼는 줄 알았더니 의외의 면에 반한 것일 터.

에센은 씁쓸하게 웃으며 아티를 바라보았다.

그사이에도 상황은 순조롭게 악화되었다.

가브리엘의 눈치를 보던 다른 레이디들이 날카롭게 한마디씩 쏘아 대기 시작했다.

"황태자 전하와는 관계없지 않나요? 작정하고 속일 수도 있는 거지요."

"그래요. 전하께서는 아무것도 모르고 계실 거예요!"

"에센 경. 에센 경께서는 할 말이 없으신가요?"

아티는 속으로 한숨을 내쉬었다. 한마디 하면 알아들을 줄 알았지만 생각보다 이들은 끈질겼다.

'대체 나를 끌어내려서 얻는 이득이 뭐지? 가브리엘의 호의?'

하지만 가브리엘은 전혀 기분이 좋아 보이지 않았다. 아티는 동요 없이 찻잔을 손끝으로 쓸었다.

"여러분께서는 도대체 제게 어떤 대답을 바라시는지요?"

숱한 공격에도 아티에게 아무런 타격이 없다는 사실에 레이디들은 적잖이 당황했다.

에센 경과의 사이가 사실이든 아니든 울거나 화를 낼 거라고 생각했지만 어느 쪽도 아니었다.

에센이 나서지 않으니 일 대 다수인 상황. 어떻게 보나 자신들이 유리했다. 조금쯤은 더 무례해도 되리라.

"바라는 대답이라니요? 저희는 그저 황태자 전하를 기만하는 레이디 오비에도에게 책임을 묻고 있을 뿐입니다."

아티는 속으로 조소했다.

'그 말 아드리안 앞에서는 절대 못 할 거면서.'

강한 자의 앞에서는 약해지고, 약한 자의 앞에서는 강해진다. 그것이 바로 사교계였다.

이미 알고 있는 사실이기에 그다지 상처받지는 않았다.

다만 이 추문이 아드리안에게 여파를 미칠까 걱정될 뿐이었다.

'이제 어쩔까.'

대화가 통하면 말로 찍어 누를 수야 있는데, 이들은 답이 없었다.

가브리엘을 등에 업고 위세 등등하게 아티를 깎아내리려 안달이었다.

무시하는 건 좋은 대처가 못 됐다.

'역시 그 방법밖에 없나.'

결단을 내린 아티가 입을 열려던 찰나—.

"듣자 하니 못 참아 주겠군."

그녀의 뒤에서 낮은 음성이 들려왔다. 누구인지 부러 확인하지 않아도 알 수 있었다.

"저, 전하!"

레이디들은 화들짝 놀랐고.

"어머, 전하! 저를 보러 오신 건가요?"

가브리엘은 여느 때와 같았다.

놀란 건 아티 또한 마찬가지였다. 지금이면 한창 바쁠 시간인데 어째서 여기에 있는 걸까.

아드리안은 아티의 시선을 애써 무시했다.

'일도 내팽개치고 왔다는 걸 들키면 한심한 사람 취급당하겠지.'

가브리엘과의 대면에 에센만 대동해서 보낸다는 게 영 마음에 걸렸다.

가브리엘이 무슨 짓을 저지를까 봐 걱정됐는데, 아니나 다를까 어처구니없는 수작질 중이었다.

"뭐 하고 있니? 어서 자리를 만들지 않고! 전하, 여기에 앉으세요~."

아드리안은 자신을 끌어당기는 가브리엘의 손을 냉정하게 떼어 냈다.

"후후. 보는 눈이 많아서 저를 배려해 주시는 거군요? 안 그러셔도 되는데~."

"하……."

아드리안은 가까스로 손이 칼집으로 향하는 것을 참아 냈다.

그는 가브리엘의 말을 들어 주고 있을 정도로 한가하지 않았다.

"쓸데없는 이야기는 집어치우고, 하던 이야기나 해 보지 그래?"

"무슨 이야기 말씀이신가요?"

가브리엘은 아무것도 모른다는 듯 방긋 미소 지었다.

'이쪽은 대화 자체가 안 통하니 버리고―.'

아드리안의 싸늘한 눈빛이 그곳에 자리한 레이디들을 훑었다.

그녀들은 심장을 섬뜩하게 얼어붙게 만드는 황태자의 기세에 하나같이 몸을 떨었다.

'무서워!'

평소 무도회에 참석하면 멀찍이서 보던 황태자는 참으로 멋있어 보였지만, 바로 지척에서 보는 것과 느낌이 달랐다.

금방이라도 목을 벨 것처럼 무자비한 기세. 까딱 잘못하면 목숨이 날아갈 것만 같은 위기감이 들었다.

아드리안이 한 명을 지목했다.

"거기, 너."

"저, 저 말씀이신가요?!"

아드리안의 시선을 받은 레이디의 얼굴이 새하얗게 질렸다.

"아까 했던 말 그대로 해 봐. 토씨 하나 틀리지 말고."

"그, 그게……."

"그런 말은 들은 기억이 없는데."

그녀는 가브리엘을 보았지만, 가브리엘은 오로지 아드리안에게 시선을 고정한 채 자신 따위는 거들떠보지도 않았다.

무슨 말을 했는지 제대로 기억이 나지 않았지만, 저 눈빛에 압살당하지 않기 위해서는 떠올려야만 했다.

"저희는 그저 황태자 전하를 기만하는…… 레이디 오비에도에게 책임을 묻고 있을…… 뿐입니다."

"기만이라. 내 약혼녀가 내게 무슨 기만을 했는지 궁금한걸."

"그런 뜻이 아니라—."

"감히 내 판단을 의심하는 것인가?"

그녀는 황급히 입을 닫았다. 형형한 황태자의 시선을 마주 보기가 힘들었다.

아드리안은 나지막한 한숨을 내쉬며 아티를 돌아보았다. 매서웠던 눈길이 한순간에 누그러졌다.

'무슨 생각을 하고 있는 거지?'

말간 눈으로 자신을 바라보는 아티의 머릿속이 궁금했다. 하지만 영원히 알 수 없겠지.

'저번 증명으로는 부족했던 건가.'

가브리엘의 앞에서 입 맞춘 후 소문이 퍼질 대로 퍼졌다고 생각했는데, 생각보다 효과가 별로였다.

아드리안은 흘긋 에센을 바라보았다가 시선이 마주쳤다.

'나도 아예 생각 안 했던 것도 아니고.'

실은 의심했다.

에센이 아티에게 자신과 같은 감정을 품고 있으리라는 것을.

갑자기 기분이 나빠졌다. 아드리안은 다시 눈길을 돌려 좌중을 훑었다.

가브리엘을 제외한 모든 이들이 그의 행동을 주목하고 있었다.

마지막으로 닿은 것은 아티의 얼굴.

"전하?"

남들 앞이라고 이름을 부르지 않는 용의주도함이 어쩐지 마음에 들지 않았다. 당연한 건데도.

순간 제어할 수 없는 충동이 들었다. 아드리안은 아티에게로 손을 뻗었다.

"너도 싫겠지만……."

아티는 속삭이는 그 말을 곧바로 이해했다. 작은 손이 아드리안의 옷깃을 꽉 쥐었다.

끄덕.

미약한 허락에 아드리안은 천천히 고개를 내렸다. 두 사람의 입술이 맞닿았다.

서로의 옅은 숨결이 느껴졌다. 아티의 부드러운 입술에

이성이 날아갈 것 같았다.

'이 감각을 알고 있으면서 나는 그동안 어떻게 참았던 거지?'

도저히 떨어지고 싶지 않을 정도로 유혹적이었다.

아드리안의 뜨거운 혀가 살짝 벌어진 아티의 입술을 가르며 지분거렸다. 아티는 숨을 헐떡이며 손에 힘을 주었다.

그의 옷에 주름이 졌지만 신경 쓰는 이는 아무도 없었다. 아티는 두 눈을 꾹 감았다.

'착각하지 마, 바보야. 이건 연기일 뿐이야.'

에센과의 소문을 막기 위한 연기. 내보이기 위한 수단일 뿐.

하지만 아무리 다짐해도 기대하게 되었다.

다정하게 뒷목을 받치고 있는 손이, 배려하듯 자신을 맞춰 주는 행동에 허튼 생각이 들지 않을 수가 없었다.

'떨어지고 싶지 않아.'

영원히, 이대로 시간이 멈췄으면 좋겠다고 아티는 바랐다.

이 세상에 단둘만 남은 것 같은 착각이 드는 가운데, 여기저기서 들려오는 탄성이 현실임을 상기시켰다.

하지만 아드리안은 귀를 닫고 아티를 탐하는 데에만 열중했다.

'기회를 놓칠 정도로 멍청하지 않으니까.'

이렇게라도 아티에게 닿고 싶은 자신이 비열하다고 생각했지만 어쩔 수 없었다.

"또 당했군요."

가브리엘은 열렬한 키스를 하는 연인을 노려보았다.

저번과 같은 수에 당한 것이지만 충격은 여전했다.

'물론 내 질투심을 끌어내려는 생각이시겠지만.'

그 생각은 여전했다. 하지만 짜증이 치미는 것은 어쩔 수 없었다.

가브리엘은 두 사람의 모습을 부럽다는 듯 바라보는 레이디들을 차갑게 흘겼다.

에센은 침음을 삼키며 몇 발짝 물러났다.

타인의 시선에도 아랑곳 않는 모습에 설명할 수 없는 감정이 밀려들었다.

'무슨 기분이라고 말해야 할지.'

당연히 저들은 대외적으로 약혼한 관계이니 입맞춤이야 당연할 텐데도, 지켜보는 게 힘들었다.

'씁쓸하다.'

에센은 애써 쓴웃음을 삼켰다.

✦ ♛ ✦

릴리 궁에 돌아온 에센은 조용히 아티의 곁을 지켰다. 상기된 그녀의 뺨이 들뜬 기분을 대변해 주었다.

'속마음이 다 보이네, 귀엽게.'

그 마음이 타인에게 향해 있다는 사실만은 귀엽지 않지만.

에센의 시선을 느낀 아티가 고개를 돌렸다.

"이제 그만 돌아가서 쉬셔도 돼요, 에센 님."

"그래, 알겠어."

"오늘 저 때문에 힘드셨죠? 죄송해요."

힘없이 웃는 미소에 에센도 따라 웃었다. 고생이라. 사실 자신은 고생한 것도 없었다.

아무것도 못 하는 그를 등 뒤에 세워 두고 결국 싸운 것은 아티 혼자뿐이었다.

'한심하네, 나.'

자괴감이 스스로를 갉아먹었다. 결국 아티가 가브리엘을 상대하게 된 원인도 자신 때문이 아닌가.

"만약 내가 도망치지 않았다면 너는 아드리안의 약혼녀가 되지 않았겠지."

"아마도 그렇겠죠?"

"만약 내가 더 먼저 너를 만났더라면……."

잠깐 말을 멈춘 에센이 아티를 바라보았다. 그보다 짙은 푸른 눈동자에 긴장한 자신의 모습이 비쳤다.

"너는 나를 좋아해 줬을까?"

"……?"

'대체 무슨 소리를 하시는 걸까?'

아티는 고개를 갸웃했다.

애초에 에센이 도망치지 않았으면 황태자를 비롯한 측근들을 모두 만날 일 없을 텐데.

그러니 에센을 먼저 만나는 일 따위도 없었다.

"아니요."

"……그래. 그렇겠지."

먼저였어도 자신에게 기회가 없다는 것을 깨달은 에센은 무언가 날카로운 것이 심장을 찢는 감각에 입을 다물었다.

'이거 제법 괴롭네.'

생각했던 것보다 더 아팠다.

그들은 서로가 답의 의미를 다르게 받아들였다는 사실을 꿈에도 몰랐다.

착각의 밤이 깊어만 갔다.

Chapter 21. 새로 생긴 가족에 대하여

Chapter 21. 새로 생긴 가족에 대하여

오늘도 어김없이 테르니는 내 침실에 쳐들어와 과자를 축내는 중이었다.

평소라면 그 모습을 보고도 못 본 척 그냥 지나갔을 테지만, 오늘은 테르니에게 용건이 있었다.

"오라버니, 물어볼 게 있어요."

"오. 아티! 드디어 이 오라버니에게 궁금한 게 생긴 모양이구나! 그래, 뭐가 궁금한데? 내 쓰리 사이즈?!"

그딴 건 안 궁금한데요…….

나는 테르니의 헛소리는 가볍게 무시하고 질문부터 꺼냈다.

"오라버니도 알고 계시겠지만, 저는 지금 오비에도가의 여식이잖아요?"

"그렇지. 앞으로도 오비에도일 테고!"

앞으로 3년 후면 더 이상 오비에도가 아닐 거라는 사실은 테르니에게 전혀 영향을 미치지 않는 듯했다.

"어쨌든 앞으로 아티엔느로서 문제없이 지내기 위해서는 가문과 가족에 대해서 잘 알아야 한다고 생각해요."

"크. 역시 내 동생이야. 기특해, 기특해!"

테르니가 쿠키 부스러기가 가득 묻은 손으로 내 머리를 쓰다듬었다. 일부러 그러는 건가……?

"저 지금 진지하거든요?"

"나도 진지해!"

진지는 얼어 죽을.

테르니와 정상적인 대화가 성립될 거라고 생각했던 내가 바보지.

"그런 의미에서 다른 가족분들에 대해서 이야기해 주세요. 어머니는 어떤 분이세요?"

"……."

내 질문이 끝나기도 전에 싱글벙글하던 테르니의 얼굴이 순식간에 싹 굳었다. 내가 무슨 말실수라도 했나?

"엄마……?"

"네? 네……."

"엄마는…… 멀리 가셨지."

"아……."

"아주 멀리…… 쉽게 돌아올 수 없는 곳으로 떠나셨어……."

아, 돌아가셨구나……. 아무도 말해 준 적이 없어서 미처 몰랐다.

오비에도가는 유서 깊은 가문인데 후작 부인이 돌아가셨

다는 사실을 한 번도 들은 적 없다는 게 조금 의아하긴 했다.

어쨌든 테르니가 평소와 달리 표정을 굳힌 것도 이해가 됐다.

"죄송해요."

"아니, 뭐. 죄송할 것까지야. 어쨌든 엄마는 없으니까 아빠만 알면 돼!"

다행히 테르니는 금세 싱글벙글 웃었다. 걱정과 달리 분위기는 다시 풀어졌다.

"아버지는 어떤 분이세요?"

전에 황후 탄신 파티에서 한 번 어색한 첫 만남을 가진 후로는 뵌 적이 없었다.

제대로 된 대화도 나누지 못하고 헤어져야 했었지. 아주 젠틀하고 멋진 신사분이셨다.

이제 테르니의 설명이 이어질 차례였다. 방긋 웃은 테르니가 입을 열었다.

"아빠는 아빠야!"

"……네?"

"걱정 마. 아빠니까!"

이건 대체 무슨 획기적인 설명법이란 말인가.

성의 없는 대답에 어처구니가 없어서 하마터면 멱살을 잡고 흔들 뻔했다.

"그러니까 어떤 분이신지—."

"아빠라니까? 우리 아빠잖아!"

내 인생에 도움이라고는 안 되는 인간 같으니라고. 결국 나는 테르니에게서 정보를 얻는 데에 실패하고 말았다.

얻은 수익이라고는 어머니는 이미 돌아가셨고, '아빠는 아빠다'라는 것뿐. 나는 심각한 얼굴로 투덜거렸다.

"아빠가 어떤 사람인지도 모르는 딸이 도대체 어디에 있어?"

그리고 그게 다름 아닌 나라니!

혹시나 누군가 오비에도 후작님에 대해 물어보면 어떻게 대답해야 할지 걱정이 됐다.

……이러다 들키는 건 아니겠지?

나는 불안한 마음을 뒤로하고 일단은 가족에 대해서는 묻어 두기로 했다.

하지만 사건은 머지않아 벌어졌다. 릴리 궁에 놀러 온 아카시아와 담소를 나누던 중이었다.

아카시아가 내게 물었다.

"아티 언니. 언니 아버지께서는 언니를 뭐라고 부르세요?"

"콜록, 콜록! ……그, 그건 갑자기 왜?"

너무 놀란 나머지 하마터면 차를 뱉을 뻔했다.

"아빠가 계속 저를 '우리 귀염둥이 꼬맹이'라고 부르는 거 있죠? 제대로 이름 불러 달라고 해도 제 말은 들어주지도 않아요!"

아주 깜찍하고 귀여운 고민이었다.

나라도 아카시아가 내 딸이라면 저것보다 더 심한 애칭으로 불렀을 것 같았다.

"아티 언니 아버지께서는 언니를 이름으로 부르시죠?"

"음……."

"오늘 집에 돌아가면 아티 언니는 아버지께서 이름을 불러 주신다고 따질 거예요. 그러니 언니 도움이 필요해요! 뭐라고 부르세요?"

큰일이다.

나는 초롱초롱한 눈망울로 나를 올려다보는 아카시아를 보며 어색하게 웃었다.

언젠가는 이런 상황이 닥칠 거라고 예상하긴 했지만 상대가 무려 아카시아일 줄은 몰랐다.

대충 얼버무리면 그만이라지만 아카시아의 촉촉한 분홍색 눈동자를 보고 있자니 도무지 거짓말을 입에 담을 수가 없었다.

"아카시아는 아버지가 그렇게 부르는 게 싫어?"

"네. 정말정말 싫어요!"

"하지만 그건 아카시아를 사랑한다는 의미가 아닐까?"

"우으……. 그건 그렇지만 저도 이름으로 불리고 싶어요. 철없기만 한 어린애로 보는 것 같아서 서운하단 말이에요."

아카시아는 시무룩하게 어깨를 늘어뜨렸다.

시무룩한 모습도 어쩜 이렇게 사랑스러울 수가……. 나중에 아사모 정기 모임 때 자랑해야지!

"……언니?"

"으, 응?"

"그래서 언니 아버지께서는 언니를 뭐라고 부르세요?"

화제를 돌렸다고 생각했는데, 아니었다. 아카시아는 생

각보다 더 끈질겼다.

역시 거짓말을 해야 할까? 하지만 섣불리 이름으로 부른다고 말했다가 나중에 기존 아티엔느에 대한 설정 충돌이 벌어진다면 수습하기가 어려웠다.

"나는 아버지께서……."

뒷말을 끌며 고민하고 있을 때, 마침 볼일을 끝마친 에센이 돌아오는 모습이 보였다.

"앗. 에센 님께서 나를 데리러 오셨네. 오늘 보충 교육이 있는 걸 잊고 있었다. 아카시아, 언니는 이만 가 봐야겠어. 조심히 돌아가고 다음에 보자!"

"네? 네!"

그렇게 나는 아카시아를 두고 튀었다. 죄책감이 들었지만 어쩔 수 없었다.

거짓말을 하고 싶지 않은 언니의 마음을 헤아려 주렴, 귀여운 아카시아야.

이번에야 이렇게 어영부영 넘어갔다지만 혹시라도 가브리엘 같은 사람이 가족에 대해 물어본다면 곤란해진다.

"역시 이대로는 안 되겠어."

특단의 대책이 필요했다. 일명 '보다 더 완벽한 아티엔느가 되기' 작전! 그러려면 나를 도와줄 누군가가 필요했다.

가장 먼저 테르니를 버렸다.

"도움은커녕 방해만 되는 오라버니 같으니라고."

디아노에게 물어볼까 싶었지만 만날 수 있는 시간이 극히 적었다.

역시 믿을 건 에센 님뿐인가?

나는 비장하게 에센에게 배움을 청했다.

"에센 님. 현 아티엔느로서 전 아티엔느께 여쭤볼 게 있어요."

"뭔데?"

"오비에도 후작 각하께서는 어떤 분이세요?"

"오비에도 후작 각하?"

"네. 설정상 제 아버지 되시는 그분 맞아요."

한때 에센의 임시 아버지이기도 했으니 잘 알고 있지 않을까?

하지만 그는 내 기대를 저버렸다.

"사실 나도 잘 몰라."

"네? 하지만 아티엔느셨잖아요."

"너도 알다시피 내가 여장을 하고 싶어서 한 게 아니라. 여장한 모습으로는 되도록 아무도 안 마주쳤거든."

"아아……."

하긴 나 같아도 여장한 모습으로 친구 아버지를 만나는 게 수치스러울 것 같긴 했다.

"그럼 친구 아버지로서의 후작 각하는 어떤 분이신데요?"

"테르니와 다르게 아주 정상적인 분이라는 건 알아."

그건 나도 알았다. 테르니만큼 미친 사람은 이 세상에 없을 테니까.

"음……. 알았어요. 고마워요, 에센 님."

믿었던 에센마저 후작 각하에 대해서 아는 게 없었다.

정녕 나는 이대로 가족에 대해 아무것도 모른 채 위기를 맞이해야만 하는가…….

"도와주는 사람 한 명도 없어, 진짜."

서러운 마음을 안고 도서관을 다녀오는 길이었다. 멀찍이 낯익은 얼굴이 보였다.

"디아노 경!"

"……?"

한달음에 달려갔더니 숨이 턱 끝까지 차올랐다.

"무슨 일이십니까? 오늘은 아사모 정기 모임 날이 아닙니다만."

"여쭤볼 게 있어서요!"

"아카시아와 관련된 일입니까?"

"아니에요."

"흠…….."

디아노가 내 눈을 피하며 한 발짝 뒤로 물러났다. 아카시아와 관련된 일이 아니면 내 말을 들어 주기도 싫다 이건가?

하지만 내게는 비장의 무기가 있었다.

"대신 답해 주시면 아카시아 일화 하나 풀어 드릴게요!"

"좋습니다."

역시 아사모 회원 꼬드기는 게 세상에서 제일 쉽다.

훌륭한 미끼였던 건지 디아노는 경청하는 자세로 태도를 바꾸었다.

"그래서 어떤 것을 물어보려 하십니까?"

"별 건 아니에요. 오비에도 후작 각하는 어떤 분이신지 알고 싶어서요."

"오비에도 후작 각하? 흠."

디아노가 머리를 긁적였다.

"좋으신 분입니다."

"그리고요?"

"……."

디아노는 답이 없었다. 나는 디아노를 보며 웃었다.

"디아노 경?"

"테르니와 다르게 아주 상식적인 분이십니다."

이 대답은 이미 에센에게도 들었다.

"그것 말고는 없어요?"

"……."

"없나 보네요."

"예……."

"그래요……."

마지막 보루였던 디아노마저 나를 저버리고 말았다.

친구 아버지에 대해서 아는 게 이렇게도 없다니 이 얼마나 무심한 작자들이란 말인가.

에휴. 한숨을 쉬고 있으려니 디아노가 초롱초롱한 눈으로 나를 응시했다.

"그럼 이제 아카시아 일화를……."

"아카시아는 귀엽고 사랑스러워요."

"예. 당연합니다."

"귀엽고 사랑스럽다구요."

"예. 그런데……?"

"그게 끝이에요."

"어, 엉?"

나는 디아노를 향해 환하게 웃어 준 후 단호하게 뒤돌았다. 안타깝게도 디아노에게 알려 줄 아카시아 일화는 없었다.

온 게 없으니 가는 것도 없는 법. 디아노도 이 차가운 세상의 이치를 알리라 믿었다.

릴리 궁으로 돌아가는 내 발걸음은 힘이 없었다.

"이제 누구한테 물어보지?"

마땅한 사람이 없었다. 아니, 사실 딱 한 사람 있긴 있는데 제외하는 게 나았다.

"그래. 애초에 황태자가 상냥하게 설명해 줄 일도 없고."

요새는 이전처럼 무섭진 않지만 그래도 최대한 안 만나는 편이 나으니까.

그나저나 이런 내 처지가 너무 불쌍했다. 당연히 황태자를 비롯한 측근들은 정보 제공에 협력해야 할 의무가 있지 않은가?

이러다 들키면 나도 위험해지는 거지만 본인들도 곤란해지는 거잖아!

이 부조리한 상황에 속으로 투덜거리며 걷고 있는데, 누군가 내 앞을 가로막고 섰다.

"……?"

고개를 드니 익숙한 얼굴이 있었다.

"시시뉴 님!"

"오랜만입니다, 아티."

온화한 시시뉴의 얼굴을 보고 있자니 절로 마음이 평온해졌다.

아아, 역시 정상인이 좋구나.

"어디 나녀오시는 길이세요?"

"잠깐 디아노에게 볼일이 있어서 이야기를 나누고 헤어지는 길입니다."

"그렇군요."

금방 내가 만난 디아노는 시시뉴와 이야기를 끝내고 포인세티아 궁으로 돌아가는 길이었겠군.

"베네데토 가문은 형제 사이가 아주 좋은 것 같아요."

"모두 차별 없이 키워 주신 부모님 덕분입니다. 사실 어릴 때에는 디아노와 많이 다투곤 했는데, 아카시아가 태어난 후부터 사이가 급격하게 좋아졌죠."

"아카시아가 너무 귀여워서요?"

"비슷합니다. 아카시아는 우리가 싸우는 걸 아주 싫어했거든요."

역시 사랑스러운 아카시아. 평화의 상징 같으니라고!

"그리고 아티도 오빠와 사이가 아주 돈독하지 않습니까?"

"돈독…… . 네, 돈독하죠."

부정하고 싶었지만 부정할 수 없었다. 테르니와 내가 돈독한 사이라니, 너무 치욕스러워, 흑.

"그런데 가끔씩 말입니다."

"네."

"아티가 테르니를 낯선 사람 보듯 할 때가 있습니다."

"……네?"

덜컹. 순간 심장이 내려앉는 줄 알았다.

하지만 놀란 나와 달리 시시뉴의 표정은 평소와 같았다.

말 그대로의 뜻인가? 아니면 혹시 숨은 뜻이라도 있는 걸까? 생각이 복잡해졌다.

하지만 겉으로는 티 내지 않고 나 또한 평온하게 대답했다.

"아시다시피 오라버니가 평소에 바보 같은 일들을 많이 벌이니까요. 그래서 저도 모르게 한심한 듯 바라보아서 그런 것 같아요."

"테르니의 성격이야 워낙 유명하니까요. 이해합니다."

역시 그냥 해 본 말인 것 같지? 나는 '아하하' 웃으며 마음을 놓았다.

시시뉴가 그런 나를 보며 무해하게 웃었다.

"그런데 아티. 뭐 하나 물어봐도 되겠습니까?"

"뭔데요?"

이번에도 별 질문 아니겠지. 기껏해야 테르니와 관련된 이야기일 거라고 생각했다.

하지만—.

"왜 당신 부친의 뒷조사를 하십니까?"

전혀 생각지도 못한 질문에 나는 웃는 얼굴 그대로 굳어 버리고 말았다.

"음……. 갑자기 그게 무슨 말씀이신지 잘 모르겠네요."

진정. 진정하자. 이럴 때일수록 침착해야 해.

시시뉴를 보며 미소 지었다. 제법 능청스러운 웃음이었을까? 확신이 들지 않았다.

"아까 디아노와 이야기하는 내용을 어쩌다 듣게 되었습니다. 오비에도 후작에 대해서 묻는 질문이었지요."

"네."

이런. 발뺌할 수도 없는 상황이었다. 어쩌면 좋지?

속으로는 맹렬하게 고민하면서도 겉으로는 아무렇지 않은 척 웃는 건 꽤나 고역이었다.

"부끄러운 모습을 보여 드렸네요."

"아닙니다. 그저 의아해서 말이죠. 어째서 친아버지에 대해서 묻고 다니신 건지."

"어, 그건……."

아티엔느가 된 이후로 이런 위기는 처음이라 뭘 어떻게 해야 할지 알 수 없었다.

역시 이대로 시시뉴에게 들키면 황태자는 곤란해지겠지? 그것만은 기필코 막아야 했다.

그때 머릿속에 어떤 대사가 번뜩 떠올랐다.

"아티?"

"음……. 아빠를 더 잘 알고 싶어서요."

"그게 무슨 의미입니까?"

"제가 보는 아빠와 남들이 보는 오비에도 후작이 어떻게 다른지 듣고 싶었어요. 황궁에 오기 전 아빠는 아주 다정했지만 가끔씩 쓸쓸해 보이셨거든요. 사실 딸인 제가 모르는 부분이 있는 건 아닌가 싶어 걱정되는 마음에 그만……."

부끄러운 듯 고개를 숙이며 슬쩍 시시뉴의 반응을 살폈다. 그는 살짝 당황한 듯 나를 보다가 머쓱하게 웃었다.

"그랬군요. 어쩐지 이상하다 했습니다."

"아빠에게 직접 여쭤볼 수가 없는 문제니까요."

분위기는 화기애애했다. 놀랐던 것만큼 큰일은 아닌 것 같았다.

"그럼 전 이만 릴리 궁으로 돌아가야겠어요."

겨우 넘겼다지만 이야기가 길어졌다가는 헛소리라도 할 것 같아 자리를 뜨려 했다.

"잠깐만 기다려 주십시오, 아티."

"……?"

나는 잔뜩 긴장한 채 시시뉴를 올려다보았다.

혹시 또 엄청난 발언으로 내 심장을 박살 내려고 그러나?

"별건 아닙니다. 그…… 디아노에게 하려 했던 아카시아 일화가 무엇인지 말씀해 주실 수 있습니까?"

"……."

목적이 그거였냐고…….

✦ ♛ ✦

"아티이이이익!!"

엄청난 음성과 함께 문이 부서져라 열렸다.

굳이 고개를 돌려 확인하지 않아도 불청객이 누구인지 알 수 있었다.

"아티! 아티아티! 아티아티아티!!"

소파에 앉아 책을 읽고 있던 내 옆에 풀썩 앉은 테르니가 나를 연신 불러 댔다.

계속 무시할 작정이었는데 이러다 귀청이 떨어질 것만 같아 결국 고개를 돌렸다.

"왜요. 왜요왜요왜요왜요!"

"오, 아티. 제법 컸다?"

"칭찬 감사합니다."

"오냐. 역시 내 동생이야."

흐뭇하게 웃으며 나를 보던 테르니가 갑자기 표정을 싹 바꾸었다.

"그보다 말이야, 아티 너."

"……?"

"너 아빠 뒷조사하고 다녔다면서?!"

"헛!"

들켰다!

어떻게 알았지? 역시 시시뉴가 테르니한테 이야기한 건가? 테르니가 내 몸을 사정없이 흔들며 징징대기 시작했다.

"왜 그랬어! 왜 아빠 뒷조사 같은 걸 했냐고! 왜, 왜애애!"

아니, 그거야 네놈이 아빠 정보를 하나도 안 줬으니까 그렇지!

"잠깐만요, 그만 흔들……!"

따지고 싶은 마음이 한가득이었으나 하도 흔들리는 통에 불가능했다.

한참을 흔들던 테르니가 겨우 나를 놓아주었다.

"아티. 딱 대답해."

"뭐, 뭘요……."

"왜 아빠 뒷조사를 했어? 아빠가 그렇게 좋아? 내가 좋아, 아빠가 좋아?!"

"……??"

엄마가 좋아, 아빠가 좋아 아닌가?

어쨌든 테르니가 오늘도 정상이 아니라는 건 알겠다.

너무 어이없는 나머지 말문이 막혀 버렸다. 그런 나를 빤히 보던 테르니가 울상을 지으며 나를 노려보았다.

"흐흐흑. 역시 아빠가 더 좋은 거지? 그동안 나를 가지고 논 거였어?!"

"진찰을 받아 보시는 건 어때요?"

나름 진지하게 고심한 끝에 건넨 제안이었으나 테르니는 들은 척도 하지 않았다.

"나밖에 없다고 했으면서. 흑흑, 믿었는데! 이 나쁜 사람!"

테르니는 원망스러운 듯 나를 노려보더니 눈물 바람으로 뛰쳐나가 버렸다.

"아니, 아빠에 대해서 말해 주고 가셔야죠!"

애절한 내 외침은 공허했다…….

✦ ♕ ✦

"자, 오늘 수업은 이만 하도록 할까요?"

"오늘도 감사했습니다, 마담 루시."

마담 루시에게 인사를 한 후 책을 덮었다. 피곤하긴 했지만 나름대로 보람찬 나날들이었다.

"이제 어엿한 황태자비답네요, 오호호호!"

"과찬이세요."

"호호호! 아니에요. 역시 제 눈은 틀리지 않았어요. 아티님만큼 황태자비에 어울리는 사람은 없을 거예요!"

"아하하⋯⋯."

마담 루시의 칭찬에 어색하게 웃으며 시선을 피했다. 이런 말을 들을 때면 몸 둘 바를 모르겠단 말이야.

그런 나를 귀엽다는 듯 보던 마담 루시가 의상 카탈로그를 꺼내 들었다.

"자, 그럼 수업도 끝났겠다 디자이너를 불러 새 드레스를―."

"앗. 실내에만 있으니까 너무 답답하네요. 산책을 다녀와야겠어요!"

마담 루시의 말이 끝나기도 전에 서둘러 방을 빠져나왔다.

잘못 걸리면 몇 시간이 넘도록 마담 루시의 인형이 될 수도 있었다.

마침 에센도 없으니 시기가 딱 좋았다.

내 발걸음은 익숙한 길로 향했다. 푸릇푸릇한 길목에 들어서 조금만 더 걸으면 그 장소가 나왔다.

"오늘도 만나서 반가워요, 라라."

나의 비밀 친구 미카엘이 늘 있는 이곳! 마음이 편안해지는 것을 느끼며 미카엘의 옆에 앉았다.

"안녕하세요, 미카엘 님. 뭘 읽고 있었어요?"

"음. 그냥 머리나 식힐 겸 철학서를 읽고 있었습니다."

"철학서를요……? 머리를 식힐 겸?"

나는 질겁하며 슬쩍 미카엘에게서 멀어졌다. 미카엘이 나를 보며 유쾌하게 웃었다.

"그렇게 어려운 책도 아닙니다."

"거짓말……."

기겁하는 내가 웃긴지 미카엘이 웃음을 터트렸다.

청량한 미남이 웃고 있는 걸 보고 있으려니 나도 괜히 웃음이 났다.

역시 잘생긴 건 좋구나. 바라보고 있는 것만으로도 기분이 좋아지다니 말이야.

내가 질겁했기 때문인지는 몰라도 미카엘이 책을 덮었다.

"어, 아니에요. 읽으셔도 돼요!"

"아닙니다. 마침 지루하기도 했고, 라라와 대화하는 게 훨씬 재미있으니까요. 최근 아카시아는 어땠습니까?"

"아! 아카시아요? 얼마 전에 만났는데 그새 키가 조금 컸더라고요. 많이 크지 않았냐고 자랑하는데 너무 귀여웠어요!"

아카시아 이야기를 너무 많이 해서 일부러 자제하고 있었는데, 미카엘이 먼저 물어볼 줄이야.

그러고 보니 미카엘도 아사모에 들어온 지 꽤 되었는데, 아직 모임에 참여한 적은 없었다.

흐음.

"미카엘 님은 어린아이를 좋아하는 편인가요?"

"네. 좋아합니다."

"그럼 아카시아를 한번 만나 보시겠어요?"

내 제안이 의외였던 건지 미카엘이 두 눈을 크게 떴다.

"그래도 될까요? 아이가 낯을 가릴까 걱정이 됩니다."

"아카시아가 낯을 가리긴 하지만, 미카엘 님은 좋은 분이니까 괜찮을 거예요! 미카엘 님도 직접 아카시아를 만나 보면 더 좋아질 거고요! 한번 아카시아에게 물어볼게요."

"기대되네요."

미카엘이 새하얗게 웃었다. 마음이 정화되는 아름다운 미소였다.

그 웃음을 보고 있노라니 전에 들었던 미카엘의 동생이 궁금해졌다.

"미카엘 님의 동생분은 잘 지내고 계신가요?"

"잘 지내고 있는 것 같긴 한데……."

"왜요?"

"최근에는 얼굴을 보는 일이 드물어 말씀드릴 게 없네요."

단순한 내 착각일까? 어쩐지 미카엘이 동생에 대해 이야기하는 것을 꺼린다는 느낌을 받았다.

동생과 싸우기라도 한 걸까. 나도 어릴 때에 남동생과 싸웠던 적이 많았었지.

간만에 이제는 내게 없는 가족을 떠올리니 괜스레 울적해졌다.

아냐, 이미 끝난 일인데 슬퍼하지 말자.

서둘러 화제를 돌렸다.

"전부터 생각했던 건데 미카엘 님은 이 정원을 정말 좋아하는 것 같아요."

"왜 그렇게 생각하십니까?"

"여기에 올 때마다 미카엘 님이 있었으니까요."

어쩌면 정원의 요정일지도 모른다는 생각까지 했다. 만나지 못한 적도 있지만 그건 손에 꼽을 정도였다.

나를 응시하던 미카엘의 미소가 진해졌다.

"그게 아닙니다. 저는 이 정원에 달리 감정이 없습니다."

"네? 그럼 왜 여기에 계신 건가요?"

시간을 때우기 위해서? 아니면 고백하려는 레이디들을 피하기 위해?

고개를 갸웃거리는 나를 보며 미카엘이 대수롭지 않은 듯 말했다.

"이곳에 오면 라라를 만날 수 있으니까요."

"……그런가요?"

평소와 같이 다정한 미카엘인데 어쩐지 기분이 이상했다.

기분 탓이겠지.

✦ ♛ ✦

"심심해!"

테르니가 내 옆에 풀썩 앉으며 투덜거렸다. 나는 이번에도 못 들은 척 책에 시선을 고정했다.

마리에게 빌린 책인데, 기대했던 것만큼 재미가 있지

는 않았다.

"아티, 넌 책이 그렇게 좋아?"

"아니요."

"책이 좋아, 내가 좋아?"

"책이요."

"뭐야? 책 안 좋다며!"

그러니까 그렇다고.

내 차가운 반응에 테르니가 한껏 징징거리며 나를 마구 흔들기 시작했다.

이제는 테르니의 발악에도 얼마 정도는 무시할 수 있는 내성이 생겨서 꿋꿋이 책을 읽을 수 있었다.

한참을 징징대던 테르니가 표정을 싹 바꾸며 감탄했다.

"뭐야, 아티. 제법인데?"

"훗. 다 오라버니 덕분이죠."

뿌듯하다는 듯 팔짱을 끼고 고개를 끄덕이던 테르니가 잠시 후 '아차' 하는 표정을 지었다.

"이제 이 오빠를 가지고도 놀다니, 다 컸다."

"그러니까 이만 포기하고 돌아가세요. 안 놀아 줄 거니까요."

"흐음."

테르니가 표정을 지우고는 나를 빤히 쳐다보았다. 순간 불안해졌다.

테르니가 진지해질 때는 늘 좋지 않은 일이 뒤따랐기 때문이다. 왜냐하면 가만히 있는 게 일을 꾸민다는 뜻이니까.

"좋아. 그럼 나가자!"

"네? 저 책 읽을 거예요!"

"오늘 아카시아 온다고 했어."

"가요."

나는 망설임 없이 책을 덮었다. 테르니가 의미심장하게 웃었다.

테르니에게 넘어간 셈이라 어쩐지 자존심이 상했지만 어쨌든 아카시아가 있다니 그곳이 내가 있을 곳이었다.

먼저 테르니가 연락을 넣었는지 준비를 끝내고 정원에 나가자 정말 아카시아가 있었다.

"아카시아!"

"언니이!"

활짝 웃으며 내게 답삭 안기는 아카시아는 정말 천사가 따로 없었다.

"언니, 보고 싶었어요!"

"나도 아카시아! 왜 이렇게 해쓱해졌어? 디아노 경이 굶긴 거야?"

처음 아카시아를 만났을 때 사탕을 뺏어 먹은 이후로 종종 디아노는 이렇게 까이곤 했다.

"아니에요. 오늘 오빠 디저트 제가 뺏어 먹었어요!"

"아이, 착해라. 잘했어, 아카시아. 앞으로도 그렇게 해!"

방긋 웃으며 아카시아의 머리를 쓰다듬는데, 바로 앞에서 울적한 음성이 들려왔다.

"저 여기에 있습니다만……."

아, 디아노 경. 있었구나…….

어쩐지 머쓱해져서 우리는 잠자코 자리에 착석했다. 몰랐는데 디아노는 물론이고 시시뉴도 함께였다.

"안녕하세요, 시시뉴 님. 오랜만이에요."

"네, 오랜만입니다, 아티. 잘 지냈죠?"

사실 오랜만이라기에는 얼마 전 만나긴 했다. 오비에도 후작 각하에 대해 캐내려다 시시뉴에게 들켰었지.

그때의 일을 다시 꺼내지 않는 걸 보니 딱히 추가로 추궁할 생각은 없어 보였다.

"네, 잘 지냈어요. 그런데 오늘은 아카시아가 오는 날이 아닌데 어쩐 일인가요?"

"이 녀석이 어찌나 아티가 보고 싶다고 조르던지, 일 핑계로 같이 데리고 왔습니다."

내가 보고 싶어서 졸랐던 아카시아라니, 너무 최고다.

"아카시아!"

"언니이!"

아카시아를 와락 껴안자 아카시아가 수줍게 웃으며 나를 마주 안았다.

"저는요, 언니랑 같이 살고 싶어요……!"

"아니, 어쩜 그런 기특한 생각을……."

아카시아는 천재가 아닐까.

감탄하고 있는데, 시시뉴가 너털웃음을 지으며 고개를 저었다.

"아카시아. 저번에 어머니께 혼나지 않았니. 아티를 귀찮게 하면 안 된다."

"히잉. 알았어요."

저기, 전 하나도 안 귀찮은데요.

아카시아를 껴안고 자는 상상을 하며 아쉬워하고 있는데, 웬일로 잠자코 있던 테르니가 입을 열었다.

"시시뉴 형."

"왜?"

"어머님은 잘 지내시지?"

"그래. 최근에 또 이상한 취미가 생기셔서 참 곤란해."

테르니는 베네데토 가문의 사람들과도 아주 친한 모양이었다.

시시뉴 앞에선 테르니가 정상인처럼 보여서 갑자기 낯설었다.

"이상한 취미라. 이번에는 또 뭔데?"

"글쎄, 고고학 서적을 탐독하시지 뭐냐."

"고고학 서적? 갑자기 탐사라도 떠나시려는 걸까?!"

"하아⋯⋯. 그럴지도 몰라."

잘 모르겠지만 이 세 남매의 어머니도 보통 사람이 아닌 듯했다.

멀뚱히 대화를 들으며 아카시아를 쓰다듬고 있는데, 시시뉴가 나를 바라보았다.

"아티, 어머님은 어떠신가요?"

"어머니요?"

나는 잠깐 당황했다가 금방 침착함을 되찾았다. 그동안

이런 질문을 꽤 여러 번 받았었다.

그때마다 나는 과거 테르니와 나누었던 대화를 떠올렸다.

"어머니는 어떤 분이세요?"

"엄마……?"

"네? 네……."

"엄마는…… 멀리 가셨지."

그날 이후로 나도 테르니를 따라 비슷하게 대처하곤 했다. 나는 테르니가 지었던 아련한 미소를 따라 지었다.

"아, 어머니……. 멀리 가셨죠……."

보통은 이렇게 대답하면 웃으며 화제를 돌리곤 하는데, 시시뉴의 반응이 어쩐지 이상했다.

그는 잠깐 고개를 갸웃하더니 내게 물었다.

"이번에 어머님께서 돌아오신다고 들었습니다."

……?

"네? 천국에서요……?"

어떻게 돌아가신 분이 돌아오실 수 있는 거지? 이해가 되지 않았다.

하지만 나와 아카시아를 제외한 모든 사람의 표정이 심상치 않았다.

"……?!"

디아노와 테르니의 얼굴은 아예 사색이 되어 버렸다.

"아티?"

시시뉴는 나와 마찬가지로 이해가 안 된다는 듯한 표정을 지으며 나를 불렀다.

갑자기 테르니가 호탕하게 웃더니 내 어깨를 탕탕 두드렸다.

"아하, 아하하! 천…… 국처럼 좋은 곳이지. 아하하핫!"

"……네?"

갑자기 왜 이래?

그러자 디아노가 고장 난 것처럼 웃으며 맞장구쳤다.

"그, 그렇지. 하하하. 외국이라 이곳과는 다른 느낌으로 마치 천국처럼 좋은 곳이라고! 하하하하."

"?!"

멀리 떠났다는 게 돌아가셨다는 게 아니라 정말로 멀리 떠났다는 의미였어?

애초에 테르니가 제대로 설명해 주었으면 벌어지지 않았을 해프닝이었다.

테르니를 노려보자 그는 '아하, 아하하.' 하며 내 눈을 피했다.

"네, 어머니가…… 돌아오시죠."

가까스로 시시뉴를 향해 미소를 지을 수 있었다.

……그렇게 나에게는 존재도 모르던 어머니가 생겨 버리고 말았다!

Chapter 22. 초면이지만 사랑합니다

Chapter 22. 초면이지만 사랑합니다

매끄럽게 이동하던 마차가 멈추었다.

나는 창밖으로 보이는 으리으리한 저택을 보고 한숨을 내쉬었다.

"도착했습니다, 레이디."

시종의 말에 허허 웃었다.

나는 지금 오비에도 후작가에 도착했다. 갑자기 웬 오비에도 후작가인가?

이 일은 바로 오늘 아침으로 거슬러 올라갔다.

"오호홋, 오비에도 후작 부인께서 귀국하셔서 오늘 황후 폐하를 뵙고 가셨대요."

마담 루시가 이 소식을 전할 때만 해도 나는 '그렇구나.' 라고 별 대수롭지 않게 생각했다.

갑자기 생긴 어머니에 무슨 대단한 감상이 있겠는가? 그저 테르니에게 속은 것만 생각나 새삼 화가 났을 뿐이었다.

그렇게 대수롭지 않게 넘기고 있을 때, 돌연 루드밀라 황후가 나를 불렀다.

'뭐지? 어머니를 보여 주려는 건가?'

설마 황후 앞에서 감격의 모녀 상봉을 연기해야 하는 것인가.

그런데 후작 부인은 이 상황을 알고 있을까? 머릿속이 복잡해지며 긴장으로 손까지 떨렸다.

어쨌든 그렇게 도착한 그레이스 궁에서…… 안타깝게도 어머니는 만나지 못했다.

"어서 오거라, 새아가."

"아르칸젤로의 축복이 함께하시길."

"새아가도 아르칸젤로의 축복이 함께하길 바라마."

인사가 끝난 뒤, 루드밀라 황후가 권한 대로 자리에 앉았다. 반짝이는 눈동자로 그녀가 나를 보았다.

"널 위해 선물을 준비했단다."

"네?"

무슨 선물일까?

"그동안 엄마가 많이 보고 싶었지?"

처음 보는 사이인데요.

차마 답하지 못한 말이 입 안에 맴돌았다. 루드밀라 황후가 소녀처럼 좋아하며 말했다.

"자, 보러 가렴!"

"네?!"

……그렇게 정신을 차려 보니 지금 현재 나는 오비에도 후작가 저택 앞에 있었다.

"도대체 이게 무슨 상황이지?"

현재 오비에도 후작가에서 내가 제일 친근한 사람은 단연 테르니였다.

아빠라고 해도 후작과는 딱 한 번 본 사이였고 엄마는 오늘이 첫 대면이다.

도저히 어떻게 해야 할지 모르겠는데 마차 문이 열렸다. 시종이 내가 나오길 기다리고 있었다.

"레이디 아티엔느?"

시종의 말에 정신을 차리고 일어섰다. 도무지 떨어지지 않는 발걸음을 떼어 내며 마차에서 내렸다.

바람이 불어서인지 공기가 쌀쌀했다. 나는 걱정스러운 표정으로 저택을 올려다보았다.

"어떡하지……?"

황실의 문양이 떡하니 찍혀 있는 마차로 들어왔으니, 내가 누구인지 오비에도에서 모를 리 없었지만 그래도 불안했다.

"아티~!"

낯선 곳에서 느끼는 불안감을 단번에 녹여 버리는 목소리가 있었으니, 언제 본가로 귀환한 건지 테르니가 큰 소리를 치며 내게 달려왔다.

"아티, 어서 와! 집은 오랜만이지?!"

아니, 처음인데요.

주변을 의식해서 어색하게 웃으니 테르니가 내 팔을 붙잡고 우렁찬 목소리로 현관에 서 있는 사람들에게 외쳤다.

"엄마! 아빠! 아티가 왔어~!"

멀리서 오비에도 후작이 테르니의 주접에 맞춰 손을 흔들어 주는 게 보였다.

이전에 파티장에서도 느꼈었지만 오비에도 후작 각하는 상당히 착한 듯했다.

하긴 이런 아들을 데리고 살아 준 것만으로 이미 인성은 인증이 된 것인가.

"아티! 아티가 집으로 돌아오게 되어서 이 오빠는 무척이나 기쁘단다."

"아, 예."

"우리 어렸을 때 놀았던 것처럼 또 술래잡기하자."

"술래잡기하기엔 저희 둘 다 너무 크지 않았나요?"

"가끔은 동심의 세계로 돌아가는 것도 나쁘지 않잖아! 오랜만에 뒷동산에서 노는 건 어때?"

"거기 그네 아직도 있나요?"

"그럼! 당연히 있지!"

"……."

그냥 던져 본 건데 진짜 있다니 놀라웠다.

어느새 후작 부부의 앞에 도착했다.

테르니는 연신 신나서 싱글벙글한 반면 나는 긴장으로 표정이 굳어졌다.

"아, 안녕하세요."

나도 모르게 경직된 인사가 나왔다.

아차 싶은 기분에 입술을 깨무니 오비에도 후작이 미소 지었다.

"마치 남을 보듯 인사하는구나, 딸아. 오랜만이라 어색한 거니?"

"아, 아버지. 아니, 아빠."

"어서 오렴. 지내는 동안 편하게 있거라."

"네, 감사합니다."

진짜 아버지 같은 편안함에 놀랐다.

하긴 지난번에는 얼싸안고 난리였는데 오늘 이 어색함은 확실히 괴리가 있지.

그렇다고 다시 얼싸안고 감격의 눈물을 흘리기에는 오늘은 다른 때보다 이성이 앞섰다.

"우리 아티가 부끄러움을 타네~."

옆에서 헛소리를 하는 테르니를 가뿐히 무시하고 엄청난 긴장 속에서 후작 부인 앞에 섰다.

카밀라 테아 오비에도.

날카로운 인상의 우아한 중년의 미인은 예리한 시선으로 나를 살펴보았다.

'젊었을 적엔 유명한 마법사였다고 했어.'

나는 마법사라는 존재를 살면서 처음 보았다.

황실에도 마탑에서 파견 나온 마법사가 있기는 하지만 처박혀서 사는지라 좀처럼 볼 일이 없었고 당연히 시녀가 되기 전에는 더 볼 기회가 없었다.

'마법사는 무척 괴팍하다고 들었는데.'

긴장을 풀고 미소를 지으려고 해도 자꾸 경직되었다. 보다 못한 테르니가 끼어들려고 했을 때였다.

카밀라가 손을 들었다. 테르니는 입을 열지도 못하고 그대로 봉인당해서 낑낑댔다.

"……!"

오비에도 후작 부인의 위용을 바로 눈앞에서 확인한 나는 그대로 굳어 버릴 수밖에 없었다.

천하의 테르니를……! 테르니의 입을 봉인하다니……! 역시 이것이 엄마의 힘인 것인가!

"아, 안녕하세요. 엄……. 아니, 어머니."

어색한 인사가 끝나고 죽음 같은 정적이 깔렸다.

요제프 오비에도 후작이 무슨 말을 하고 싶어 했으나 전부 카밀라의 포스에 짓눌려 아무런 말도 하지 못했다.

아무래도 잘못 온 것 같다. 지금이라도 황궁으로 돌아가고 싶었다.

"아티."

가느다랗고 우아한 목소리가 나를 불렀다.

"네, 네!"

나도 모르게 신속하게 대답이 나왔다. 흡사 수습 시녀 시절, 시녀장의 대답에 빠르게 답하던 속도와 비슷했다.

"웃어 보렴."

"……?"

이런 분위기에서 웃으라고? 대체 이 해괴한 요청은 무엇이란 말인가.

테르니를 흘긋 보았지만, 테르니는 자신도 모른다는 듯 눈을 찡긋했다. 정말 도움이 안 된다.

카밀라의 표정이 점점 더 싸늘해지고 있었다. 나는 어쩔 수 없이 억지로 미소 지었다.

"하, 하하……."

대체 왜 웃으라고 한 건지 모르겠다. 기선 제압인가……?

내가 웃으며 슬퍼하고 있을 때였다.

"웃는 게 예쁘구나. 그래, 난 다이아몬드가 좋겠어."

"네……?"

갑작스러운 카밀라의 말에 내가 따라가지 못하고 어버버하자 테르니가 끼어들었다.

"아니지, 엄마! 오비에도는 사파이어지!"

"그건 이미 후계자인 네가 갖고 있잖니. 그럼 블루 다이아몬드는 어떠니?"

"앗, 좋아!"

"좋아. 그럼 블루 다이아몬드로."

블루 다이아몬드가 갑자기 왜 나오는 거지?

"마침 저번에 낙찰받은 게 있는데. 로버트!"

"예, 마님."

"보물 창고에서 블루 다이아몬드를 가져오도록 해요. 그리고 예의 그것도."

"예, 알겠습니다."

무엇이 진행되고 있는 건지 하나도 알 수 없었지만 집사로 보이는 나이 지긋해 보이는 남자가 카밀라에게 인사를 마친 뒤 내게도 인사하고 빠르게 사라졌다.

눈만 끔벅끔벅 뜨며 상황을 파악하지 못하고 있는데, 돌연 나를 바라보던 카밀라가 부드럽게 미소 지었다.

"바깥에 너무 오래 있었구나. 자, 이제 들어가자꾸나."

"네? 네."

"오랜만에 봐서 그런가? 조금 야윈 것 같은데. 황실에서 널 굶기니?"

"아, 아니요. 잘 먹고 있어요!"

"그래? 더 잘 먹어야겠는걸."

갑자기 다정해진 카밀라의 태도에 적응할 수 없었다. 아까까지만 해도 그렇게 냉랭했는데!

"이쪽으로 오렴. 오랜만에 가족끼리 오붓하게 티타임이나 즐기자꾸나."

다정한 목소리엔 거부할 수 없는 힘이 담겨 있었다. 카밀라의 손에 끌려가자 가족들만이 쓰는 아담한 응접실에 도착했다.

가장 상석에 카밀라가 앉고 그 옆의 긴 카우치에는 요제프 오비에도 후작이, 그 맞은편에는 나와 테르니가 앉았다.

"저녁 식사는 준비하는 중이니 이따 다 같이 단란한 저녁을 먹자꾸나. 가족끼리 모이는 게 얼마 만인지 무척이나 기쁘네."

"그치? 엄마, 그러니까 우리 아티 황실에 시집보내지 말자!"

"테르니, 동생을 너무 끼고도는 건 안 된다."

"쳇."

잠시 후, 노크 소리와 함께 집사가 응접실 안으로 들어왔다. 그가 가지고 온 건 목걸이 케이스였다.

카밀라가 목걸이 케이스를 열어 내 앞으로 밀어 주었다.

다이아몬드와 사파이어가 섞인 화려한 목걸이가 그 안에 있었다.

"아티, 너를 위해 준비했단다."

다정한 목소리에 정신을 차릴 수 없었다.

"저를 위해서요?"

"그래."

이게 갑자기 무슨 일이란 말인가. 얼떨결에 선물을 받아들고 어안이 벙벙했다.

내가 달갑지 않은 게 아니었나? 그렇다면 아까 전의 냉랭했던 분위기는 뭐지? 아니면 지금 이게 시험인가?

갑자기 머릿속이 복잡해졌다. 테르니만큼이나 어머니인 카밀라를 이해할 수 없었다.

"후후. 너무 그렇게 무서워하지 말렴."

좋아하는 카밀라 옆에서 테르니가 신난 목소리로 말했다.

"엄마가 친정에서부터 준비해서 들고 온 선물이야!"

"감, 감사합니다만……."

"거절하지 말고 받으렴."

카밀라가 일어서서 목걸이를 들고 나에게로 다가왔다.

직접 목걸이를 채워 준 카밀라가 내 목에 걸린 목걸이를 보며 기뻐했다.

"잘 어울리는구나, 우리 아티."

"암! 누구 딸인데!"

테르니가 추임새를 넣었다. 잘 어울린다니 다행이었지만, 여전히 돌아가는 상황은 알 수 없었다.

카밀라가 내 머리를 쓰다듬어 주며 말했다.

"딸을 정말 갖고 싶었는데, 이렇게 갖게 되다니. 무척이나 기쁘구나."

"가, 감사합니다."

"수줍어하는 것 좀 봐. 귀여워라."

뭐가 되었든 미움받진 않은 것 같아서 다행이었다. 풀어진 분위기에 나도 마음이 한결 편해졌다.

첫인상과 달리 카밀라는 무척이나 다정하고 상냥한 어머니였다.

이런저런 이야기를 하다가 테르니가 오해하게 만들었던 이야기까지 왔다.

"정말 그런 일이 있었단 말이니?"

돌아가신 줄 알았다고 오해해서 죄송하다고 말하자 카밀라가 호탕하게 웃으며 고개를 가로저었다.

"신경 쓰지 말렴. 테르니 이 자식 때문에 그런 오해를 하게 된 거잖아."

"아잇, 엄마! 나는 죄가 없어!"

"죄가 없긴!"

테르니가 이렇게 어쩔 줄 몰라 하며 눈치 보는 사람은 처음 보았다.

속으로 더 혼내 달라고 어머니를 응원하며 두 손을 꼭 쥐었다.

"어쨌든 본가에 있는 사흘 동안 내 집이다 생각하고 편하게 지내렴. 다시 한번 환영한다, 우리 딸."

카밀라가 다정한 미소와 함께 나를 끌어안았다.

목소리보다 나를 안아 주는 체온에 내가 지금 환영받고 있다는 사실이 더 여실히 느껴졌다.

"엇, 나도! 나도! 환영해, 아티!"

끌어안고 있는 우리를 보며 테르니가 끼어들었다.

"크험. 그럼 나도……."

지금껏 자리만 지키고 있던 오비에도 후작이 은근슬쩍 일어나서 합류했다.

"아티, 환영해!"

테르니의 환영 인사를 마지막으로 이제야 정말로 오비에도 후작가의 일원이 되었다는 것이 실감되었다.

✦ ♛ ✦

오비에도 후작가에서의 생활은 각오한 것 이상으로 이상했다. 나쁜 것은 아니고 그냥 이상했다.

"마치 내 집에 돌아온 듯한, 그런 착각이 들어……."

오죽하면 정말로 '아티엔느'라는 사람이 있었던 것 아닌가 하는 합리적 의심이 들 정도였다.

이튿날 황궁으로 출근하는 아버지 오비에도 후작에게 인

사하고 아침 식사를 마친 뒤, 나는 때아닌 평온함에 의아해졌다.

이 생각을 전해 들은 테르니가 신나게 웃었다. 너무 즐겁게 웃어서 얄미울 정도였다.

"걱정 마, 아티. 갑자기 진짜 아티가 나타나서 네가 가짜라고 폭로할 일은 없으니까!"

"당연히 진짜 아티는 황궁에 있기 때문이겠죠."

에센은 당연히 내 호위 기사로 따라오려 했으나 모종의 이유로 불발되었다.

"에센 님은 못 오시는 거예요?"

"응! 그 대신 내가 있단다!"

"오……."

그것참 반갑지 않은 소식이었다.

처음엔 농담을 하는 줄 알았는데 테르니가 방긋방긋 웃는 낌새가 이상했다.

"진짜 대신 온 거예요?"

"응."

"아니, 장난 말고, 진짜로?"

테르니가 어쩔 수 없다는 듯 고개를 가로저었다.

"정 알고 싶다면 진실을 알려 주지."

목소리를 낮춘 테르니가 내게 귓속말을 했다.

"사실은 휴가를 냈어."

"……."

머리가 빠르게 돌아갔다. 테르니는 아드리안의 측근 중

유일하게 서류 업무를 보는 보좌관이었다.

호위의 공백이야 다른 기사로 채우면 된다지만 보좌관의 존재는 그렇게 쉽게 채워지는 것이 아니다.

하물며 보통 2, 3명씩 데리고 있는 보좌관의 역할을 테르니 혼자서 해내고 있었다.

그래서 내가 낸 결론은 테르니가 휴가 신청서를 내고 튀었다는 것이었다.

"사실대로 말하세요."

이미 진실을 알게 된 내가 싸늘하게 쳐다보자 테르니가 슬픈 표정을 지었다.

"아티, 네가 똑똑해서 오라버니는 기뻐."

"나중에 돌아가면 어쩌려고 그러셨어요?"

"하지만 아티와 집에서 보내는 단란한 시간을 빼앗기기 싫었단 말이야!"

정말 한심하기 이를 데 없는 소리였다.

"정말 답이 없구나, 아들."

마치 내가 소리 낸 것처럼 말한 사람은 다름이 아닌 카밀라였다.

응접실로 들어온 카밀라가 테르니를 보며 쯧쯧 혀를 찼다.

"언제 철이 들래?"

"테르니는 영원히 엄마의 철없는 아들 할래요!"

"치워라, 자라지 않는 아들 같은 건 싫구나."

카밀라가 단칼에 쳐 냈지만 테르니의 민폐력은 사라지지 않았다.

카밀라에게 들러붙은 테르니가 연신 외동아들의 필살 애교를 부렸다.

"아잉, 엄마. 그래도 내가 예쁜 동생 데리고 왔잖아. 봐 주세요."

"그래, 그거 하나는 잘했어."

카밀라가 긍정하며 고개를 끄덕였다. 정말 저거 하나로 봐주는 거야?

테르니가 자랑스럽게 나를 보았다. 마치 칭찬을 해 달라는 눈빛이었는데…… 나는 그저 이 집안이 이해되지 않았다.

오비에도 후작가, 이대로 괜찮은 걸까?

"아티, 마침 찾고 있었단다."

"무슨 일이신가요, 어머니."

"어머나, 거리감 느껴지게 어머니가 뭐니. 그냥 엄마라고 불러."

"네? 하지만 그건 너무……."

"꺼릴 건 뭐니, 자. 엄마라고 불러 보렴. 엄마."

"엄마!"

내가 아니라 테르니가 외쳤다. 카밀라의 눈총을 받고도 반성하는 태도 없이 테르니가 내게 들러붙었다.

"자, 아티. 너도 해 봐! 쉬워!"

당연히 쉬우시겠죠.

"어, 엄마……."

이 말을 하는 게 왜 이렇게 어려운 건지. 점점 말소리가 줄어들었다.

정작 나는 부끄러워 죽을 것 같은데 테르니도 카밀라도 즐거워하며 기뻐했다.

"우리 아티, 잘하네!"

"그래. 잘 부르는구나. 앞으로도 그렇게 부르려무나."

"네, 어머…… . 아니, 엄마."

이 상황이 어색한 건 나뿐인가?

"엄마, 아티 찾고 있었다며."

"아아, 그랬지."

카밀라가 품 안에서 무언가를 꺼내 놓았다.

"자, 받으렴. 아티 네 것이란다."

"이게 뭐예요?"

손톱 크기만 한 푸른빛의 보석 안에 무언가가 반짝이고 있었다.

신기해서 쳐다보고 있는데 테르니가 옆에서 보석 안쪽을 가리키며 아는 척을 했다.

"저기 보석 안에 적힌 글자 봐 봐."

하얗게 반짝이는 건 보석 안에 새겨진 글자였다. 차분히 보석 안을 들여다보다가 고개를 들었다.

"……!"

눈이 마주치자 테르니가 웃으며 고개를 끄덕였다.

"맞아. 네 이름이야. 아티."

"어, 어떻게…… ."

이런 세공 기술은 들어 본 적 없었다.

"마법이란다."

태연하게 대꾸한 카밀라가 보석에 목걸이 줄을 달아 주었다. 테르니가 그새를 못 참고 줄줄이 설명했다.

"어제 엄마가 블루 다이아몬드로 한다고 했잖아. 그게 이거야."

"오비에도에는 없는 가풍이지만 내 친정의 가풍이란다."

카밀라가 온화하게 웃었다.

"태어나는 아기의 이름을 보석에 새겨 오래오래 건강하고 장수하길 바라는 풍습이지."

"아⋯⋯."

테르니가 주섬주섬 무언가를 꺼냈다. 손가락 두 마디만 한 크기의 사파이어였다.

역시나 사파이어 안에는 테르니의 이름이 새겨져 있었다.

"보석 안에 이름을 새기는 건 마법으로밖에 못 해!"

"너무 신기해요."

"그래? 희귀한 마법이긴 해. 이제는 장식으로밖에 쓰이지 않지만 이래 봬도 오래된 고위 마법이란다."

"아티팩트를 만들던 기술 중 하나래."

테르니가 자랑스럽게 덧붙여 말했다.

이런 귀한 걸 받아도 될까 모르겠다. 내가 망설이고 있으니 카밀라가 자애롭게 말했다.

"널 위해 만든 거니까 부디 잘 간직해 주렴."

"네. 그럴게요. 어, 엄마."

짤막하게 덧붙인 말에 카밀라가 웃었다.

화사한 미소에 괜히 부끄러움이 밀려와 얼굴이 붉게 물

들었다.

"아티 좀 봐, 부끄러워한다!"

테르니가 내 얼굴을 가리키며 웃었다. 테르니는 좀 사라
졌으면 좋겠다.

✦ ♚ ✦

"오랜만에 집에 와서 좋지?"

"네. 좋아요."

남의 집이었지만 내 집 같은 기분이 들었다. 정신을 차려
보니 하루 종일 테르니와 붙어서 놀고 있었다.

"내일은 뭐 할까? 밖에나 나가 볼까?"

"내일도 출근 안 해요?"

"응! 안 해!"

정말 이대로 괜찮은 걸까 진지하게 걱정을 해 주고 있는
데 하녀 한 명이 찾아왔다.

"마님께서 아가씨를 모셔 오라 하셨습니다."

"나를?"

내가 일어나니 테르니가 끼어들었다.

"나는?!"

"도련님은 절대 오지 마시라고 합니다."

"쳇. 왜지?! 그렇게 말하면 더 가고 싶잖아!"

"마님께서 아가씨와 단둘이 보내는 시간을 방해하면 두
고두고 후회하게 만들어 주신다고 전하라고 했습니다."

"앗……."

천하에 무서울 것이 없어 보이던 테르니가 처음으로 안색이 파래졌다.

테르니가 슬픈 표정으로 내게 전했다.

"미안, 아티. 같이 못 가 주겠다."

"……."

따라오라고 한 적 없는데.

눈물을 삼키며 배웅해 주는 테르니를 뒤로하고 후작 부인의 침실로 향했다.

"마님, 아가씨 오셨습니다."

"어, 들여보내."

하녀가 열어 주는 문 안으로 들어갔다가 깜짝 놀랐다.

침실 한가득 채우고 있는 드레스 때문에 발을 디딜 틈이 없었다.

"어서 오렴, 아티."

"이게 다 뭐예요?"

"드레스란다."

그건 봐서 알고 있다. 갑자기 웬 드레스인가 놀라서 물어봤으니까.

"네게 주려고 주문해 놨던 건데 주문 시기가 시기다 보니 유행이 지난 것도 보여서 고민 중이란다. 자, 골라 보렴."

"드레스를요?"

"딸이 생기면 언제고 직접 드레스를 맞춰 주고 싶었거든."

문득 옛 기억이 떠올랐다. 데뷔탕트가 되면 직접 하얀 드레스를 골라 주겠다던 진짜 내 엄마의 기억.

"너는 잘 모를 수도 있겠지만 데뷔탕트에 딸을 최고로 돋보이게 하는 건 귀부인들의 로망이거든."

무덤덤한 목소리를 들으면서 괜히 울 것 같은 기분에 휩싸였다.

가지지 못한 삶에 대한 미련은 없지만 부서진 엄마의 꿈에 대한 안타까움 때문일까.

"아티?"

내 안색을 살피던 카밀라가 나를 데리고 소파에 데려가 앉혔다.

"괜찮니?"

"……네. 괜찮아요."

애써 감정을 억누르며 웃어 보였지만 카밀라의 굳은 표정은 풀어질 줄 몰랐다.

카밀라가 깊은 한숨을 내쉬었다.

"아티."

나를 앉히고 그 앞에 앉은 카밀라가 나와 눈을 맞추었다.

"날 위해서 억지로 웃지 않아도 된단다."

웃고 있던 표정이 허물어졌다. 내가 어쩔 줄 몰라 하니 카밀라가 내 손을 잡으며 다정하게 말했다.

"우리는 진짜 가족이 되고 싶은 거야. 부담스러워해도 되고 싫어해도 되는데, 참지는 마. 네가 우리에게 잘 보이기 위해 너를 억누를 필요는 없단다."

여기서 무슨 말을 할 수 있을까. 대체 어떤 말을 해야 좋을지 알 수 없었다.

"……노력, 할게요."

"네가 노력할 필요는 없어. 노력은 우리가 해야겠지."

옅게 미소 지은 카밀라가 나를 품에 안았다. 작은 품이었지만 무척이나 다정하고 상냥했다.

"아까도 말할까 말까 고민했는데 이참에 그냥 말하는 게 좋겠네."

"무엇을요?"

"테르니 말이야."

갑작스러운 화제 전환에 살짝 긴장했다.

아까의 행동을 떠올려 보며 혹시 너무 격 없이 대한 것일까 후회하고 있을 때였다.

"테르니가 다 좋은데 좋아하는 사람을 괴롭히는 못된 버릇이 심하단다. 그러니까 가끔 테르니가 선을 넘는다 싶으면 내 이름을 들먹이면서 네가 자제 좀 시키렴."

역시 아들 걱정인가?

알겠다는 의미로 고개를 끄덕이자 카밀라가 화사하게 미소 지었다.

"걔가 선 넘어서 우리 가문까지 도매금으로 얻어맞으면 억울하잖니?"

아니군.

듣기로는 오비에도가의 5대 독자로 알고 있는데 참으로 냉정하기 그지없는 반응이었다.

무어라 답을 하기도 애매하여 고개만 끄덕이고 있는데

바깥이 소란스러워졌다.

창문 밖을 흘긋 보던 카밀라가 나를 보며 싱긋 웃었다.

"자, 마중 나가자. 각하께서 오신 모양이다."

"앗, 네."

카밀라의 손을 잡고 현관 홀로 내려갔다.

때마침 현관으로 들어오던 요제프 후작이 카밀라를 보자마자 환하게 미소 지었다.

"오, 나의 태양."

"우리 귀여운 종달새, 어서 와요."

두 분의 대화를 듣고 귀를 의심했다.

돌아오자마자 환영의 키스를 끝낸 두 분이 사이좋게 마주 보았다.

어제도 생각했지만 금슬이 참 좋으시네.

"우리 태양, 배고프진 않소?"

"후후. 준비해 놓았으니 같이 식당으로 가지요. 자, 아티."

"네? 네."

"그럼 먼저 옷만 갈아입고 내려오겠소."

요제프 후작이 위층으로 올라갔다. 카밀라와 둘이 남은 나는 흘긋 카밀라를 보았다.

"왜 그러는 거니?"

이런 걸 물어봐도 되나 싶었지만 도무지 못 참겠어서 조심스럽게 입을 열었다.

"왜 종달새…… 라고 부르시는 거예요?"

"잔소리하는 게 귀엽잖니."

호호 웃는 카밀라를 보며 나는 생각했다.

테르니가 그 모양 그 꼴인 건 절대 오비에도 가문과 연관이 없지 않다고.

✦ ♛ ✦

사나흘의 시간은 금방 흘렀다. 루드밀라 황후가 허락한 시간은 더 있었지만, 이대로 궁 밖에 나와 있는 것이 불안해서 나는 환궁을 결정했다.

"그래. 황궁 생활이 힘들면 언제든지 돌아와도 괜찮단다."

카밀라가 다정하게 웃으며 나의 의견을 받아 주었다.

"물론 나도 자주 보러 가마."

어차피 루드밀라 황후의 말벗인 터라 카밀라는 자주 입궁하는 편이었다.

후일을 약속하며 헤어진 나는 그대로 부푼 가슴을 안고 황궁으로 돌아왔다.

"내가 인사도 없이 가서 아드리안이 많이 화나 있겠지?"

어떻게 달래는 것이 좋을까 고민하며 릴리 궁으로 돌아온 나는 묘하게 궁이 조용하다는 인상을 받았다.

"마담 루시는 어디 있지?"

궁의 주인이 돌아왔는데 어째서인지 궁엔 사람 한 명 찾아보기 힘들었다.

환대는 무리여도 환영해 주는 사람은 하나 있을 거라고 생각했는데.

조금 쓸쓸함을 느끼며 내 방 침실에 도착했다. 그리고 아무 생각 없이 문을 열었을 때였다.

"······!!"

릴리 궁의 침대에서 정체불명의 두 사람이 뒹굴고 있었다.

바로 에센과 아드리안이었다. 에센의 상의가 벗겨진 것까지 확인하고 나는 황급히 문을 닫았다.

"좋은 시간 보내세요!"

문을 닫고도 아직 어안이 벙벙했다. 내가 지금 뭘 본 거지?

"······좋은 시간 보내세요?"

고개를 든 아드리안이 아티의 목소리에 인상을 찡그렸다.

"방금 누구였어?"

"내 약혼녀."

"······."

아드리안에게 맞아서 멍이 든 팔을 문지르며 에센이 일어났다. 그러고는 인상을 팍 찡그리며 소리쳤다.

"그런다고 걷어차냐? 침대가 아니었으면 죽을 수도 있었어!"

"뭐, 어쩌라고. 뒤가 침대였잖아. 그럼 된 거 아냐? 그리고 너야말로 잘도 날 팼겠다."

"네가 또 여장시키려고 하니까 그랬지!"

"날 지키는 게 네 의무잖아."

"이젠 아니거든?"

인상을 찡그리며 에센이 급하게 셔츠를 입었다. 그 모습을 지켜보다가 아드리안이 먼저 나갔다.

아무리 생각해도 아티가 남긴 말이 찝찝했기 때문이었다.

"앗!"

문을 열자마자 깜짝 놀란 아티와 눈이 마주쳤다.

아드리안은 대체 아티가 왜 이렇게 놀란 건지 이해할 수 없었다.

"왜 그렇게 놀라? 죄지었어?"

"네? 죄 안 지었어요."

"알아."

뒤쪽의 에센을 흘긋 바라보다가 아드리안이 다시 아티를 보았다.

오랜만에 보는 얼굴이 왜 이렇게 반가운지. 에센과의 말싸움으로 최저로 떨어졌던 기분이 살짝 나아졌다.

"오늘 오는 날이었던가? 모후께서는 내일이라고 하셨는데."

"아, 좀 일찍 출발했어요."

"그래?"

뭐가 됐든 아드리안은 좋았다. 아티가 없는 내내 기분이 최저치를 찍어서 디아노와 에센만 힘들었으니까.

"어땠어? 괜찮았어?"

조금 걱정을 담은 질문에 아티가 빙그레 웃었다.

"네, 괜찮았어요. 다들 잘해 주셔서 편하게 있다가 왔어요."

"그렇군."

에센이 다 갈아입었는지 아드리안 쪽으로 왔다. 다가오

는 에센을 보며 아티가 허둥지둥했다.

아티의 반응을 보며 아드리안은 의아했다. 아까부터 왜 저러는 거지?

"어서 와."

"네, 에센 님."

에센과 아티를 번갈아 보던 아드리안이 인상을 찡그렸다.

얼핏 보면 아티가 에센을 의식하며 부끄러워하는 것 같았는데…….

'뭔가 다른데.'

아티를 하루 종일 보고 있었던 아드리안만 알아차릴 수 있는 아주 미묘한 태도였다.

"근데, 아티."

"네, 네?"

"아까 그 말은 무슨 뜻이지?"

아드리안의 말에 아티가 두 눈을 동그랗게 떴다.

"무슨 말이요?"

"좋은 시간 보내라며."

"아…….."

이제 눈치챈 건지 에센이 인상을 찡그렸다. 아드리안은 에센 따위에 신경 쓸 시간이 없었다.

오로지 아티만 바라보며 이유를 알 수 없는 이 찝찝함을 해소하려 했을 뿐이었다.

아티가 살짝 얼굴을 붉히며 입을 열었다.

"그게, 두 분이 저 때문에 좋은 시간을 방해받으신 것 같아서……."

"좋은 시간?"

이번에 반응한 건 에센이었다.

"좋은 시간이라니?"

"그게, 두 분이 그렇게 붙어서……."

"우리가 붙어서 뭘?"

"애, 애정 행각?"

아티의 말에 둘의 표정이 일순 굳었다. 매서운 표정에 두려움을 느낀 아티는 입을 다물었다.

에센이 인상을 찡그리며 아드리안을 삿대질했다.

"내가 이놈이랑?!"

"내가 할 말이다."

기겁을 하며 거리를 벌리는 둘을 보며 아티가 고개를 갸웃했다.

"두 분……. 사랑하는 사이 아니셨어요?"

아드리안은 억울했다.

"누가 저딴 걸 사랑해?"

"야, 내가 할 소리야!"

에센이 끼어들었으나 아드리안이 단호하게 에센을 막고 아티의 앞에 섰다.

"따라와."

그리고 에센을 버린 채 아티를 데리고 그 자리를 떴다.

"야! 아드리안!"

아티를 끌고 나간 아드리안은 사람들이 지나다니지 않는 후원의 구석진 자리로 데리고 갔다.

"그동안 대체 뭐라고 생각했던 거야?"

"네?"

"처음 만났을 때부터 빠짐없이 다 말해 봐."

아티가 머뭇거렸다. 쉽지 않은 모양이다.

"화내거나 트집 잡지 않을 테니, 전부 다 말해. 어떻게 생각하고 있었던 건지."

해명을 요청하는 아드리안을 보다가 아티가 어쩔 수 없이 입을 열었다.

처음부터 자신을 게이라고 오해한 아티의 이야기를 쭉 듣다가 아드리안은 괴로워졌다.

'그러니까 내가 지금껏 한 구애는 다 수포로 돌아간 것이군.'

처음부터 다시 시작이었다.

그 말을 듣고 나니 지금까지의 아티의 태도가 이해되었다.

에센의 눈치를 보며 손을 떼어 내던 태도라든가, 축제 때 입맞춤을 하고 나서도 평소와 다름없던 태도라든가.

"……?"

뭐가 뭔지 영문을 모르는 아티는 두 눈만 깜빡이며 처분을 기다리고 있을 뿐이었다.

자신이 험악한 분위기를 잡고 있다는 건 자각했으나 아

드리안은 착잡한 마음을 숨길 길이 없었다.

"오해야."

"네? 하지만 침대에서 두 분께서 같이 계셨잖아요."

"그건……!"

아드리안은 헛웃음을 내뱉었다. 이걸 해명하고 있다는 사실 자체에 회의감이 밀려들었다.

하지만 여전히 의심 가득한 눈으로 자신을 보는 아티의 시선에 그냥 넘어가기도 뭐했다.

"에센과 나는 그냥 친구 사이다."

"친구…… 네, 알겠어요."

아티는 일단 고개를 끄덕였다. 일말의 의심이 남아 있지만 당사자들이 이렇게 길길이 날뛰니 진짜 아닐 수도 있겠다는 생각도 들었다.

'……다행이다.'

그런 생각을 한 아티는 스스로의 속마음에 화들짝 놀랐다.

아드리안이 게이가 아닌데 왜 이렇게 안심이 되는 건지 이유를 알 수 없었다.

그는 아직도 긴가민가하는 아티를 보며 필사적으로 자신의 성적 취향을 어필했다.

"침대에서 뒹굴고 있었던 건, 그 자식을 패고 있던 거라 그런 거야."

"패요?"

"그래. 내 명령에 불복했으니 당연한 처사 아닌가?"

"하하……."

그 후로도 아드리안은 한참이나 에센과 자신의 관계에 대해 해명을 늘어놓았다. 그쯤 되니 아티도 이제 대충 납득할 수 있었다.

그제야 마음이 놓인 아드리안은 진지한 눈으로 아티를 내려다보았다.

"그럼 지금부터 나를 잘 봐 둬."

"네? 네. 잘 보고 있어요."

아무래도 자신의 말뜻이 전해지지 않은 모양이었다.

"하……."

결국 아드리안은 참았던 깊은 한숨을 내쉬었다. 마른세수를 하는 아드리안을 지켜보다가 아티가 풋 웃었다.

갑자기 아티가 웃자 아드리안이 어이가 없어서 손을 내렸다.

"아니, 그 모든 게 제 오해였다니 이제 와서 너무 웃겨서요. 제가 과했네요."

"너 너무 편견 없어."

아드리안이 투덜거렸다.

"죄송해요."

별로 죄송하지 않은 표정으로 아티가 말했다.

뭐가 어찌 되었든 오해가 풀렸으니까 괜찮은 거 아닌가 싶으면서도 아드리안은 절망스러웠다.

다른 누구도 아닌 에센 따위와.

"다시는 그런 오해 하면 안 된다."

"네."

분명 인사도 안 하고 홀라당 오비에도가로 떠나 버린 아티를 만나면 추궁부터 하려고 했는데 상황이 꼬여 버렸다.

그럼에도 이 얼굴을 보고 있노라니 실없이 웃음만 나와서 아드리안은 곤란했다.

아티의 손을 잡으며 아드리안이 헛기침을 했다.

"이왕 나온 거 산책이나 하고 들어가자."

"네, 아드리안."

뭐, 그래도 완전히 나쁜 상황은 아니니까. 아드리안은 아티와 마주 잡은 손을 응시했다.

'일단은 이걸로 만족할까.'

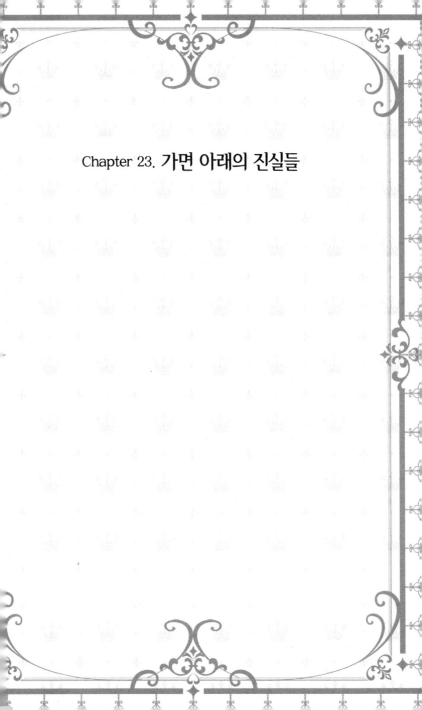

Chapter 23. **가면 아래의 진실들**

Chapter 23. 가면 아래의 진실들

평화로운 나날들이 흘렀다. 아드리안은 다시금 몰아치는 업무에 시달려 꽤 오랫동안 아티를 만나지 못했다.

'내가 공식 일정을 기다리는 날이 올 줄이야.'

머지않아 문이 열렸다.

"준비 다 됐어?"

"네!"

문밖으로 나간 아티는 그녀를 기다리고 있던 아드리안을 보았다.

아티의 드레스와 맞춰 평소에는 잘 입지 않는 하얀색 예복을 입은 아드리안의 모습은 색다르고 또 멋있었다. 아티는 감탄했다.

'하얀색도 잘 어울리다니, 정말 너무한 외모잖아.'

아드리안은 당연하다는 듯 아티에게 손을 내밀었다.

그녀가 붙잡지 않고 빤히 바라만 보자 아드리안은 살짝 인상을 찌푸렸다.

'이젠 손잡는 것 정도는 괜찮다고 생각했는데, 아니었나?'

스스럼없이 손잡는 것에 만족한 게 불과 얼마 전이었다. 고작 며칠 안 봤다고 이렇게 어색하게 굴 줄은 몰랐다.

아티와의 거리는 좁혔다고 생각하면 또 멀어져서 도무지 감을 잡을 수 없었다.

결국 아드리안이 먼저 물었다.

"……안 잡아?"

"아니요. 잡을게요."

아티가 조심스럽게 손을 올리자 그제야 아드리안은 만족스러워졌다.

작은 손의 온기에 불만스러웠던 감정이 눈 녹듯 사라졌다.

오늘 열리는 무도회의 테마는 가면무도회였다.

황가 주최의 파티로 어른들을 제외한 젊은 귀족 레이디들과 신사들만이 참석한다.

젊은 남녀의 아름다운 로맨스가 보고 싶다며 황후와 그녀의 측근들이 주최한 무도회였다.

'그래 봤자 모후께서는 참석도 못 하시면서. ……아, 가면 쓰고 몰래 지켜보고 계실지도.'

아드리안은 실없는 생각을 하며 아티의 손을 더 꽉 쥐었다. 아티가 의아해하며 그를 올려다보았다.

"왜요?"

"그냥. 작아서."

아티는 고개를 갸웃했다.

'무슨 의미일까?'

손이 작아서 싫다는 건지, 아니면 다른 의미가 있는 건지 알 수 없었다.

답을 기다렸지만 아무런 말도 없는 걸 보니 설명해 줄 생각은 없는 듯했다.

"오늘은 테르니 오라버니가 안 보이네요?"

"또 무슨 헛짓거리를 꾸미고 있겠지."

아드리안은 냉소를 지었다.

가면무도회야말로 자신이 꿈꿨던 무도회라며 특수 가면을 제작한다고 들떠 하던 녀석의 모습이 떠올렸다.

"……무섭네요."

아티는 조용히 공감했다.

황후 탄신 파티 때 댄스 플로어를 가로지르며 춤추는 커플들을 찢던 그 모습은 아직도 그녀에게 충격으로 남아 있었다.

"전하."

"아드리안."

아드리안은 아티의 호칭을 굳이 고쳐 주었다.

"네, 아드…… 리안."

아티는 머뭇거리며 아드리안의 이름을 불렀다.

계속 부르다 보면 익숙해지는데, 잠깐 떨어졌다가 다시 부르려고 하면 왠지 부끄러웠다.

"계속 불러야 익숙해지니까. 그편이 더 진짜 약혼녀 같을 테고."

"맞아요."

아티가 고개를 끄덕였다.

'내가 아티의 목소리로 이름을 듣고 싶은 욕심이 더 크지만.'

아드리안은 흑심을 숨기면서도 이름을 꼭 불러야 하는 명분을 만들어 내었다.

결연하게 고개를 끄덕이는 아티의 모습이 귀여웠다.

릴리 궁을 나서기 직전, 아드리안이 걸음을 멈췄다.

"가면은?"

"여기에 있어요!"

아티는 마담 루시가 챙겨 주었던 가면을 주섬주섬 꺼냈다.

언뜻 단순해 보이지만 자세히 보면 얼마나 신경을 썼는지 느껴질 정도로 섬세한 가면이었다.

아드리안이 넌지시 물었다.

"마음에 드나?"

"네, 너무 과하지도 않고 정말 예쁜 가면이에요."

"다행이군."

아티의 반응에 아드리안은 흡족해했다. 가면 장인에게 신경 쓰라고 닦달한 보람이 있었다.

혼자 끙끙대며 가면을 쓴 아티가 아드리안을 바라보았다.

"전하는 안 쓰세요?"

"아, 써야지."

아티는 아드리안이 꺼낸 가면을 보며 살짝 놀랐다.

'내 가면이랑 뭔가 느낌이 비슷하네……'

약혼한 사이라 일부러 비슷하게 제작한 걸까? 궁금했지만 괜히 설레발을 치는 걸까 봐 물어보지 않았다.

가면을 쓰려던 아드리안은 도로 손을 내렸다. 지켜보던 아티가 고개를 갸웃했다.

"전하?"

"잠깐만."

아드리안이 손끝을 튕기자 그의 옅은 금색의 머리카락이 순식간에 은발로 바뀌었다.

마법이었다.

"혹시라도 알아보면 피곤하니까."

장난스럽게 웃은 아드리안이 가면을 썼다. 아티는 애써 마음을 진정시켰다.

가면으로 순식간에 미소가 가려졌지만 평소와 다른 분위기의 아드리안 탓에 심장이 두근거렸다.

'왜 하필 나랑 같은 머리 색일까?'

아티가 골몰하는 사이 아드리안은 그녀의 손을 다시 쥐었다.

"가자. 그리 먼 거리도 아니니 그냥 걸어가는 게 좋겠군."

"네. 밤바람이 좋으니까요."

두 사람은 손을 잡은 채 플로렌스 궁을 향해 걸었다.

가면무도회 탓인지 황궁 내 분위기가 어수선하고 들떠 있었다.

지나던 사람들이 흘끔거리며 아티와 아드리안을 쳐다보았다.

"누굴까?"

"처음 보는 분이야."

하녀들이 수군대는 소리를 들으며 아티는 고개를 갸웃했다. 다들 눈이 이상한 건가.

'어떻게 봐도 아드리안이잖아?'

머리 색만 바뀌고 평소에는 입지 않는 하얀 예복을 걸치고 눈가를 가리는 가면만 썼을 뿐이다.

"옆에 분은 연인인가?"

"그런가 봐. 가면이 비슷하잖아!"

"잘 어울린다!"

아드리안은 황급히 입을 틀어막았다. 입꼬리가 마음대로 올라가려 하고 있었다.

혹시 아티가 봤을까 싶어 내려다보았지만 그녀는 다른 생각에 잠겨 있었다.

'일부러 비슷한 디자인으로 제작하라고 한 건 눈치 못 챈 모양이군.'

다행이라고 생각하면서도, 어쩐지 씁쓸했다.

하지만 다가가면 달아날 테니 그들에게는 딱 이 정도 거리감이 적당했다. 게이라는 오해를 벗은 지도 얼마 되지 않았으니까.

자신의 신분이 드러나지 않게 변장까지 했음에도 연인이라고 불렸다는 사실에 기분이 좋았다.

머지않아 플로렌스 궁에 도착한 그들은 파티가 열리는 플로어에 바로 입장했다.

가면무도회의 테마는 '비밀스러움'이었기 때문에 시종이 문 앞에서 초대장과 신원 확인만 할 뿐 이름을 부르지는 않았다.

"평소랑 분위기가 완전히 다르네요."

"아무래도 간섭할 사람들이 없으니 그렇겠지."

아티는 고개를 끄덕이며 주위를 살폈다. 확실히 얼굴을 가리니 부담감이 덜했다.

하지만 가면을 썼는데도 존재감이 완전히 지워지지 않았는지 여기저기서 아드리안을 힐끔힐끔 쳐다보았다.

빤히 올려다보는 아티의 시선을 느낀 아드리안이 물었다.

"왜?"

"아니에요."

"혹시 몸이 안 좋은 거라면 바로 이야기해."

아티가 고개를 끄덕이자 그가 작게 웃으며 손을 끌어당겼다.

그는 입장하자마자 아티를 데리고 홀 가장자리로 향했다.

지나가던 시종에게 음료 잔을 받은 아드리안이 아티에게 내밀었다.

"자."

"아, 감사합니다."

아티가 수줍게 웃으며 잔을 받아 들었다.

잔을 홀짝이다가 맛있는지 두 눈을 크게 뜨는 그녀의 모습을 보며 아드리안은 조용히 웃었다.

'귀엽군.'

할 수만 있다면 이런 연회 홀이 아닌 자신만 볼 수 있는 곳에 가둬 두고 혼자 보고 싶을 정도로.

'뭐, 불가능하지만.'

음료가 맛있었던 건지 아티는 금방 한 잔을 다 비워 냈다. 아드리안은 자연스럽게 아티의 빈 잔을 받아 들며 물었다.

"더 마실 건가?"

"음, 아니요."

"목마르면 말해."

"전, 아니 아드리안은 안 마셔요?"

주위의 시선을 의식한 아티는 이름을 작게 속삭이며 물었다. 다행히 아티의 음성을 들은 사람은 아드리안뿐이었다.

"난 괜찮아."

아드리안의 시선이 아티의 입술로 향했다.

'……그보다 다른 게 더 갈증 나니까.'

차마 그 말을 입 밖으로 꺼낼 수 없었다.

초대된 모든 이들이 입장을 완료했는지 일시에 음악이 바뀌었다. 아티가 기대감에 두 눈을 반짝거렸다.

'가면무도회라, 제법 괜찮은데.'

아드리안은 웬일로 황후의 기획이 마음에 들었다.

신분을 감추고 있으니 황태자라는 신분 아래 뭔가 떨어질까 기대하며 들러붙는 이들이 없어서 매우 좋았다.

거기다 무슨 짓을 하든 자신에게 향하던 짜증 나는 시선들 또한 훨씬 줄기까지 했다.

대충 시간을 때우다가 적당히 빠져나갈 생각을 할 때였다.

"……!"

아드리안은 못 볼 것을 봐 버리고 말았다.

아티를 내려다보자 그녀도 같은 것을 봤는지 푸른 두 눈이 충격에 얼룩져 있었다.

"저, 전하."

"눈 피해. 고개 숙여."

펼쳐진 광경이 너무 충격적인 나머지 아드리안은 아티가 호칭을 실수했다는 것도 인지하지 못했다.

그들이 목격한 충격적인 장면.

홀의 모든 이들의 시선을 강탈한 그것은 바로 엄청난 가면을 뒤집어쓰고 있는 한 사람이었다.

"하하! 하하하!"

테르니였다!

"다들 나만 쳐다보고 있네. 가면을 써도 미모가 감춰지질 않나 봐! 하하!"

얼굴을 완전히 가리는 커다랗고 화려한 가면을 쓴 테르니는 자신을 주목하는 시선이 즐거운지 연신 행복하게 웃고 있었다.

다행히 홀 구석에 있는 두 사람은 발견하지 못했다.

"더 구석으로 피하지."

"네!"

그들은 은밀하게 움직여 테르니와 더욱 멀어졌다.

신난 웃음소리가 아득하게 들릴 정도가 돼서야 안도할 수 있었다.

"제정신이 아니군."

"그러게요. 이번에도 정말 어마어마하네요."

두 사람은 부디 테르니가 이쪽으로 오지 않기를 바랄 뿐이었다.

가면무도회의 테마가 '비밀스러움'임을 망각한 게 틀림없었다.

'답도 없는 관심종자 같으니라고……'

아티는 한숨을 내쉬며 고개를 절레절레 저었다.

한창 무도회의 분위기가 무르익었다.

서로의 신분을 모르는 선남선녀들이 얼굴을 붉히며 댄스 플로어에서 춤을 추었다.

그새 마음이 맞았는지 은밀히 자리를 뜨는 커플도 있었다. 아티는 들뜬 얼굴로 갓 탄생한 예비 연인들을 바라보았다.

'소설에 나올 것만 같아. 마리에가 좋아하겠다.'

그저 바라보고만 있어도 흐뭇하고 즐거웠다.

아드리안은 그런 아티를 보며 고민에 빠졌다.

애초에 가면무도회의 참석 목적은 황후 주최기에 빠질 수 없어서였다.

어느 정도 머물렀으니 목적은 다했다. 하지만 즐거워하는 아티 탓에 자리를 뜰 수가 없었다.

'춤이라도 춰야 하나?'

그가 인상을 찡그리며 깊은 고뇌에 잠겨 들었을 때, 주위를 두리번거리던 아티가 작게 감탄사를 냈다.

"어!"

"왜?"

"저기 저분, 황후 폐하 아니세요?"

"설마 모후께서 여기에—."

있었다.

농담처럼 '어쩌면 있을 수도 있겠다'라고 생각은 했지만 정말 황후가 몰래 무도회를 관전하고 있을 줄이야.

"정말 못 말리시겠군."

"어떡해요? 가서 인사를 드릴까요?"

"아냐. 알은체하면 아마 싫어하실걸."

몰래 연인 탄생기를 관찰하러 온 게 분명하니 신분이 탄로 나길 바라지 않을 것이다.

아드리안의 말뜻을 이해한 아티도 작게 고개를 끄덕였다. 그들은 황후를 배려해서 모른 척 자리를 피해 주었다.

평소에 무도회를 피곤해하는 것과 달리 아티는 제법 즐거워했다. 그녀는 밝게 웃으며 아드리안에게 속삭였다.

"그나저나 모두들 예쁜 가면을 준비해서 썼네요. 특히 클레스 남작 영애의 가면이 제일 예쁜 것 같아요."

클레스라면 아드리안도 마리에 때문에 몇 번 봐서 아는 얼굴이었다. 하지만 아무리 둘러봐도 비슷한 얼굴이 보이지 않았다.

"클레스? 어디에 있지?"

"저기요."

아드리안은 아티가 손짓한 곳을 보았다. 한 레이디가 있었는데, 머리 색이 클레스 영애와 달랐다.

"마법으로 머리 색을 바꾸었나 봐요."

"도대체 어떻게 알아보는 거야?"

가면만 쓰고 있다면 모를까 머리 색까지 바꾸고 평소와는 다른 옷차림을 했는데도 아티는 한눈에 알아보았다.

그녀는 이해가 되지 않아 고개를 갸웃거렸다.

"다들 상대가 누군지 알고 있는 거 아니었어요?"

"모를걸."

"아니, 어떻게 모를 수가 있지?"

아드리안은 미간을 살짝 좁혔다.

'작정하고 변장하고 왔으면 ……모르겠는데.'

"아티 너는 다 알아보는 건가?"

"네, 당연하죠. 저기 마리에가 있고, 저기 저분은 시시뉴님. 저쪽에 이바나 백작 영애도 있고요."

아드리안은 아티의 눈길을 따라 시선을 옮겼다. 하지만 다들 차림새가 평소와 달라서 알아보기가 힘들었다.

열심히 변장한 사람들을 읊던 아티가 누군가를 발견하고 손짓을 했다.

"……아, 디아노 경! 이쪽으로 와요!"

그 외침에 백금발의 사내가 멈칫, 하며 걸음을 멈추었다.

엉성하게 주위를 둘러보는 태도가 영락없이 디아노였다.

디아노가 주변을 두리번거릴 뿐 그들을 발견하지 못하자 아티가 손을 흔들며 다시 외쳤다.

"여기예요!"

"아."

디아노가 뒷머리를 긁으며 두 사람에게 다가왔다.

"여기에 계셨군요. 한참 찾았습니다. 저—."

"전하라고 하지 마라."

"그럼 뭐라고 부르면 될까요?"

"부르지 마, 그냥."

"옙."

디아노는 습관처럼 아드리안의 옆을 지키며 주위를 매섭게 노려보기 시작했다.

그러자 사람들이 기세에 눌려 슬금슬금 자리를 피했다.

"노려보지 마. 너 때문에 내 신분이 들통나면 책임질 건가?"

"그, 그게……."

아티는 아드리안에게 갈굼당하는 디아노를 동정의 눈으로 보았다.

비슷한 처지라 동질감이 들지 않을 수가 없었다.

"그런데 도대체 저를 어떻게 알아보신 겁니까? 아무도 저를 알아보지 못했는데요."

"응? 설마요. 딱 봐도 디아노 경이었는데요?"

"예에? 머리 색도 전하처럼 백금발로 바꾸었습니다만."

알고 싶지 않은 사실을 알아 버린 아드리안이 인상을 와작 구겼다.

'왜 하필 백금발인가 했더니.'

심히 불쾌했다.

주군이 불쾌해하는 것도 모르는 디아노는 그저 뿌듯해했

다. 그는 아드리안을 보며 새삼 감탄했다.

"전…… 아니, 께서는 에센처럼 은발을 하셨군요. 역시 잘 어울리십니다."

"뭐? 다시 말해 봐."

"잘 어울리신다고 말씀드렸습니다."

"누구처럼?"

"에센처럼……."

'에센이 아니라 아티라고.'

아드리안은 끓어오르는 빡침을 삼키며 디아노를 노려보았다.

'왜 저러시지?'

디아노는 무언가 잘못되었다는 것을 깨달았지만 도대체 뭐가 잘못되었는지는 알 수 없었다.

그렇게 그들이 그들끼리의 대화를 하고 있을 때, 불행이 찾아왔다.

"하하하! 다들 감쪽같게도 변장하고 왔군! 하마터면 못 알아볼 뻔했지 뭐야?"

"……!"

그들은 일시에 얼어붙었다. 들려선 안 되는 목소리가 바로 등 뒤에서 들려왔다.

아티는 용기를 내어 고개를 돌렸다.

예의 그 거대한 가면을 둘러쓴 테르니가 위풍당당하게 서 있었다.

"다들 머리 색을 바꾸었는데, 우리 아티만 그대로더라고!"

"아아……."

아티는 탄식했다.

'머리 색을…… 바꿨어야 했는데…….'

그녀는 차마 거기까지 생각 못 한 스스로를 질타했다. 아드리안이 아티의 어깨에 손을 올렸다.

"괜찮아. 어차피 저 자식은 머리 색이 달랐으면 더 난동 피우면서 너를 찾았을 테니까."

"아……."

어떤 짓을 했어도 이 비극을 피할 수 없었다는 사실에 아티는 또다시 절망했다.

"뭐야, 뭐야. 무슨 얘기 하고 있어? 나도 끼워 줘!"

"대체 그 흉물스러운 가면은 어디서 난 거야?"

"뭐? 너도 이 가면 갖고 싶어? 안 돼!"

"……."

아드리안이 싸늘하게 테르니를 노려보았다.

테르니는 못 본 척 능청스럽게 시선을 돌리며 아티에게 달라붙었다.

"아티, 너도 이 가면이 탐나? 원한다면 줄 수 있어. 사실 두 개 만들었거든!"

"아, 아니요. 괜찮아요."

"에이, 괜찮긴. 말만 해. 우리 커플 가면 쓰자!"

아티가 질겁하며 몸을 슬금슬금 뒤로 물렸지만, 테르니는 어깨동무를 한 채 귀찮게 달라붙었다.

결국 아드리안이 손수 테르니를 떼어 내었다.

"집적거리지 말고 비켜."

"뭐야? 왜 이래? 아티가 네 거야?"

"어. 내 약혼년데."

"내 동생이거든?!"

"웃기고 있네."

"웃기는 건 너지!"

아티는 자신을 가지고 말싸움을 하기 시작하는 아드리안과 테르니에게서 슬금슬금 멀어졌다.

"설마…… 황태자 전하신가?"

"맞나 봐! 저분 테르니 님이잖아!"

테르니의 존재감에 아드리안의 신분이 들통나려 했다.

심상치 않은 분위기를 느낀 아드리안은 인상을 구기며 테르니의 멱살을 쥐었다.

"입 다물고 따라와."

"어, 어? 네가 끌고 가는데 지금? 내 의지가 없는데?"

아드리안은 테르니를 질질 끌고 사람이 없는 발코니로 향했다. 디아노가 아티에게 눈짓했다.

"저희도 따라가죠."

"……안 가면 안 되겠죠?"

"전하를 말릴 사람이 아티 님밖에 없어서……."

"아니, 전 못 말리는데요?"

아티가 부정했지만 디아노는 완강했다.

결국 아티는 유혈 사태가 발발하려 하는 발코니에 발을 들였다.

"아아악! 살려 줘, 아티!"

테르니가 쪼르르 달려와 아티 뒤로 몸을 숨겼다. 아드리안이 테르니를 죽일 듯 노려보았다.

"흑흑. 괜히 먼저 인사했네. 안 했으면 나인지 몰랐을 텐데."

"……?"

너무 어처구니가 없는 테르니의 발언에 발코니에 있던 모든 이들이 그를 쳐다보았다.

"왜? 설마 아티 너는 내가 나인 거 알았어?"

'그걸 몰라서 묻는 걸까?'

아티는 어색하게 웃으며 테르니의 가면을 응시했다.

거대하고 화려한 가면을 쓴 테르니는 그냥 딱 봐도 '테르니' 그 자체였다.

"아니, 어떻게 알아봤지? 얼굴을 다 가렸는데."

아무도 테르니의 말에 대꾸해 주지 않았다. 그들이 그런 실없는 대화를 나누고 있을 때였다.

사람이 있음을 알리는 커튼을 걷고 누군가 발코니로 발을 들였다.

시종장 라르고였다. 아드리안을 한번 본 그는 반신반의하며 물었다.

"전하십니까?"

"어, 나다."

아티는 고개를 갸웃했다. 아무리 봐도 아드리안인데 다들 헷갈려 하는 이유를 알 수 없었다.

"황제 폐하께서 부르십니다."

"급한 일인가?"

반문하며 아드리안이 아티를 흘긋 쳐다보았다. 이곳에 홀로 두고 가기가 마음에 걸렸다.

'아마 가브리엘도 참여했을 텐데.'

"금방 끝나는 용건이라고 말씀하셨습니다."

황제의 부름을 거절할 수 없는 처지라 아드리안은 별수 없이 발걸음을 떼었다.

"지금 가지."

그는 테르니의 곁을 스치며 어깨에 손을 얹었다.

"아티 곁을 지켜라."

"응! 나한테 맡겨!"

못 미더운 눈으로 테르니를 보던 아드리안이 이윽고 디아노와 함께 발코니를 벗어났다.

졸지에 테르니와 단둘이 남게 된 아티는 질린 눈으로 그의 가면에 달린 갈기를 쳐다보았다.

"멋있지? 사자 같지?!"

"아, 네."

"맞아, 나도 그렇게 생각해! 여기 이 부분은 릴럿 새 털로 만들었다?"

"……"

그 귀한 털을 저런 괴작을 만드는 데 쓰다니. 너무 아까웠다.

'심지어 하나 더 있다고 했어.'

과연 살면서 테르니의 사고방식을 이해할 수 있는 날이

올지가 궁금해졌다.

한참 동안이나 가면 자랑을 늘어놓던 테르니가 갑자기 배를 쓰다듬었다.

"오늘 너무 기대하는 바람에 밥을 제대로 못 먹고 나왔어. 나 뭐 좀 먹고 올게~!"

"네? 잠깐……!"

아티가 붙잡기도 전에 테르니는 홀로 돌아가 버렸다.

"어휴, 내가 이럴 줄 알았지."

아티는 한숨을 내쉬며 발코니 난간에 몸을 기댔다.

어두운 시야 너머로 군데군데 조명이 켜진 밤의 정원이 보였다.

테르니를 따라 홀로 돌아갈까 싶었지만 아까의 소동으로 이미 신분이 탄로 났을 테니 모습을 드러내고 싶지 않았다.

'어차피 아드리안도 없으니 여기서 시간이라도 좀 때울까.'

마리에에게 가 볼까도 생각했지만, 다른 레이디들 사이에 있어서 끼어들기가 뭐했다.

'미안, 마리에!'

마리에가 알았다면 왜 안 구해 줬냐면서 따졌을 테지만 일단은 당장의 안위가 중요했다.

"음……."

아티는 좀처럼 돌아오지 않는 테르니를 기다리며 이런저런 생각에 잠겼다.

늘 그렇듯 그녀의 상념은 미래에 관한 것이었다.

앞으로 자신은 어떻게 될 것인가. 과연 자신에게 평화가 찾아오기나 할까? 그런 고민들.

커튼 너머로 들려오는 악단의 연주마저 아련하게 들릴 정도로 딴생각에 빠져 있을 때, 옆얼굴을 내리쬐던 홀의 불빛이 일순 강해졌다.

아티가 고개를 돌리자 걷힌 커튼 너머로 한 남자의 모습이 보였다.

키가 큰 흑발의 남자였다. 얼굴은 가면에 가려 보이지 않았다.

"아, 계신 줄 몰랐습니다. 죄송합니다."

남자가 사과를 하며 한 발짝 물러났다. 강한 빛에 눈살을 찌푸렸던 아티가 고개를 갸웃했다.

"미카엘 님?"

"……라라?"

놀란 남자의 음성과 함께 커튼이 그의 손안에서 힘없이 늘어졌다. 홀에서 들려오던 음악이 살짝 아득해졌다.

"미카엘 님 맞죠?"

확신을 가지고 물어 오는 질문에 미카엘은 당황했다.

그도 그럴 게, 그는 지금 머리부터 발끝까지 변장한 상태였다.

머리 색은 본래의 화려한 금발을 감추고 흑발로 바꾸었고, 얼굴을 가리는 가면까지 썼다.

혹여나 목소리로 알아보는 상황이 있을까 봐 목소리까지 마법으로 바꾼 상태였다.

'……어떻게 알아본 거지?'

미카엘을 흠모하며 추종하는 레이디들조차 그를 알아보지 못했다.

그래서 오늘 무도회는 이렇게 아무 일 없이 끝나는구나, 싶었는데.

"예. 제가 맞습니다, 라라."

"역시 그럴 줄 알았어요! 흑발도 잘 어울리는데요?"

"라라도 가면이 참 예쁩니다."

미카엘이 웃으며 아티에게 다가갔다.

자신을 알아본 사람이 다른 누구도 아닌 라라여서 다행이라는 생각이 들었다.

'라라와 함께 있으면 마음이 편하니.'

미카엘은 아마 라라도 그와 같은 생각일 것이라 생각했다.

"그런데 저를 어떻게 알아보신 겁니까? 목소리까지 바꾸었는데."

"목소리는 달라도 분위기가 딱 미카엘 님이었거든요."

"분위기…… 말씀이십니까?"

"네. 딱 보니까 알아보겠는데요?"

아티는 고개를 갸웃했다. 오늘따라 안면 실인증인 사람들이 많았다.

'그냥 보면 알겠는데, 왜 다 못 알아보는 거지?'

고작 가면이나 머리 색으로 정체를 감출 수 있다는 게 더 이상하지 않나.

하지만 자신만 그렇게 생각하는 듯했다.

"그나저나 라라와 무도회에서 만나는 건 처음이네요."

"그러게요. 여기서 미카엘 님을 만날 줄은 상상도 못 했어요!"

'역시 예전에 무도회에서 본 미카엘 님은 잘못 본 게 아니었구나.'

교양 있는 말투나 옷차림 같은 것들로 이미 높은 집안의 자제일 거라고는 생각했다.

굳이 신분으로 벽을 만들고 싶지 않아 성을 물어본 적은 없지만.

거기다 단둘만 있는 발코니라 마치 정원에 있는 것 같은 착각마저 들었다.

다소 들떴던 마음이 차분하게 가라앉았다.

미카엘은 아티의 모습을 살폈다.

평소에는 가벼운 드레스를 입고 다녀서 이렇게 한껏 꾸민 드레스 차림이 새로웠다.

"혼자 오지는 않았을 테고, 파트너는 어디에 있습니까?"

"아, 파트너는……."

뒷말을 흐리던 아티가 작게 웃어 보였다.

"일 때문에 잠깐 자리를 비웠어요."

"그렇군요."

"미카엘 님은요?"

"라라와 비슷한 상황입니다."

둘은 동시에 웃음을 터트렸다.

미카엘은 무도회에 도착하자마자 그를 놓고 사람들을 향해 떠나 버린 무정한 여동생을 떠올렸다.

'차라리 곁에 없는 편이 당장 마음이 편하지만.'

그래도 눈에 안 보이는 건 걱정이 됐다. 또 무슨 사고를 칠지 몰라서.

"같이 바람맞은 처지끼리 시간이나 때울까요?"

미카엘의 제안에 아티가 방긋 웃었다.

"좋아요. 정원에서처럼요?"

"예. 정원에서처럼."

아티는 고개를 끄덕이며 다시 난간에 편하게 몸을 기대었다.

정원에 쉬러 나올 때마다 미카엘을 만나면 아무 말 없이 서로 휴식을 취하곤 했다.

대화를 할 때도 즐거웠지만, 대화 없이 각자 시간을 보내는 것도 평화롭고 좋았다.

'안식처 같은 느낌이려나.'

멀리서 강한 바람이 불어왔다. 정원의 꽃을 쓸고 온 건지 옅은 향이 풍겼다.

아티는 흩날리는 은색의 머리칼을 넘기며 몸을 바로 세웠다.

달빛에 비친 아티의 은발이 마치 호수의 표면처럼 새하얗게 반짝였다.

그래서였을까.

"저의 첫 춤 상대가 되어 주시겠습니까?"

충동적으로 그녀에게 손을 내민 것은.

하지만 미카엘은 자신의 그런 충동적인 제안이 마음에

들었다.

아티가 고개를 들었다. 가면 아래 옅은 푸른색의 눈동자가 그를 고요히 응시했다.

'역시 거절이겠지.'

당연히 그녀에게는 어엿한 약혼자가 있으니까.

상대가 누구인지 이미 알고 있기에 미카엘은 상처받을 준비가 되어 있었다. 그러나.

"좋아요."

"……예?"

생각지도 못한 대답에 미카엘은 다소 놀랐다. 아티도 같이 놀랐다.

"저한테 춤 신청하신 거 아니에요?"

"맞습니다."

"그런데 왜 그렇게 놀라세요?"

"……라라가 승낙할 줄 몰랐습니다."

아티는 고개를 갸웃했다. 춤 정도는 출 수 있는 것 아닐까. 다른 레이디들도 여러 영식들과 춤을 추고는 했다.

미카엘의 입가에 미소가 떠올랐다. 어찌 됐든 주어진 기회를 놓칠 정도로 바보는 아니었다.

"그럼."

미카엘이 아티의 손을 쥐었다. 오랫동안 발코니에 머물렀던 탓인지 그녀의 손은 아주 차가웠다.

그는 아티를 이끌고 발코니를 나왔다. 홀에 들어서자마자 마침 곡이 바뀌었다.

미카엘은 아주 능숙하게 아티를 댄스 플로어로 이끌었다.

"미카엘 님, 춤 잘 춰요?"

"어느 정도는 춥니다. 라라는요?"

"음……. 좀 아플지도 몰라요……."

기어들어 가는 아티의 음성에 미카엘이 작게 웃었다.

"괜찮습니다. 최대한 참아 보도록 하죠."

춤을 추는 동안 두 사람의 분위기는 화기애애했다.

아티가 걱정했던 것처럼 미카엘의 발을 밟는 상황도 벌어지지 않았다.

갑자기 등장한 한 쌍의 남녀에 모든 이들의 시선이 그들에게 집중되었다.

흑발의 미남과 은발의 미녀. 사교계에서는 생소한 조합이었다.

"저 공자는 누구실까요?"

"흑발이면, 테르니 공자님이 아닐까요?"

"테르니 공자님은 아까 엄청 큰 가면을 쓰고 오셨는걸요. 그러니 확실히 아니에요. 아! 저기 계시네요!"

"아……."

그들은 거대 가면을 쓴 이가 테르니일 거라는 것에 한 치의 의심도 없었다.

"아무래도 마법으로 머리 색을 바꾼 것 같군요."

그렇게 미카엘의 정체는 밝혀지지 않았다.

하지만 아까 소동 때 상황을 목격한 이들이 은발 여자의 정체를 입에 담았다.

"상대 분은 아마 레이디 오비에도일 거예요. 아까 테르니 공자와 계신 걸 봤거든요."

"어머. 그럼 저 흑발의 남성은 황태자 전하시겠네요!"

그렇게 흑발의 남자가 황태자로 기정사실화되는 순간―.

'누구라고?'

막 홀에 들어선 아드리안이 미간을 찌푸렸다.

갑자기 자신이 거론되고 있었다.

아드리안은 그들의 시선이 일제히 향해 있는 곳으로 눈길을 돌렸다.

"뭐야."

불쾌함이 가득 담긴 음성이 저도 모르게 흘러나왔다.

그의 눈앞에 도저히 믿을 수 없는 광경이 펼쳐졌다.

어째서 자신의 약혼녀가 낯선 남자와 춤을 추고 있단 말인가?

아드리안은 짜증스럽게 홀을 훑었다.

'천하에 도움 안 되는 자식.'

아니나 다를까 테르니는 남들의 시선에 아랑곳 않고 무도회의 음식들을 즐기고 있었다.

'어쩐지 불안해서 디아노마저 내팽개치고 서둘러 왔더니.'

이 사달이 났을 줄이야.

아티는 그의 속도 모르고 꽤나 즐겁게 춤을 추고 있었다. 웬일인지 상대의 발을 밟지도 않았다.

"제길."

분노가 치밀어 올라 금방이라도 아티를 저 손에서 빼내

고 싶었지만 가까스로 참았다.

대신 아드리안은 사람들이 자신으로 착각한 흑발의 남자를 주시했다.

'뭔가 익숙한데.'

어디선가 많이 본 것 같은 느낌이 들었다.

기억력이 비상한 그가 알아보지 못할 정도라면 아마 머리 색을 바꾸었을 것이라 추측했다.

'왜 이렇게 안 끝나?!'

아드리안은 춤추는 한 쌍을 불타는 눈으로 노려보며 음악이 끝나기만을 기다렸다.

하지만 곡조는 끝날 듯 말 듯 하며 계속 이어졌다.

'아무래도 악단 쪽을 치는 게 빠를 것 같은데.'

아드리안이 저지르면 돌이킬 수 없는 고민을 할 때 다행히 곡이 끝났다.

다음 음악으로 바뀌기 직전의 휴지기에 아드리안은 댄스 플로어에 성큼 걸어 들어갔다.

"어머나!"

"……앗!"

거침없는 걸음에 사람들이 화들짝 놀라며 자리를 비켰다. 머지않아 아드리안은 아티 앞에 섰다.

"전하?"

주변을 의식한 건지 호칭이 달랐지만 너무 작은 음성이라 미카엘과 아드리안 외에 들은 이는 없었다.

아드리안은 아티를 그저 가만히 바라보았다. 막상 앞에

서니 무슨 말을 해야 할지 알 수 없었다.

다른 남자와 춤을 춰서 분노가 치민 건 맞지만, 아티의 탓을 할 수도 없었다.

'춤이야 누구와도 출 수 있으니까.'

하지만 화가 나는 건 화가 나는 것이다. 아드리안은 남자를 향해 천천히 고개를 돌렸다.

"이자는 누구지?"

아드리안의 물음에 미카엘이 옅게 미소를 지었다.

"보는 눈이 많으니 일단 가장자리로 자리를 옮기는 게 좋겠습니다, 전하."

아드리안은 눈매를 좁혔다.

조금의 망설임도 없이 자신을 '전하'라고 칭하는 것을 보아 아까의 위화감은 착각이 아니었다.

그들이 댄스 플로어에서 벗어나자 몰려들었던 시선이 어느 정도 분산되었다.

"레이디 오비에도에게 먼저 춤 신청을 한 것은 저입니다. 그러니 그녀를 탓하지 마십시오."

"?!"

아티가 깜짝 놀라 미카엘을 올려다보았다. 그의 입에서 나와서는 안 되는 이름이 흘러나왔기 때문에.

"……."

아드리안의 눈빛이 매섭게 변했다.

애초에 아티를 탓할 생각은 조금도 없었다. 그런데 먼저 변호한답시고 하는 말이 그저 가관이었다.

'마음에 안 들어.'

심기가 불편한 아드리안의 감정을 더욱 곤두박질치게 한 것은 아티의 행동이었다.

"알고 있었어요?"

아티는 오랫동안 알아 온 사이처럼 스스럼없이 남자의 옷깃을 쥐었다.

그게 고까워서 아드리안은 그만 아티의 손을 떼어 내었다. 그러고는 자신이 손깍지를 끼었다.

미카엘의 시선이 마주 잡은 손으로 향했다. 아티가 놀라 입을 열었다.

"전하?"

"호칭 틀렸어."

"하지만 사람들이 많으니까―."

"이리 와."

아드리안은 말없이 아티를 끌어당겨 제 곁에 바짝 두었다.

저 정체 모를 남자와 거리를 벌렸다는 사실만으로도 기분이 한결 나아졌다. 그래 봤자 기분이 더럽다는 사실은 한결같았지만.

"네 신분을 밝혀라."

"저는……."

아드리안의 추궁에 남자가 운을 떼는 순간이었다.

"오라버니~!"

너무 익숙하다 못해 질려 버릴 정도로 많이 들어 본 목소리가 미카엘의 말을 가로막았다.

아드리안과 아티는 동시에 소리가 들려온 방향으로 고개를 돌렸다. 두 사람은 동시에 탄식했다.

"아."

"……이런."

과연 가브리엘이었다.

그녀는 가면무도회라는 파티 취지를 완전히 무시하고 맨얼굴로 홀을 활보하며 그들에게 다가왔다.

아티는 가브리엘이 말한 '오라버니'를 찾아 이리저리 고개를 돌렸다.

하지만 주위의 남자라고는 미카엘과 아드리안밖에 없었다.

아드리안에게 오라버니라고 부를 리가 없으니 남은 건 미카엘인데…….

'설마 아니겠지?'

가브리엘과 미카엘의 성격은 너무 달랐다.

자신만 아는 이기적인 가브리엘과, 다른 사람을 배려할 줄 아는 이타적 성격의 미카엘.

'아닐 거야.'

하지만 가브리엘은 한 치의 고민도 없이 미카엘의 팔을 붙들었다.

"미카엘 오라버니!"

"……!"

설마가 사람을 잡는 순간이었다. 아티는 충격에 얼어붙고 말았다.

"오라버니! 파트너를 내팽개치고 어딜 사라지신 건가 했더니 이곳에 계셨네요~!"

정확히 따지면 무도회에 오자마자 총총 사라진 건 가브리엘이지만 미카엘은 그렇게 말해 봤자 가브리엘이 자신의 말에 신경도 쓰지 않는다는 걸 잘 알고 있었다.

"가면은 어디다 둔 것이냐?"

분명 입장할 때까지만 해도 가브리엘은 가면을 쓰고 있었다.

미카엘의 질문에 가브리엘이 당당하게 웃었다.

"버렸어요! 이 빛나는 외모를 가리는 건 엄청난 국가적 손실 아니겠어요?"

"……."

너무 당당해서 그 말을 들은 모든 이들은 할 말을 잃고 말았다. 오로지 가브리엘만이 태연했다.

"맞는 말이라 아무도 반박 못 하는 것 좀 봐. 후후."

그 순간 아티와 아드리안은 무언의 눈빛 교환을 했다.

오로지 서로를 쳐다보았을 뿐인데 속마음을 훤히 꿰뚫는 듯했다.

"가브리엘. 제멋대로인 것도 때와 장소를 가리라고 하지 않았느냐."

아티는 동생을 대하는 미카엘의 태도가 상당히 차가워서 깜짝 놀랐다.

미카엘이 짐짓 엄하게 꾸짖었지만 가브리엘은 눈 하나 꿈쩍하지 않았다.

"뭐 어때요? 가면은 답답해서 싫단 말이에요. 그나저나 이분들은 누구신가요?"

가브리엘의 시선이 아티와 아드리안에게로 향했다. 그들은 동시에 굳었다.

'알아보려나?'

아티는 마른침을 삼켰다.

"흐음……. 미카엘 오라버니의 친우들이신가 보네요."

그들의 긴장이 무색하게 그녀는 머리 색이 다르고 가면까지 쓴 아드리안을 알아보지 못했다.

심지어 아티에게는 아예 관심도 주지 않았다.

"아무튼 저는 이만 황태자 전하를 찾으러 가 봐야겠네요. 가면을 쓰고 계셔도 한눈에 알아볼 수 있을 텐데, 안 오셨나?"

그 당사자가 바로 앞에 있는 것도 모른 채 가브리엘은 주위를 두리번거렸다.

미카엘이 나서서 아드리안과 아티를 가브리엘의 시야에서 교묘히 가렸다.

"먼저 가 있어라, 가브리엘. 금방 따라갈 테니까."

"빨리 오셔야 돼요?"

화려한 등장과 다르게 가브리엘은 총총거리며 금세 사람들 사이로 사라졌다.

몰래 안도의 한숨을 내쉬었다 아티는 자신을 주시하는 시선에 고개를 들었다.

아드리안이 자신을 빤히 바라보고 있었다.

"왜요?"

작게 물어 오는 목소리에 아드리안은 대답 없이 아티와 맞잡은 손에 힘을 주었다.

할 말이 많으면서, 동시에 무슨 말을 해야 할지 몰랐다. 마음 같아선 묻고 싶었다.

어째서 미카엘과 춤을 추고 있었던 건지. 왜 친근한 사이인 것처럼 옷깃을 쥐었던 건지. 언제부터 알던 사이였던 건지.

'하지만 여기서 입을 열었다간 돌이킬 수 없겠지.'

아드리안은 그것을 바라지 않았다.

'익숙하지 않아, 이런 건.'

아티와 관련된 일이라면 치졸해지는 자신이 싫었다. 의연하고 싶지만 쉽지 않았다.

그런 아드리안의 상념을 깬 것은 미카엘의 음성이었다.

"정체를 숨기려 했던 건 아니었습니다. 송구합니다, 전하."

아드리안은 미카엘을 보았다. 머리 색과 음성과 더불어 목소리마저 달라 알아보지 못했다.

어째서 아티와 함께 있었는지 물어보고 싶은 마음이 들었지만, 아티의 시선이 느껴져 그냥 참았다.

"아니다. 서로 가면을 쓴 상태니 못 알아보는 게 당연하지."

"이해에 감사드릴 따름입니다."

아드리안은 예를 취하는 미카엘에게 손을 저어 만류했다.

"예는 되었다. 그보다 어째서 내 약혼녀와 함께 있었는지가 궁금한데."

많은 물음이 축약된 문장이었다.

아드리안은 자신의 물음이 추궁이 아닌 평범한 반응으로 보이길 바랐다.

"실수로 발코니에 들어갔다가 레이디 오비에도와 마주쳤습니다. 홀로 계시기에 대화를 나누다 제가 먼저 춤을 청했습니다."

"그렇군."

담담한 미카엘의 말에는 한 치의 거짓도 없는 듯했다.

사실 추궁이야 더 하고 싶지만 질척대는 것으로 보일까 캐묻지 않았다.

미카엘의 시선이 마주 잡은 아티와 아드리안의 손으로 향했다.

"……그럼 저는 이만 가브리엘을 찾으러 가야겠습니다. 두 분, 다음에 뵙도록 하겠습니다."

"네, 미카엘 님. 다음에 또 봐요."

"가 봐."

그들에게 인사한 미카엘이 떠났다. 아드리안은 몸을 돌려 아티를 내려다보았다.

"왜, 왜요?"

소심하게 묻는 모습이 귀여워서 더 기분 나빴다.

아티를 대체 어쩌면 좋을까, 고민하고 있을 때 누군가의 목소리가 들려왔다.

"아아, 배부르다!"

"테르니."

"응? 둘 다 여기서 뭐 해?"

아드리안은 망설임 없이 테르니의 멱살을 쥐었다. 테르니가 발버둥을 치며 소리를 내질렀다.

"으억! 잠깐만. 나 지금 엄청 먹었다고! 이러면 네 얼굴에 토할지도 몰라!"

"하기만 해 봐. 죽여 버릴 테니까."

"잠깐만, 아드리안. 여기는 살인하기엔 좀 사람이 많지 않을까?"

"입 다물어."

난데없이 벌어진 소란에 사람들의 시선이 쏠렸다.

아티는 슬쩍 일행이 아닌 척 멀어지며 아드리안을 쳐다보았다.

'왜 저렇게 화가 난 걸까? 혹시 가브리엘 때문인가?'

하지만 가브리엘은 아드리안을 알아보지 못하고 떠났다. 그러니 아마 그 이유는 아닐 텐데.

곰곰이 생각해 봤지만 역시 이유를 알 수 없었다.

Chapter 24. 자수에 새겨진 마음

Chapter 24. 자수에 새겨진 마음

또다.

"미카엘 님! 제 마음을 받아 주세요!"

전에도 보았던 똑같은 광경에 이러지도 저러지도 못하고 기둥 뒤에 몸을 숨겼다.

왜 나는 매번 이런 민망한 상황을 맞닥뜨리는 걸까?

나는 슬그머니 도망칠 만한 길을 찾았다.

하지만 어떻게 해도 내 모습이 드러날 수밖에 없는 상황이었다.

아무래도 저 고백이 끝나고 미카엘이 떠나기를 기다리는 수밖에 없겠구나.

아직 가브리엘의 오빠가 미카엘이었다는 사실이 충격적이라 차마 얼굴을 마주 볼 자신이 없었다.

"미카엘 님!"

"죄송합니다."

"하지만 미카엘 님……. 제게 다정하게 손을 내밀어 주셨잖아요."

"넘어진 사람을 두고 볼 순 없으니까요."

미카엘의 목소리는 부드러우면서도 단호했다.

그에 충격을 받은 건지 울음을 터트리는 소리와 함께 멀어지는 발소리가 들렸다.

아무래도 레이디는 간 것 같았다. 그런데 왜 미카엘의 발소리는 들리지 않는 걸까?

상황을 살펴보려 슬그머니 기둥 밖으로 고개를 빼꼼 내민 나는 짙푸른 눈동자와 마주치고 말았다.

"헙."

"보고 계신 거 알고 있었습니다."

"하하……."

나라고 보고 싶어서 본 건 아니라고요.

쭈뼛쭈뼛 기둥 뒤에서 나오자 미카엘이 부드럽게 웃었다. 평소의 웃음과 별반 다를 것 없는 편안한 미소였다.

하지만 나는 평소 같을 수 없었다.

"가면무도회 이후로 처음 보죠? 우리."

"네, 라라. 요새 정원에 잘 나오지 않더군요. 혹시 무슨 일이라도 생긴 게 아닌가 걱정했습니다."

아무렇지 않은 듯 내가 가르쳐 준 이름을 입에 담는 미카엘을 보니 마음이 불편해졌다.

……다 알고 있었으면서.

"언제부터 알고 있었어요?"

"……."

"제가 아티엔느라는 거, 미카엘 님은 알고 있었잖아요."

미카엘의 표정에 미소가 사라지고 피곤한 낯이 드러났다. 그는 한숨처럼 웃었다.

"릴리 궁으로 제가 모셔다드렸던 것, 기억나십니까?"

"네, 기억해요."

"그때 추측했습니다. 릴리 궁에 머무는 이는 단 한 분이고, 시녀는 아닌 것 같아서."

"그럼 확신하게 된 건 언제예요?"

"모르고 싶어도 자연히 알 수밖에 없었습니다. 그동안 라라가 제게 했던 말이 모두 근거였으니까요."

"……그랬군요."

나는 추궁하던 태도를 버렸다. 내 부주의로 들킨 거지 알고도 모른 척해 준 미카엘은 죄가 없었다.

다만 서로의 신분을 모른 채 유지되던 우리의 관계가 한순간에 깨지고 말았다는 사실에 안식처를 잃은 기분이었다.

그 관계를 유지하고 싶다면 온전히 내 욕심이겠지.

"쏘아붙여서 죄송해요."

"아닙니다, 라라. 제가 실수했습니다. 바라시는 대로 모른 척했어야 했는데."

"아니에요. 미카엘 님은 아무 잘못 없어요!"

미카엘이 갑자기 사과하자 나는 당황할 수밖에 없었다.

왜 내가 이런 소리를 들어야 하냐며 화낼 줄 알았는데,

생각지도 못한 반응이었다.

"아닙니다. 라라. 제가 좀 더 신중했어야 하는데."

"그만 사과하세요. 미카엘 님. 머쓱해지잖아요……."

"다시 한번 사과드리겠습니다."

"아니에요. 제가 죄송하죠."

"아닙니다. 라라. 다 제가……."

"아뇨. 미카엘 님. 이건 다 제가 밝히지 않아서……."

그렇게 우리는 한참이나 사과 대결을 펼쳤다. 하지만 좀 처럼 승자가 가려질 기미가 보이지 않았다.

"그럼 둘 다 잘못 없는 걸로 해요."

"좋습니다."

그렇게 우리의 승부는 무승부로 막을 내렸다. 그러고 나 니 바로 전의 설전이 너무 어이가 없었다.

"미카엘. 저만 지금 상황 웃긴 거 아니죠?"

"저도 좀 웃기긴 합니다."

내가 먼저 웃음을 터트리자 미카엘이 따라 웃었다.

그렇게 또 한참을 웃다가 겨우 진정할 때쯤 나는 또 하나 의문이었던 사실을 떠올렸다.

가브리엘에 대해서.

"미카엘은 네벨가의 후계자인가요?"

"예. 정식으로 소개하겠습니다. 미카엘 루스 네벨입니 다. 외교부 서기관에 재직 중입니다."

나는 미카엘에게 어엿한 직업이 있다는 사실에 놀라 버 렸다.

"그런데 어떻게 매일 정원에 있을 수가 있죠? 바쁘신 거 아니에요?"

"일을 모두 끝마치고 나오니 상관없습니다. 거기다 라라는 매번 비슷한 시간대에 산책하러 오니까요."

그랬구나……. 늘 제각각 다른 시간에 나갔다고 생각했는데 아닌 모양이다.

심지어 최근에는 에센이 자리를 비울 때에만 나오기 때문에 그리 규칙적이지도 않았다.

"제 이름은 아티엔느 셰빌 라바트 오비에도예요. 이제는 그냥 아티라고 불러 주시면 돼요."

이제는 가짜 이름이 제법 자연스럽게 흘러나왔다. 어쩐지 씁쓸했다.

미카엘만은 이 황궁에서 가짜 아티엔느가 아닌, 나로서 대할 수 있는 유일한 사람이었는데 사실 그게 아니었다니.

나를 가만히 내려다보던 미카엘이 한 발짝 다가왔다.

"저는 라라로 부르고 싶습니다."

"……네?"

무슨 말이지?

"적어도 둘만 있을 땐 그렇게 부를 수 있게 허락해 주세요."

"어, 그게…….""

"안 됩니까?"

푸른 눈동자가 나를 가만히 응시했다.

딱히 애절하지도, 감정에 호소하는 태도도 아니었는데 나는 저도 모르게 고개를 끄덕이고 말았다.

"그래요."

"알겠습니다. 라라."

어라. 이게 아닌데?

얼떨떨하게 고개를 들자 만족스럽게 웃는 미카엘이 있었다.

"아무래도 자주 만나게 될 일이 많을 것 같습니다. 라라."

"공식적인 행사 같은 것 말인가요?"

"네. 앞으로도 잘 부탁드립니다."

"어……. 저도요."

고개를 끄덕이자 미카엘이 화사하게 웃었다. 실명이 걱정될 정도로 눈부신 미소였다.

"그럼 전 처리할 일이 많아 먼저 가 보겠습니다. 라라. 정원에서 만나요."

"네. 다음에 봐요!"

미카엘에게 손을 흔들어 주며 떠나는 뒷모습을 보았다. 바람에 흔들리는 진한 금발을 보며 걱정 하나를 덜었다.

"가브리엘이랑은 전혀 딴판이잖아."

그러니 피할 이유가 없었다. 심지어 미카엘은 내가 아는 사람 중 가장 상냥하고 다정한 사람이기도 했다.

"그런데 어째서 동생 성격은 그 모양인 걸까?"

그것은 마치 풀리지 않는 인생의 난제였다.

✦ ♛ ✦

창밖을 보니 어느새 해가 저물고 있었다. 마담 루시가 자수 재료를 더 가지고 왔다.

넌지시 내가 놓은 자수를 살핀 마담 루시가 웃으며 나를 칭찬했다.

"처음보다 실력이 많이 느셨어요, 오호호!"

"아직 릴럿 실을 쓸 수준은 아니에요."

칭찬이 괜히 쑥스러워서 얼굴을 붉히며 괜히 집중하는 척했다.

확실히 처음보다 실력이 많이 나아지긴 했지만, 아직 많이 부족했다.

릴럿 실은 양이 많지 않아서 함부로 낭비할 수가 없었다.

그 귀한 실을 사용하자니 너무 부담스러운 나머지 짬이 날 때마다 자수 연습을 하고 있긴 하지만 자신이 없었다.

"어떤 자수를 놓을지는 생각해 두셨나요?"

"대충 구상은 해 뒀어요."

"오호호, 저도 기대되네요! 사냥 대회 때 우리 귀여운 황태자 전하께 드릴 거지요?"

"그때까지 완성할 수 있을지 잘 모르겠어요."

그렇다. 사냥 대회!

그것이 바로 내가 최근 들어 소설이나 읽자는 마리에의 유혹도 뿌리치고 자수에만 매진하고 있는 이유였다.

아펜니노에는 전쟁에 출정하는 연인의 무운을 빌며 손수건에 자수를 놓아 선물하는 풍습이 있었다.

사냥 대회 때 평소에 마음에 두었던 기사나 혹은 연인에게 손수건을 선물한다고 했다.

"오호호호! 드디어 사냥 대회라니 감개무량하군요. 아티님의 갈고닦은 실력을 내보일 자리예요!"

자랑스럽다는 듯 나를 보는 마담 루시의 시선이 매우 부담스러웠다.

나는 눈앞에 가득 쌓인 수많은 실패작들을 보며 깊은 한숨을 내쉬었다.

"괜히 천이랑 실만 낭비하는 기분인데."

싱숭생숭한 마음으로 다시 자수 놓기에 집중하고 있을 때, 문이 벌컥 열렸다.

안 봐도 테르니였다.

"나의 사랑스러운 동생 아티! 이 오빠가 왔단다!"

"아……."

"그 반응 뭐야? 내가 안 반가워? 아티, 이 오빠에 대한 사랑이 식었구나!"

"애초에 없었는걸요."

일부러 심드렁하게 대답했지만 테르니는 표정 변화 없이 내 맞은편에 앉았다.

"자수 놓고 있었네!"

못 들은 셈 치기까지 하다니.

테르니는 신기한 듯 내가 완성한 손수건들을 이것저것 들춰 보았다.

"와, 진짜 예쁘게 잘 만들었다. 누구 주려고?"

"음, 그냥요……."

아드리안에게 주려고 만드는 거였지만, 테르니에게 말하

기 껄끄러웠다.

테르니가 두 눈을 반짝반짝 빛내며 나의 실패작들을 품에 끌어안았다.

"그럼 이거 전부 나 주라!"

"그건 어디다 쓰려고요?"

"그냥. 내 동생이 수놓은 손수건이잖아! 집안의 가보로 삼을 거야!"

나는 머뭇거리며 쉽게 답하지 못했다.

어차피 버리려고 했던 실패작들이니 상관없긴 한데, 상대가 테르니인 게 마음에 걸렸다.

테르니는 그냥 껄끄럽단 말이야. 무슨 사고를 칠지 몰라서.

"……나 주면 안 돼?"

"알겠어요. 가져도 돼요."

초롱초롱한 테르니의 눈빛에 별수 없이 허락하자 그가 얼른 품에 손수건들을 쑤셔 넣었다.

모두 실패작들인데 그걸 그렇게 가지고 싶을까? 이해할 수 없었다.

"히히히. 자랑해야지. 엄마, 아빠한테도 자랑하고 에센한테도 자랑하고 아드리안한테도 자랑할 거야."

자랑한다고 부러워할 사람은 없을 것 같은데…….

실없이 웃기 시작한 테르니를 무시하고 다시 자수를 놓는 데에 열중했다.

그러다 또 바늘에 손가락을 찔렸다.

"아얏!"

"헉. 아티, 찔렸어?"

"괜찮아요."

나는 익숙하게 피를 닦아 내고 대충 응급 처치를 했다.

자수 연습을 하면서 하도 손가락을 찔렸더니 이제 도가 텄다.

"흑. 피와 땀이 배어 있는 소중한 손수건이었잖아? 소중히 간직할게, 아티!"

"아니, 그렇게 소중한 건 아닌데요?"

"무슨 소리야. 이건 세상에 단 하나밖에 없는 아주 멋진 보물이라고!"

……그냥 테르니가 뭐라고 지껄이든 놔두기로 했다.

테르니는 내 옆에 팔자 좋게 드러누워 무언가를 열심히 먹었고, 나는 열심히 자수를 놓았다.

그 이후로도 대여섯 번은 바늘에 찔렸다.

"아티, 골무를 끼면 안 돼?"

"이 실은 괜찮은데 릴럿 실은 섬세해서 맨손으로 수를 놓아야 하거든요. 미리 익숙해져야 돼요."

"흠. 되게 까다로운 실이네."

"그렇죠?"

역시 비싼 만큼 관리법도 까다로운 법. 한참 자수를 놓은 끝에 또 하나의 손수건을 만들어 냈다.

"그것도 나 줘!"

"뭐, 그래요."

테르니는 싱글벙글 웃으며 갓 완성한 실패작을 들고 갔다.

점점이 피가 묻어 있는데도 그다지 개의치 않는 듯했다.

"다 만들었으니까 이제 잘 거지?"

"아니요. 조금 더 연습하다가 자려고요."

"아니, 왜 그렇게까지 열심히 해? 헉. 혹시 자수 고수가 되고 싶은 거야?"

"아뇨. 그건 아닌데요."

"뭐, 쉬엄쉬엄해~! 이 오빠는 이만 졸려서 가 봐야겠어. 그럼 내일 봐!"

테르니가 떠나자 침실에는 정적만이 감돌았다.

나도 자고 싶은 마음이 굴뚝같았지만 꾹 참고 새로운 천을 꺼내 들었다.

"부끄럽지 않을 정도로는 자수를 놓을 수 있어야 해."

과연 받는 당사자가 기뻐할지는 확신할 수 없었다.

아니, 애초에 그때까지 내가 과연 릴럿 실을 쓸 수 있을 실력이 될지도 의문이었다.

"좋아했으면 좋겠다……."

내가 바라는 건 단지 그뿐이었다.

여느 때와 다름없는 아드리안의 집무실.

일 처리를 모두 끝낸 테르니가 품에서 무언가를 꺼내더니 수상쩍게 웃었다.

"후후후."

"······?"

아드리안은 테르니를 슬쩍 본 후 곧바로 관심을 껐다.

테르니는 관심을 주면 더 설치는 편이니 아예 관심을 주지 않는 게 답이었다.

"후후후후······."

테르니가 더 길고 음흉하게 웃었다. 섬세하게 검을 닦고 있던 디아노가 테르니를 보았다.

"뭘 잘못 먹은 거야?"

"아니. 우리 집 주방장 요리는 잘못되지 않았어!"

"상한 걸 먹은 것 같은데······."

디아노는 미심쩍은 시선을 거두지 않았다. 아무리 봐도 테르니는 지금 제정신이 아닌 것 같았다.

짧게 '후후' 하고 웃은 테르니가 소중하게 들고 있던 그것을 짠! 하고 들어 올렸다.

"모두 이것을 보라!"

아드리안이 시선도 주지 않아 테르니의 손에 들린 것을 본 사람은 디아노뿐이었다.

'손수건?'

디아노가 고개를 갸웃했다.

"그게 왜?"

"어허. 그게 왜라니! 이 손수건으로 말할 것 같으면 나의 하나뿐인 귀엽고 사랑스러운 동생 아티가 나를 위해 직! 접! 수놓아 준 손수건이라고!"

그렇게 아티가 연습용으로 만든 손수건은 오빠를 위해

손수 만든 손수건으로 날조되었다.

'뭐?'

아드리안은 아티의 이름이 들리자마자 고개를 쳐들었다. 그의 눈에 테르니의 손에 들린 손수건이 들어왔다.

'손수건? 아티가 직접 수를 놓은?'

갑자기 기분이 확 더러워졌다. 아티가 수놓은 손수건이 저 테르니 자식의 손에 있다는 게 엄청나게 불쾌했다.

'불결해.'

아드리안은 테르니에게 다가가 서슴없이 손을 뻗었다. 테르니가 눈을 크게 뜨더니 서둘러 손수건을 두 손으로 소중하게 감쌌다.

"에헤이! 왜 이러실까?"

"내놔."

"전에 내 그릇도 강탈하더니 이제는 손수건까지 강탈할 셈이야?!"

"어."

조금의 거리낌도 없는 대답에 관전하고 있던 디아노가 박수를 쳤다.

"역시 전하께서는 대단하십니다. 저 따위는 감히 따라 할 수 없는 당당한 언행. 본받도록 노력하겠습니다!"

"그러든가. 그리고 넌 그거 내놔."

아드리안이 테르니를 겁박했다. 테르니가 울상을 지으며 고개를 가로저었다.

"싫어! 아티가 나한테 준 거란 말이야!"

아티의 이름이 나오자 아드리안의 표정이 더욱 굳었다. 그리고 보니 벌써 두 번째였다.

'테르니한테만 그릇에 이어 손수건을 주다니. 대체 저 자식의 어디가 예뻐서?'

당최 아티의 속을 이해할 수 없었다.

약혼한 건 자신인데, 선물은 모두 테르니의 손에 들어갔다.

'……비록 가짜 약혼이지만.'

아드리안은 테르니를 노려보았다.

'때려서 빼앗아 버릴까.'

그 살벌한 마음을 읽은 건지 테르니가 화들짝 놀라며 몸을 뒤로 물렸다.

드르륵, 쾅!

앉아 있던 의자가 요란한 소리를 내며 넘어졌다.

"뭐, 뭐!"

엉거주춤 서 있던 테르니가 아드리안에게서 슬금슬금 멀어졌다.

"이건 아티가 나한테 준 거니까 못 줘. 너도 갖고 싶으면 달라고 말하면 되잖아!"

그렇게 일침을 날린 테르니는 쏜살같이 집무실을 뛰쳐나갔다. 아드리안은 테르니가 있었던 자리만 노려보았다.

"빌어먹을 자식."

테르니는 본의 아니게 아드리안의 아픈 곳을 건드렸다.

'나도 마음 같아선 그러고 싶다고.'

"자, 다 되었답니다, 아티 님!"

마담 루시의 말에 눈을 떴다. 오늘도 역시 거울 속에는 마담 루시의 손길이 빛을 발한 엄청난 미녀가 있었다.

"오호호홋. 분명히 오늘 사냥 대회의 주인공은 아티 님이시니까요, 특별히 더 신경 썼답니다!"

"감사해요, 마담 루시."

"호호, 예의 바르기도 해라. 그럼 어서 나가 보세요. 황태자 전하께서 기다리고 계시답니다!"

마담 루시가 챙겨 준 양산을 손에 쥐고 문을 나섰다.

평소와는 다른 차림의 아드리안이 평소처럼 벽에 기대서 나를 기다리고 있었다.

"전하."

"아드리안."

"아! 네, 아드리안."

이름을 부르자 그제야 마음에 든다는 듯 그가 웃었다.

분명 별 뜻 없는 미소일 텐데도 괜히 심장이 간질거렸다. 이건 다 아드리안의 얼굴이 잘생겨서인 게 틀림없다.

암, 그렇고말고!

"잡아."

"네."

아드리안이 내민 손 위에 흰 장갑을 낀 내 손을 얹었다.

그는 조금의 망설임도 없이 내 손을 조심스레 쥐며 나를 끌어당겼다.

"가자."

우리는 마차를 타고 사냥 대회가 벌어지는 황실 소유의 숲으로 향했다.

황성 밖에 있다 보니 이동하는 시간이 상당히 길었다.

"와. 오랜만에 나와요!"

살짝 연 마차 창문 밖으로 바깥 풍경이 스쳐 지나갔다.

고급 상업 구획인 엘도라도 거리를 지나쳐 판데일 구역도 지나쳤다.

수도에서 이렇게 멀리 나온 건 처음이라 나도 모르게 들떴다.

"이렇게 멀리 나온 건 처음이에요. 아드리안은 많이 나와 봤어요?"

돌아오는 답이 없었다. 창에서 시선을 떼고 맞은편의 아드리안을 본 나는 흠칫 놀라고 말았다.

"……."

팔짱을 낀 아드리안이 고개를 비스듬하게 기울인 채 나를 빤히 쳐다보고 있었다.

마치 할 말이 있는 것처럼.

"왜 그러세요?"

"뭐가."

평소처럼 짧막한 대답이었는데, 뭔가 기분이 나빠 보였다. 아까까지만 해도 웃었으면서 갑자기 왜 이러는 걸까.

"저한테 화나신 거 같아서요…….."

"화 안 났어."

"네."

그 이후로 우리의 대화는 끊겼다.

그걸로 끝났으면 다행이련만, 아드리안이 아무 말 없이 나를 빤히 바라보기만 하는 통에 시선을 피하느라 죽을 맛이었다.

신종 괴롭힘인가? 그래도 최근에는 많이 친해졌는데!

그러고 보니 예전에도 나를 빤히 쳐다만 보다가 갔던 적이 있었다. 그때의 악몽이 되살아나는 듯했다.

아직 숲까지 도착하려면 한참은 더 달려야 했다.

차마 이 어색한 시간을 견딜 자신이 없어서 나는 슬그머니 눈을 감았다.

마치 잠든 것처럼 고른 내 숨소리가 마차 안을 울렸다. 하지만 잠들 수 있을 리가 없었다.

도대체 왜 저러는 걸까?!

그렇게 얼마나 시간이 흘렀는지 알 수 없을 때였다.

"하아…….."

맞은편에서 들려오는 한숨 소리에 움찔하지 않으려 안간힘을 썼다.

다행히 깨어 있는 걸 들키지 않은 듯했다.

실눈이라도 떠서 확인하고 싶었지만 혹시나 아드리안이 나를 보고 있을까 봐 꾹 참았다.

그렇게 또 얼마간의 시간이 흘렀을까. 눈을 감고 있었다고 아주 잠깐 선잠에 들었다.

사락—.

서늘한 손끝이 눈 옆을 스쳤다.

뭐지? 무심코 눈을 뜬 나는 곧바로 나를 바라보고 있는 붉은 눈동자와 마주했다.

눈동자 속의 황가의 문양마저 또렷하게 보일 정도로 가까운 거리였다.

아드리안의 손끝이 천천히 내 머리칼을 넘기고는 떨어져 나갔다.

"이제 거의 도착했어."

"……아, 그래요?"

평소와 다름없는 아드리안의 어조에 덩달아 아무렇지 않은 척 답했지만 사실 꽤 놀란 상태였다.

방금 그건 뭐였을까?

붉은 눈동자에서 보였던 열기는 내가 잘못 본 거였나.

아드리안을 흘끔 보았지만, 역시나 이상한 점을 찾을 수 없었다.

그냥 머리가 흘러내려서, 그래서 넘겨 준 거겠지.

"도착했군."

아드리안의 말에 창밖을 쳐다보았다.

정차된 마차들이 보였다. 역시 황가에서 주최하는 큰 행사니만큼 참석한 사람들도 많았다.

아드리안의 에스코트를 받아 마차에서 내리자마자 테르니가 팔을 붕붕 흔들며 나를 향해 달려왔다.

"아티!"

"안녕하세요, 오라버니."

테르니가 내 어깨를 붙잡으며 다짜고짜 외쳤다.

"내가 사자 고기 잡아 줄게!"

"응……? 여기 사자도 있어요?"

"없어."

싸늘하게 대답한 아드리안이 테르니의 손을 차갑게 떼어 냈다. 테르니가 입을 삐쭉거렸다.

"하여간 아드리안 너는 아티를 독점하려는 그 태도부터 고쳐야 해."

"내 약혼녀야."

"내 동생이거든?!"

또다시 무의미한 언쟁이 벌어지려 했다.

그 사이에 끼고 싶지 않아 한 발짝 물러나 주변을 둘러보았다.

멀지 않은 곳에 짜증스러운 표정으로 서 있는 에센이 보였다.

"에센 님!"

"아."

나를 보자마자 에센의 표정이 밝아졌다. 따라 미소 지으며 손을 흔들자 에센이 다가왔다.

"사람이 너무 많아."

"맞다. 에센 님 사람 많은 거 싫어하죠?"

"응. 짜증 나."

이렇게 말하는 걸 봐서 숨길 수 없을 정도로 짜증이 나는 모양이었다.

"에센 님도 사냥 대회에 참가하시죠?"

"응. 얼떨결에."

평소 입고 있던 기사단의 제복이 아닌 약식 갑옷 차림새인 에센은 더 멋있었다.

"갑옷이 잘 어울려요, 에센 님. 멋있어요!"

"고마워, 아티."

나를 보며 미소 짓는 걸 보니 그래도 기분이 많이 풀린 것 같았다.

평소보다 창백해 보이는 얼굴빛이 마음에 걸렸다.

뭔가 더 도움을 줄 수는 없을까?

"아!"

내 외침에 에센이 고개를 갸웃했다. 나는 품에서 무언가를 꺼내 그에게 주었다.

"손수건? ……나 주는 거야?"

"네. 어쩌다 보니 많이 만들어서요. 아직 실력이 부족해서 엉성해요. 아, 혹시 필요 없으면 안 가지셔도 돼요!"

괜히 부담 주기 싫어서 손사래를 치며 말하자 에센이 살짝 미소 지었다.

"이거 직접 수놓은 거지?"

"네."

"고마워."

휴우. 다행히 거절당하지 않았다.

내 손수건을 빤히 바라보는 에센의 행동에 엄청난 부끄러움이 몰려왔다.

이제 그만 봤으면 좋겠는데, 에센은 손수건을 집어넣지 않았다.

"에센 경!"

그때, 한 기사가 에센을 부르며 달려왔다.

"무슨 일?"

"에센 경 말이 난폭해서 다루기가 힘듭니다."

"아. 지금 가지."

나에게 손을 흔든 에센이 기사를 따라 사라졌다.

졸지에 혼자 남은 나는 아드리안과 테르니가 있는 방향을 보았다.

"……응?"

금방 아드리안과 눈이 마주친 것 같은데 착각인가.

눈을 깜빡였다. 역시 내가 잘못 본 거였는지 그는 테르니와 계속 대화하는 중이었다.

유치한 싸움이 아닌 진지한 대화로 주제가 바뀐 듯해 다시 돌아가기가 애매했다.

주위를 어슬렁거리며 둘러보던 나는 어떤 사실 하나를 깨달았다.

어떤 한 장소에 유독 레이디들이 몰려 있었다.

그리고 그 가운데 존재하는 건…… 미카엘이었다.

"음. 가까이 가지 말자."

괜히 귀찮은 일에 휘말리기 싫어서 슬금슬금 멀어지는

데, 고개를 돌린 미카엘과 눈이 마주쳤다.

"하하. 젠장……."

얼굴은 미카엘을 따라 웃었지만, 입은 그렇지 못했다. 안타깝게도 미카엘이 내게 다가왔다.

이목이 집중되는 게 느껴지자 이 자리가 불편해졌다.

"오랜만에 뵙겠습니다. 레이디 오비에도."

주위의 시선을 의식한 것인지 격식을 차린 미카엘의 인사에 나 또한 약식으로 예를 차렸다.

"네, 오랜만이에요. 네벨 공자."

주위에서 우리를 보며 수군대는 소리가 들렸다.

"아티엔느 양, 미카엘 님과 아는 사이셨어?"

"같이 있는 건 한 번도 못 본 것 같은데……."

하하. 식은땀이 절로 흘렀다.

아무래도 하루에 한 번 이상 고백받는 미카엘과 정원 친구라는 걸 들키는 건 부담스러웠다.

그렇다고 먼저 기가 죽을 필요는 없겠지.

"어째서 혼자 계십니까? 황태자 전하께서는 어디에 계시는지요."

"중요한 대화를 하시는 것 같아서 잠깐 자리를 비켜 드린 차예요."

"그렇군요."

나를 향해 미소 짓는 미카엘의 웃음이 아주 청량했다.

"네벨 공자께서도 오늘 사냥 대회에 참석하시죠? 다치지 않게 조심하세요."

"염려해 주셔서 감사합니다."

사람 좋게 웃는 미카엘을 보고 있자니 내 품속에 손수건이 아주 많다는 사실을 깨달았다.

어제 연습에 매진하느라 대량 생산을 했더니 테르니에게 준 것 외에도 조금 남았다.

하나는 에센에게 주었고, 하나 정도는 더 미카엘에게 줘도 되지 않을까?

그냥 인사만 하고 끝내기에는 미카엘에게 받은 게 많았다. 첫 만남 때 내게 손수건을 빌려주기까지 했으니 이 정도 보답은 해도 될 것 같았다.

나는 남들에게는 들리지 않을 정도로 작은 목소리로 그를 불렀다.

"미카엘 님."

"예?"

"괜찮다면 이 손수건, 받아 주실래요? 지난번 손수건을 빌려주신 데에 대한 보답이에요."

미카엘이 놀란 표정으로 내가 은밀히 건넨 손수건을 받았다.

마담 루시도 아주 멋진 자수라고 했던 손수건 중 하나였다.

"정말 멋진 자수로군요. 감히 제가 받아도 되겠습니까?"

"네. 미카엘 님은 저한테 아주 고마운 사람이니까요!"

"고마운 사람……. 알겠습니다. 라라의 말대로 몸조심하도록 하겠습니다."

미카엘도 작은 목소리로 둘만 있을 때 쓰는 호칭으로 나를 불렀다.

벌써 두 명이나 내 손수건을 받아 줬다는 사실이 아주 기뻤다.

나를 보며 웃던 미카엘이 갑자기 내 뒤를 쳐다보았다. 뭐지?

"음. 저는 이만 가 봐야 할 것 같습니다, 레이디 오비에도."

"아, 네! 어서 가 보세요!"

미카엘을 보내고 뒤를 돌아보았지만 아무것도 없었다. 대화를 나누는 테르니와 아드리안이 있을 뿐.

어느새 디아노도 합류했는지 함께였다.

"아티! 이제 곧 시작한대!"

테르니가 손을 흔들며 나를 불렀다.

그들이 있는 방향으로 향할 때, 나보다 먼저 접근하는 이가 있었다.

바로 가브리엘!

"오늘도 정말 멋있으세요, 전하. 어머, 어쩜 저와 같은 색깔로 의상에 포인트를 주셨네요!"

가브리엘이 환하게 웃으며 아드리안에게 인사했다.

같은 색깔로 포인트?

하얀 드레스를 입은 가브리엘과 제복을 입은 아드리안을 번갈아 보다가 겨우 비슷한 색깔을 찾아냈다.

옷에 달린 붉은색 장식 하나였다……

아드리안은 가브리엘의 인사를 차갑게 외면했다. 하지만 그녀는 끈질겼다.

"다른 레이디들이 질투할까 봐 저를 외면하시다니, 그렇게 염려해 주시지 않아도 괜찮아요~!"

"출발까지는 얼마나 남았지?"

아드리안이 디아노에게 물었다. 디아노가 지나가던 인간 하나를 붙잡고는 답을 얻어 왔다.

"거의 끝났다고 합니다."

"그렇군."

나는 가브리엘의 뒤쪽에서 그들이 하는 대화를 가만히 듣고만 있었다.

아주 잠깐 나를 쳐다본 아드리안이 고개를 돌렸다.

으음. 좀처럼 타이밍을 못 잡겠네.

모두의 시선을 즐기는 듯 우아하게 웃던 가브리엘이 사뿐사뿐 걸어 아드리안 앞에 도착했다.

그리고 품 안에서 곱게 접은 손수건을 꺼냈다.

"전하, 제가 전하를 위해 특별히 손수건을 준비해 보았답니다. 전하께 특별히 이 손수건을 가질 수 있는 기회를 드릴게요!"

"됐어."

아드리안은 한 치의 고민도 없이 거절했다. 하지만 가브리엘은 전혀 민망해하지 않고 여유롭게 웃었다.

"이렇게 부끄러워하지 않으셔도 되는데~! 흐음, 왜 그렇게 보시나요? 혹시 제 손수건이 가지고 싶으신가요?"

가브리엘의 다음 상대는 다름 아닌 바로 옆에 서 있던 테르니였다.

테르니는 질문을 듣자마자 노골적으로 얼굴을 구기더니

몇 발짝 떨어졌다.

"됐습니다. 저 손수건 많습니다."

"제 손수건을 거절하다니, 정말 의외로군요. 아마 밤에 후회하실 테지만, 뭐. 기회는 이미 지나갔답니다!"

가브리엘이 다음 상대를 찾아 눈길을 살짝 돌렸다. 바로 옆에 있는 사람이라면 디아노였다.

디아노가 눈에 띄게 불안해하기 시작했다.

그런 그의 앞을 막아서는 사람이 있었으니.

"가브리엘. 얌전히 있으라고 했지 않느냐."

"미카엘 오라버니!"

미카엘이었다.

미카엘은 한숨을 내쉬며 가브리엘의 손수건을 받았다.

"이건 내가 받아 두마."

"어머, 오라버니 것은 따로 준비해 두었는걸요?"

"그것도 이리 주거라."

"그렇게 제 손수건이 가지고 싶으셨던 건가요? 으음, 좋아요. 그렇게 바라신다니, 오라버니께 전부 드릴게요!"

가브리엘이 환하게 웃으며 미카엘에게 두 개의 손수건을 주었다.

미카엘은 곤란한 듯 웃으며 가지 않으려는 가브리엘을 데리고 자리를 떴다.

드디어 조용해졌구나. 겨우 한숨 돌리려던 순간이었다.

"어맛!"

한 레이디가 미처 나를 보지 못했는지 부딪히고 말았다.

그 바람에 그녀가 들고 있던 음료가 내 손 위에 쏟아졌다.

"정말 죄송해요. 레이디 오비에도. 이를 어쩌지……."

"아, 괜찮아요!"

나는 그녀를 안심시키기 위해 밝게 웃으며 장갑을 벗었다. 아무래도 나중에 손을 씻어야겠다.

"정말 죄송해요."

"아니에요, 씻으면 되는걸요."

어쩔 줄 모르며 사과하는 그녀를 달래고 있는데, 저 멀리 말에 올라타려는 아드리안의 모습이 보였다.

어……! 안 되는데!

나는 서둘러 아드리안을 향해 달려갔다.

"전하!"

"전하!"

출발하기 직전 들려온 목소리에 아드리안은 고개를 돌렸다. 아티가 헉헉대며 옆에 섰다.

"왜."

"아……."

저도 모르게 나온 날 선 반응에 아티의 표정이 어두워졌다. 아드리안은 한숨을 내쉬며 한 손으로 얼굴을 쓸었다.

'아티한테 이러고 싶지 않았는데.'

"하."

발단은 테르니의 염장질이었다.

아티에게 손수건을 받았다고 자랑을 해 대기에 결국 압수라는 명목으로 강탈했다.

그래도 많이 남았다며 자랑하는 바람에 죽여 버리지 않은 게 엄청난 기적이었다.

사실 아드리안은 오늘 아티가 자신을 보자마자 손수건을 줄 거라고 기대했다.

하지만 그에 대한 말은 아예 없었다.

숲에 도착해서까지도 내심 기대했지만, 실제로 아티가 손수건을 준 사람은 에셴이었다.

'그래. 에셴이야 평소에 친하게 지냈으니까. 그런데 왜⋯⋯.'

미카엘에게 준 것인가.

테르니와 대화하는 척하며 아티의 일거수일투족을 다 지켜본 아드리안은 질투 때문에 돌아 버리는 지경에 이르렀다.

설상가상으로 가브리엘까지 손수건을 준다며 설치는데도 아티는 아무 감흥이 없어 보였다.

'⋯⋯역시 기대하는 게 아니었어.'

마지막 기대마저 버리고 말에 올라탔을 때, 아티가 그를 부른 것이다.

위험하게 말들 사이로 달려오는 아티를 보니 걱정되는 마음이 먼저 들었다.

'내려야 하나.'

고민하고 있을 때, 아티가 꼼지락거리더니 품에서 무언가를 꺼냈다.

"이건……."

"예전에 처음 황후 폐하를 뵈었을 때, 자수를 놓아서 선물해 드린다고 했었잖아요. 그래서 황후 폐하께서 릴릿 실을 하사해 주셔서 수를 놓아 봤어요."

부끄러워서 그런지 아티의 말이 점점 길어졌다.

"더 연습하고 만들고 싶었는데 사냥 대회까지 시간이 없어서 사실 자신이 없어요. 만약에 마음에 안 드시면 안 받으셔도……."

아드리안은 자신감 없이 어깨를 축 늘어뜨린 아티를 가만히 내려다보았다.

기분이 이상했다. 기대를 버린 지 얼마나 됐다고 손수건을 준 아티의 행동에 기분이 풀리려 했다.

아티는 우물쭈물하며 아드리안의 눈치를 살폈다.

'가브리엘의 손수건을 거절한 걸 보니, 역시 손수건 같은 거 받기 싫으신 건가.'

"역시 필요 없으시겠죠……?"

괜히 아드리안을 불렀다는 생각이 들었다.

역시 가브리엘의 손수건을 거절했을 때 완전히 단념했어야 했는데.

아티가 손수건을 도로 넣으려는 순간, 아드리안은 보고 말았다.

장갑을 벗은 손 아래 무수한 상처들을.

'자수를 놓다가 다친 건가?'

갑자기 마음이 아팠다. 아드리안은 말에서 내려 아티의

손수건을 받았다.

"손은⋯⋯."

"아, 연습하다가 좀 다쳤어요. 별거 아니에요!"

아무렇지 않은 척 웃고 있는 모습에 아드리안은 눈가를 좁혔다. 이렇게 다칠 거였으면 차라리 자수 같은 거 하지 말았어야지.

아드리안은 아티의 손을 쥐었다. 역시나 손이 자그마했다.

'이 작은 손에 다칠 데가 어디에 있다고.'

매일 그에게 손수건을 주기 위해 꼼지락대며 자수를 놓았을 생각을 하니 미칠 것 같았다.

너무 사랑스러워서. 그리고 속 좁게 굴었던 자신이 한심해서.

"다음부턴 만들지 마."

다칠 바엔 주지 않아도 된다는 의미였지만 아티에게는 다르게 들렸다.

"역시, 마음에 안 드신 거군요."

아드리안은 아차 하며 고개를 저었다.

"아니. 이렇게 다칠 바엔 만들지 않아도 된다는 의미야."

"아⋯⋯. 알겠습니다. 전하의 뜻에 따를게요."

아티는 웃고 있었지만 아드리안의 말을 온전히 믿지 않았다.

어쩐지 슬퍼 보이는 미소를 보며 아드리안은 무언가 잘못됐다는 사실을 깨달았다.

'뭐라고 해야 할지 모르겠군.'

아티는 늘 어렵다. 너무 섬세해서 상처 주기가 쉬웠다.

어두운 표정의 아티를 가만히 바라보던 아드리안이 건넨 말은 아주 짧았다.

"……고마워."

하지만 진심이 담긴 한마디에 아티는 깜짝 놀랐다.

"아니에요. 아드리안의 약혼녀로서 당연한걸요."

"전혀 당연한 게 아니야."

아드리안은 손수건을 펴 자수를 확인했다.

"……?"

태어나서 온갖 훌륭한 자수들을 보아 왔지만 이렇게 뛰어난 실력의 자수는 처음 보았다.

황가의 문양이 수놓아진 자수는 색깔과 문양의 배치가 더할 나위 없이 훌륭했다.

영롱한 빛깔의 릴럿 실을 사용했기 때문에 햇빛 아래에서 찬란하게 빛나기까지 했다.

'테르니에게 줬던 건 평범한 실이었는데.'

그제야 아티가 테르니에게 많은 손수건을 주었던 이유를 깨달았다.

그것들이 전부 자신에게 손수건을 주기 위한 연습용이라는 것을 깨닫자 갑자기 기분이 좋아졌다.

이걸 만들기 위해 매일 열심히 연습했을 아티를 생각하니 어쩐지 가슴이 저렸다.

"다치지 마시고 조심히 다녀오, 앗!"

아드리안이 쥐고 있던 아티의 손을 들어 손가락에 입을

맞추었다.

갑작스러운 접촉에 그녀의 얼굴이 새빨갛게 물들었다.

그들을 지켜보던 사람들이 흐뭇하게 웃는 게 느껴졌다.

"그대의 말대로 다치지 않도록 조심하지."

"네……."

'전부 연기인 건 알지만, 그래도…… 좋아.'

아티가 내보인 옅은 미소에 아드리안도 따라 웃었다.

'웃으니 보기 좋군.'

줄곧 느껴졌던 미묘한 기류 따위는 없는 그들은 달달한 분위기를 풍겼다.

기사 한 명이 아드리안에게 다가왔다.

"전하, 곧 사냥 대회가 시작됩니다."

"그렇군."

아드리안은 놓기 아쉬운 듯 아티의 손을 잡은 채 가만히 있었다.

당황하는 기사를 본 아티가 슬그머니 손을 뺐다.

"어서 가 보세요!"

"그래."

그녀의 재촉에 아드리안은 못내 몸을 돌렸다.

손에 들려 있는 손수건을 생각하니 절로 입가에 미소가 그려졌다.

아드리안을 배웅한 아티는 사냥 대회를 참관한 사람들이 모여 있는 그늘 아래로 향했다.

"아티!"

"마리에."

사람들 사이에 있던 마리에가 반색하며 아티에게 달려왔다.

"제발 나 좀 살려 줘!"

왜 그런가 했던 아티는 마리에가 있던 자리에 있는 사람들의 면면을 보고 쉬이 수긍했다.

'마리에가 싫어하는 사람들만 모여 있네.'

가브리엘을 필두로 이바나 백작 영애와 클레스 남작 영애도 있었다.

예전에 티 파티 때 그녀를 헐뜯으려 안달이던 영애들까지 모여 있는 걸 본 아티는 남몰래 한숨을 내쉬었다.

"저쪽이 더 햇빛이 덜 드는 것 같아. 우리 저쪽으로 가자, 마리에."

"그래, 그래!"

아티는 강아지처럼 자신을 무조건적으로 따르는 마리에를 데리고 가브리엘 무리를 피해 장소를 옮겼다.

따라오면 어쩌나 걱정했지만 다행히 이곳까지 쫓아오지는 않았다.

"응? 그런데 아티, 손이 왜 이렇게 만신창이야?"

"아, 자수 놓다가 조금 다쳤어."

"얼마나 격렬한 자수를 놓았길래……."

마리에가 아티의 손을 붙잡고 안타까워했다.

그러자 갑자기 아드리안이 손가락에 입을 맞추던 감각이 되살아나 아티의 얼굴이 달아올랐다.

"어? 갑자기 얼굴이 왜 이렇게 빨개? 어디 아파?"

"조, 조금 더워서."

아티는 손부채질을 하며 마리에의 시선을 피했다. 마리에가 음흉하게 웃으며 그녀를 쿡 찔렀다.

"아티, 그 자수 오빠한테 줬지?"

"그, 그게……!"

당황하던 아티는 문득 약혼녀인 자신이 자수 손수건을 선물로 주는 게 이상한 일이 아니라는 것을 깨달았다.

그런데 이렇게 부끄러운 이유는 왜일까.

"그렇긴 한데, 아드리안 말고 다른 분들한테도 드렸어."

"다른 분들?"

"테르니 오라버니랑 에센 님, 그리고 미카엘 님께도 드렸으니까……."

"어머. 디아노 경은 없네?"

"아. 디아노 경은 오늘 대화를 나눈 적이 없어서 못 드렸어. 마주치면 드리려고 했는데, 안 보이시더라고."

"어쩜. 불쌍해라!"

진심으로 불쌍하다는 듯 마리에가 측은한 표정을 지었다.

졸지에 손수건이고 뭐고 아무 생각 없던 디아노는 불쌍한 인간이 되고 말았다.

괜히 마리에가 그렇게 말하자 아티도 덩달아 디아노가 신경 쓰였다.

"어쩌지? 역시 드리는 게 나았을까? 아직 사냥 대회 시작하려면 조금 남았으니까 지금이라도 드리면 될 거야!"

품 안에서 남은 손수건을 꺼낸 아티는 곧 절망에 빠지고 말았다.

아까 어떤 영애가 부딪혀 음료가 튀었던 것 때문에 나머지 손수건들이 점점이 물들어 있었다.

'그래도 아드리안한테 준 손수건은 젖지 않아서 다행이네.'

하지만 이것들을 선물용으로 줄 수는 없었다. 그때, 결심한 마리에가 나섰다.

"휴. 어쩔 수 없지. 다들 받았는데 혼자만 못 받는 것도 궁상맞고 안쓰러우니까 나라도 줄 수밖에. 가자, 분홍 머리 찾으러!"

"그, 그래."

졸지에 손수건 하나도 없는 불쌍한 처지의 기사로 전락한 디아노를 구제하기 위해 그들은 숲을 뒤졌다.

얼마 지나지 않아 말을 관리하고 있던 디아노를 발견할 수 있었다.

"그럼 마리에. 디아노 경한테 손수건 주고 와."

"나 혼자?"

마리에는 마뜩잖은 듯했지만 순수하게 고개를 끄덕이는 아티의 행동에 어쩔 수 없이 디아노에게 향했다.

"아, 마리에 공주 전하. 아르칸젤로의 축복이—."

"예는 됐고, 이거나 받아."

"예에?"

디아노는 어수룩하게 되물으며 마리에가 던지듯 건넨 것을 받았다.

수가 놓인 손수건이었다. 디아노는 잠깐 멍해졌다.

'이걸 왜 내게 주시는 거지?'

혹시 저도 모르게 땀을 흘렸나 싶었지만 아직 사냥 대회가 시작도 하지 않아 이마는 뽀송뽀송했다.

그렇다고 무언가를 흘린 것도 아니다.

"이걸 왜 제게 주시는 겁니까?"

디아노는 되묻자마자 이유를 깨달았다.

뒤늦게 사냥 대회 때 무운을 빌며 상대에게 수를 놓은 손수건을 준다는 풍습이 있다는 것을 떠올린 것이다.

"필요 없으면 내놔!"

디아노의 반응에 화가 난 마리에가 얼굴을 붉히며 손을 뻗었다.

디아노는 반사적으로 손수건을 든 손을 번쩍 들어 올렸다.

"앗!"

미처 디아노가 피할 걸 예상 못 한 마리에가 순간 휘청댔다. 깜짝 놀란 디아노가 마리에의 허리를 휘어 감았다.

"괜찮으십니까?"

"아. 괜, 괜찮아."

디아노가 심각한 표정으로 마리에를 놓아주었다. 예기치 못한 상황에 마리에의 얼굴이 새빨갛게 달아올랐다.

"아무래도 저보다는 공주 전하의 무운을 빌어 드려야 할 것 같습니다."

"뭐? ……그게 무슨 뜻이야?"

마리에가 눈을 흘기자 디아노가 씩 웃었다.

"이 손수건을 드릴 순 없으니, 대신 이거라도."

"······?"

디아노는 칼집에 달려 있던 장식을 풀어 마리에에게 건 넸다.

"이건······! 자, 잠깐만!"

디아노에게 검이 무슨 의미인지 아는 마리에가 다급히 돌려주려 했지만 그럴 수 없었다.

사냥 대회의 집합을 알리는 뿔 나팔 소리가 길게 울렸기 때문에.

"그럼 먼저 가 보겠습니다, 공주 전하."

마리에의 대답을 듣기도 전에 디아노는 말에 올라타 사 라져 버렸다.

마리에는 검 장식을 보며 불평을 터트렸다.

"이걸 나한테 주면 어쩌잔 말이야?"

하지만 입가에 옅은 미소가 지어져 있는 것을 스스로는 알지 못했다.

그 광경을 멀리서 몰래 지켜본 아티는 흐뭇하게 웃었다.

"디아노 경. 몰랐는데 선수였구나."

역시 남의 연애사가 제일 재밌다. 아티는 일부러 아무것 도 못 본 척 마리에에게 말을 걸었다.

"마리에. 디아노 경한테 손수건 드렸어?"

"아. 응."

아무렇지 않은 척했지만 마리에의 얼굴은 아직도 상기되 어 있었다. 아티는 호들갑을 떨고 싶은 마음을 꾹 참았다.

"그럼 아까 거기로 돌아가서 사냥 대회 끝나는 거 기다리자!"

"좋아. 할 것도 없는데 책이나 읽자. 이번에 신작 나왔는데, 읽어 볼래?"

"신작? 읽을래!"

신작 이야기에 아티는 두 눈을 빛냈다.

마리에가 추천해 주는 소설들은 하나같이 명작이라 보는 재미가 있었다.

"좋아. 같이 책이나 읽으면서 시간 때우자!"

그들은 나무 그늘 아래 펴 놓은 의자에 앉아 사이좋게 책을 읽었다.

저 멀리서 가브리엘 무리들이 자신들을 보며 무어라 떠드는 게 보였지만, 과감히 신경을 껐다.

'아, 평화롭다⋯⋯.'

마리에는 아티의 옆이 편해서 좋았다. 하지만 그건 아티도 마찬가지였다.

마리에는 수다스럽긴 하지만 쓸데없는 걸 묻는 법이 없었고, 기본적으로 아티에게 상냥했다.

"아티, 이것도 재미있어!"

아티는 마리에가 추천해 주는 신간을 읽으며 시간을 보냈다.

가끔 마리에가 남몰래 디아노가 준 검 장식을 만지작거리는 걸 보는 재미도 있었다.

시간이 지나자 숲에 들어갔던 사람들이 하나둘 모습을

드러냈다.

아무것도 못 잡고 털레털레 돌아온 자들도 있었고, 위풍당당하게 사냥감을 들고 온 자들도 있었다.

그들은 멀리 떨어져 있었기 때문에 어떤 사냥감을 잡아 왔는지는 보이지 않았다.

"음, 오빠는 오래 걸리나 봐."

"혹시 다치신 건 아니겠지?"

이미 반절이나 돌아왔지만 아드리안을 비롯한 측근의 모습은 보이지 않았다.

걱정하는 아티를 보며 마리에가 깔깔 웃었다.

"에이, 아티. 그 작자가 어디 짐승한테 당할 인간이야? 걱정 마!"

마리에가 그렇게까지 말하니 걱정이 조금 덜어지긴 했지만, 그래도 완전히 마음을 놓을 수 없었다.

"아무래도 엄청 대단한 걸 잡아 오려나 본데? 기대해도 될 것 같아!"

"그래도 황실 소유 숲인데 큰 짐승은 없는 거 아니었어?"

"아니야. 곰 정도는 있다고 들었어. 가끔 대형 몬스터도 출몰해서 종종 기사단 동원해서 토벌하기도 한다더라고."

순간 아티는 기가 막히고 말았다.

'그런 위험한 곳에서 사냥 대회를 열다니!'

지금껏 수도를 벗어난 적 없는 아티에게 큰 짐승과 몬스터는 너무 두려운 존재였다.

'다른 분들도 같이 있으니까 아무 일 없을 거야.'

에센, 디아노, 그리 믿음직하진 않지만 어쨌든 테르니도 있으니까.

당장 아티가 할 수 있는 건 기다리는 것밖에 없었다.

하나둘 숲에 들어갔던 사람들이 돌아와 이제 돌아오지 않은 사람은 얼마 남지 않았다.

마리에가 지나가던 시종 한 명을 붙들었다.

"아직 안 돌아온 사람이 누군지 알고 있니?"

"아, 아직 귀환하지 않으신 분은 황태자 전하, 디아노 기사님, 에센 기사님, 테르니 공자님으로 총 네 분이시라고 들었습니다."

시종을 보낸 마리에가 의아한 듯 고개를 갸웃거렸다.

"지금껏 사냥 대회를 많이 참가했지만 이런 적은 처음이야. 왜 이렇게 늦는 거지?"

"정말 무슨 일이라도 생긴 게 아닐까? 지금이라도 수색대를—."

그때였다.

와아아—! 엄청난 함성 소리와 함께 사람들이 우르르 일어나 일제히 한곳으로 향했다.

"무슨 일이지? 아티, 우리도 가 보자!"

마리에와 함께 소란의 근원지로 향한 아티는 그곳에서 그토록 걱정하던 아드리안을 마주했다.

"……!"

하지만 그것도 잠시 아티는 황급히 입을 틀어막았다.

✦ ♛ ✦

사냥 대회가 시작되고 얼마 지나지 않은 숲속.

황태자와 그의 측근은 마치 산책하는 것처럼 한가롭게 거닐었다.

"……그렇게 좋냐?"

에센의 핀잔을 한 귀로 흘려들으며 아드리안은 말을 천천히 몰았다.

사냥 대회의 우승을 노리는 자들은 모두 사냥감을 찾기 위해 혈안이 되어 있지만 그것은 이들과는 관계없는 이야기였다.

"올해도 대충 시간 때우며 돌아다니다가 한 사람당 한 마리 정도 잡아서 돌아가실 계획이십니까?"

디아노가 아드리안에게 물었다.

아드리안은 만지작거리며 하염없이 감상하던 손수건을 곱게 접어 품속에 넣었다.

"아니."

"응? 너 뭐 잡으려고?"

테르니가 두 눈을 동그랗게 떴다. 아드리안이 고삐를 세게 쥐었다.

"일단 큰 걸로."

"뭐? 야, 잠깐만!"

아드리안은 자신을 부르는 테르니의 목소리를 가볍게 무

시하며 빠르게 말을 몰았다.

숲의 배경이 아드리안의 곁을 빠르게 스쳐 지나갔다.

무감하게 주위를 둘러보던 아드리안이 말을 멈춰 세웠다.

푸르릉—. 투레질하는 말을 진정시키며 아드리안은 한곳을 뚫어져라 주시했다.

부스럭.

바람이 불지도 않는데 수풀이 흔들렸다.

잠깐 눈을 감았다 뜨는 순간. 수풀 속에서 튀어나온 곰이 아드리안을 향해 달려들었다.

그는 한 치의 망설임도 없이 발검하여 검을 휘둘렀다.

"쿠워어!"

괴성을 내지른 곰이 쿵! 하며 쓰러졌다. 소리를 들은 황태자의 측근들이 단숨에 달려왔다.

"뭐야, 아드리안. 갑자기 튀어 나가더니!"

테르니가 아드리안에게 툴툴거렸다. 에센이 말에서 내려 곰의 상태를 확인했다.

"즉사했네."

"이제 돌아가실 겁니까?"

디아노의 질문에 아드리안은 표정을 구겼다.

'보답이 곰이라니 너무 약소한데.'

수확이 영 마뜩잖았다. 겨우 이 정도의 선물로는 아티에게 면이 서지 않았다.

자신에게 자수를 주기 위해 두 손이 상처투성이가 된 아티를 떠올리면 더 엄청난 것을 주어야 할 것 같았다.

"디아노."

"예, 전하."

"이 곰보다 더 큰 사냥감은 없겠지?"

"예. 황성 소유 숲 경계 내에서는 그렇습니다."

"흠."

아드리안은 고민에 빠졌다. 고작 곰 한 마리로 만족할 것인가, 아니면 다른 방법을 강구할 것인가.

세 사람이 어리둥절한 얼굴로 침묵에 빠진 아드리안을 쳐다보았다.

"쟤는 대체 뭘 고민하는 걸까?"

테르니의 질문에 에센이 한숨을 내쉬었다.

"뭔지는 모르겠지만, 순탄치 않을 거라는 건 알겠다."

벌써 몰려오는 귀찮음에 이들을 내버려 두고 숲을 벗어나고 싶은 마음이 굴뚝같았다.

디아노는 말없이 뒷머리를 긁었다.

오래지 않아 아드리안은 결단을 내렸다.

"경계를 벗어나 마르케트 서식지로 향한다."

아드리안의 선언에 나머지 세 사람은 귀를 의심했다.

마르케트라면 대형 희귀 마수가 아닌가. 웬만한 기사들은 사냥할 엄두도 못 내는, 상위 포식자였다.

아니, 문제는 마르케트가 강한 마수라는 것 따위가 아니었다.

에센이 기가 질린 얼굴로 물었다.

"……거기, 반나절 거리거든?"

"알아."

짧게 대답한 아드리안은 곧바로 말에 올랐다.

디아노가 곰을 자신의 말에 실으려 하자 아드리안이 손을 내저었다.

"그건 버려. 거치적거리니까."

"예?"

졸지에 황성 숲 내 먹이 사슬의 최상위 포식자는 거치적거리는 것이 되어 버렸다.

"따라와."

그 한마디만을 남기고 아드리안은 먼저 출발해 버렸다.

남은 세 사람은 바닥에 쓰러진 곰을 흘깃 본 후 억지로 말에 올랐다.

"까라면 까야지……."

에센은 단념했고.

"마르케트라니, 아드리안 생각보다 아이디어가 좋은데?!"

테르니는 뭣도 모르고 신나 했다. 디아노는 그저 묵묵히 명을 수행할 뿐.

그렇게 황실 소유 숲으로부터 더 깊은 곳에 위치한 마르케트 서식지에 도착한 아드리안 일행은 힘들이지 않고 마수를 처치했다.

말에도 실을 수 없는 거대한 마수를 보고 나서야 아드리안은 흡족해했다.

'이 정도면 나름 훌륭한 선물이 되겠지.'

마수의 부위를 해체하면 제법 값이 나가기도 했다. 아드리안은 기뻐할 아티를 떠올리며 숲의 입구로 복귀했다.

와아아―!

아드리안이 잡아 온 마수를 본 사람들이 일제히 탄성을 내질렀다.

아드리안은 그에 아랑곳 않고 오로지 한 사람만을 찾았다.

이윽고 아드리안은 마리에와 함께 있는 아티를 발견했다.

어둡던 아티의 표정은 아드리안을 보자마자 환해졌다.

'나를 걱정한 건가.'

하지만 그것도 잠시.

디아노가 끌고 온 마르케트의 사체를 보자마자 아티의 얼굴이 새하얗게 질렸다.

'피…….'

순식간이었다.

마수의 붉은 피가 아티의 눈앞을 온통 잠식하더니, 이내 까무룩 의식을 잃었다.

"아티!"

쓰러지는 직전까지도 아티에게 강렬한 인상을 남긴 건, 오로지 붉게 고인 피 웅덩이뿐이었다.

✦ ♛ ✦

불길이 높게 치솟았다. 주변을 무시무시한 속도로 살라 먹는 새빨간 불은 지척까지 다가와 있었다.

"라라, 가만히 서서 뭐 하는 거니? 어서 피해야 한다!"

누군가의 우악스러운 손이 소녀의 손을 낚아채더니 불길의 반대편으로 끌고 가기 시작했다.

소녀는 고개를 돌린 채 타오르는 저택을 두 눈에 담았다.

불의 요정이 춤을 추는 것처럼 인상적인 광경은 지금껏 살아온 가족의 터전을 망가뜨리는 처참한 모습이었다.

"괜찮아, 라라. 살아만 있으면……. 살기만 하면 돼."

소녀는 구슬픈 음성에 끌고 가는 손의 주인을 보았다. 산발이 된 엄마의 얼굴이었다.

평소 소녀의 엄마는 예의를 중시했기 때문에 흐트러진 모습을 보인 적이 없었다. 하지만 지금은 외양 따위 챙길 정신도 없어 보였다.

손을 잡고 달리는 엄마와 소녀의 앞으로, 앞서서 뛰어가는 아빠와 동생의 모습이 보였다.

그렇게 그들은 외진 곳으로 숨어들었다. 아무도 찾지 못하게, 꼭꼭…….

순식간에 장면이 뒤바뀌었다. 귀청을 뒤흔들 정도로 엄청난 함성에 순간 귀가 멍해졌다.

분노한 제국민들, 그리고 그들 사이에 서 있는 소녀. 어린아이의 주위에 그녀를 지켜 줄 어른은 아무도 없었다.

고개를 숙이자 낡고 해진 옷자락이 보였다.

"죽여라!"

"반역자를 처단해!"

광기 어린 목소리는 오로지 한 사람을 저주했다.

소녀는 천천히 고개를 들어 저주의 대상을 바라보았다.

단두대 앞에 무릎을 꿇은 채 목을 내놓은 사람, 곧 죽을 그 사람은…….

'쿵.'

아빠였다.

심장이 떨어지는 듯했다.

그녀가 무슨 잘못을 하든 허허 웃으며 무조건 감싸 주던 자애로운 아빠.

사람들은 그런 아빠가 죽기를 간절히 바랐다. 소녀는 그 자리에 못 박힌 채 서서 비참한 몰골의 아비를 바라보았다.

오랫동안 먹지 못해 움푹 팬 뺨, 그늘이 내려앉은 눈가, 오물이 굳은 옷자락.

절로 동정심이 들 정도로 처참한 몰골이었지만, 사람들은 그런 것 따위 전혀 신경 쓰지 않았다.

와아아—!

함성과 함께 누군가 위풍당당하게 모습을 드러냈다. 사형 집행관이었다.

"반역을 주동한…… 드러나 …… 주모자…… 빌바오를 참형에 처한다."

함성 탓에 사형 집행관의 음성이 끊겨서 들려왔다.

무릎 꿇은 아빠의 얼굴이 보였다. 모든 것을 포기한 듯 허탈한 표정.

변론도 없이, 칼이 내려와 아비의 목을 자비 없이 내리쳤다. 그 찰나의 순간 소녀는 아빠와 눈이 마주쳤다.

서걱―.

잘린 목이 바닥을 굴렀다. 흘러내린 피가 점점 고여 웅덩이를 이루었다.

소녀는 어떤 소리도 내지 않고 부릅뜬 아빠의 눈과, 그 아래 고인 피를 쳐다보았다.

피.

그렇게 그 장면도 끝났다.

✦ ♛ ✦

"……!"

눈을 뜨자마자 아티는 자신이 식은땀을 흘리고 있다는 것을 깨달았다. 옷이 푹 젖어 상당히 찝찝했다.

이상한 꿈을 꿨다. 겪은 적도 없는 그런 꿈이었다.

"우리 아빠는 그렇게 돌아가시지 않았는데……."

'이건 도대체 무슨 기억이지?'

단순히 개꿈으로 치부하기에는 꿈의 단면들이 지나치게 세세했다.

악몽이라면 악몽일까. 아티가 기분 나쁜 느낌을 애써 지우려 노력할 때, 문이 열렸다.

"일어났군."

아드리안이 다가와 아티의 이마를 짚었다. 아티가 표정을 굳히며 몸을 뒤로 물렸다.

"땀을 많이 흘려서, 닿지 않는 게 좋아요."

"그런 건 상관없어."

아드리안은 심각한 표정으로 아티의 얼굴을 살폈다.

"의사의 말로는 갑자기 스트레스를 받아서 쓰러졌다고 하던데."

"아."

그제야 아티는 자신이 숲 입구에서 쓰러졌다는 사실을 깨달았다.

'내가 왜 쓰러졌더라.'

기억이 나지 않았다.

아드리안이 돌아오기를 기다렸고, 돌아온 그를 보고 반가웠다는 감정이 마지막이었다.

"일단 누워. 아직 안색이 창백하니까."

아드리안이 아티를 다시 침대에 눕혔다. 아티를 보는 아드리안의 표정은 어두웠다.

'분명 피를 보고 쓰러졌었다.'

마르케트의 사체 아래 고인 피 웅덩이를 보자마자 아티는 정신을 잃었다.

심약해서 그렇다기에는 마음에 걸리는 문제가 있었다.

쓰러진 아티가 식은땀을 흘리며 무언가를 중얼거렸기 때문이다.

"안 돼……. 아빠는 안 그랬어."

"아빠……."

홍건한 피와 아빠라는 말, 그 사이에 어떤 연관이 있을 거라고 아드리안은 추측했다.

"폐를 끼쳐 드려 죄송해요. 사냥 대회는 어떻게 되었나요?"

"미카엘에게 수습을 맡기고 곧바로 릴리 궁으로 돌아온 참이야."

"……그렇군요."

본의 아니게 소란의 중심이 되었다는 생각에 아티는 의기소침해졌다.

'당분간은 사냥 대회 때 내가 쓰러진 일로 다들 떠들어 대겠지.'

어차피 벌어진 일, 신경 쓰지 않기로 했다.

아드리안은 고민 끝에 입을 열었다.

"아까 내가 들고 온 사냥감은……."

기억에서 지우라고 말할 생각이었다. 하지만 아티는 환하게 웃으며 아드리안을 바라보았다.

"아, 그 커다란 마수 말씀이시죠? 저 마수는 처음 봐서 정말 신기했어요!"

미소 짓는 얼굴에는 그늘 한 점 없었다. 아드리안은 아티의 모습에서 위화감을 느꼈다.

'이상한데.'

자신의 약혼녀에게 분명 무언가 있었다.

어쩌면 스스로도 모르고 있을.

"아얏!"

가브리엘이 미간을 찌푸리며 손을 확 빼내자 손톱을 다듬던 하녀가 황급히 무릎을 꿇었다.

"죄송합니다. 죄송합니다, 가브리엘 아가씨……. 부디 용서해 주세요."

그녀가 고개를 조아리며 구슬프게 사죄했지만, 가브리엘은 거들떠보지도 않았다.

"너, 해고야."

"아가씨, 잘못했어요, 부디 해고만은……!"

네벨가의 사용인들은 익숙하게 울부짖는 하녀를 가브리엘의 눈앞에서 치웠다.

가브리엘은 지극히 평온한 얼굴로 차를 홀짝홀짝 마셨다. 그녀가 마침 생각났다는 듯 우아하게 물었다.

"그러고 보니, 예전에 알아보란 건 알아봤을까?"

"예. 장인 위르겐의 거취를 알아냈습니다."

몰래 심어 두었던 정보원의 말에 가브리엘이 부채로 입가를 가리며 웃었다.

"장인 위르겐의 거처에 레이디 오비에도가 다녀간 것을 목격했습니다. 아마 개인적인 친분이 있는 것으로 추측됩니다."

"아티엔느 양이 장인 위르겐과 친분이 있는 사이라고?"

가브리엘이 야릇한 미소를 지었다.

'생각지도 못한 수확을 얻었어.'

제대로 파 보면 무언가 나올 것 같았다.

우선 아티엔느와 장인 위르겐이 아는 사이라는 걸 캐낸 것부터가 큰 수확이었다.

처음에는 아티엔느가 불쌍해서 그냥 내버려 두었다. 자신의 질투를 이끌어 내기 위해 아드리안이 약혼녀를 내세웠다고 여겼으니까.

'하지만 점점 도를 넘고 있어.'

여전히 아드리안이 자신의 질투심을 유발한다는 생각에는 변함이 없었다.

그렇지만 이제 불쌍했던 아티엔느가 눈엣가시가 되었다.

"가만두고 볼 수 없지."

가브리엘은 그 길로 아버지를 찾았다.

그녀는 정보원에게 들었던 이야기를 후작에게 고스란히 전해 주었다.

"어떤가요, 아버지? 제법 흥미롭지 않나요?"

"장인 위르겐과 레이디 오비에도라. 사실 오비에도가에서 숨겨 두었던 딸이 있다는 얘기부터 무언가 수상했던 참이다."

네벨 후작은 턱을 만지작거리며 사색에 잠겼다.

'당시에 수상해서 오비에도가를 파 보았지만, 쓸 만한 건 별로 나오지 않았지.'

황태자와 자신이 결혼할 것이라 철석같이 믿고 있던 가

브리엘이 하도 성화라 뒷조사를 했던 기억이 났다.

'장인 위르겐……. 그때 '그 사건' 이후로 자취를 감추었다 들었는데 살아 있었구먼. 그자가 아직 나이가 어린 오비에도 가문의 딸과 엮일 일이 과연 뭐가 있지?'

네벨 가문이 온갖 비리를 저지르면서도 지금껏 부와 명예를 쌓아 올 수 있었던 건, 전적으로 예민하게 반응하는 가주의 촉과 관련 있었다.

걸릴 만하면 곧바로 발을 빼서 증거를 인멸해 왔으니까.

더불어 구린 부분에 대해서도 남들과 다른 촉이 있었다.

'역시 수상하다.'

후작은 사랑스러운 딸의 머리를 쓰다듬으며 그녀를 칭찬했다.

"역시 우리 딸, 아주 재미있는 정보를 가지고 왔구나! 뭐든 말만 하려무나. 이 아빠가 다 사 줄 테니!"

"와, 마침 저 사고 싶은 게 있었어요!"

가브리엘이 신나서 의상실의 카탈로그를 펴 들었다. 후작은 보좌관을 호출했다.

"자세히 조사해 봐."

"예."

가브리엘은 수십 벌의 드레스를 주문하고 나서야 만족스러운 듯 고개를 들었다.

탁. 가브리엘은 의상실 카탈로그를 테이블 위에 올려 두었다.

"그렇다면 저는 티 파티를 개최해야겠어요."

그녀는 싱긋 웃었다.

"그래. 가브리엘. 네 뜻대로 해라."

"역시 아빠예요!"

"아무렴 내 딸이지!"

서로 마주 보고 웃는 부녀의 모습은 정말이지 닮아 있었다.

Chapter 25. 불행은 예고 없이 찾아온다

Chapter 25. 불행은 예고 없이 찾아온다

"오호호홋. 오늘도 정말 열심히 공부하시는군요, 아티 님!"

"감사해요, 마담 루시."

"오호호홋!"

응? 갑자기 드는 위화감에 나는 고개를 갸웃했다.

어쩐지, 오늘 마담 루시의 웃음소리가 평소와 달랐다. 어쩐지 더 예민하고 날 선 느낌이라고 해야 할까.

"마담 루시. 혹시 무슨 일이라도 있나요?"

"어머, 어떻게 아셨담?"

마담 루시가 깜짝 놀랐고, 나도 놀랐다.

마담 루시와 너무 오랫동안 함께 있었던 건지 웃음소리로도 기분을 알 수 있는 능력이 생겨 버린 모양이다.

"아티 님은 왜 놀라세요?"

"정말 그럴 줄 몰라서요. 그런데 무슨 일인가요?"

"휴우. 글쎄, 제가 아티 님 앞으로 오는 초대장이나 서신을 모두 관리하잖아요?"

마담 루시가 내 앞에 한 장의 초대장을 내려놓았다. 뱀과 장미의 문양, 어디선가 본 적이 있었다.

"네벨 가문의 문양이네요."

"네. 가브리엘 양이 아티 님께 보낸 티 파티 초대장이랍니다."

그것만으로도 마담 루시가 오늘따라 기분이 나빴던 이유를 알 수 있었다.

마담 루시는 가브리엘을 싫어하니까, 이렇게 접근하는 게 마음에 들지 않는 거겠지.

"거절하는 게 좋을까요?"

"저는 그러는 게 좋다고 생각한답니다. 괜히 가 봤자 좋은 꼴 볼 것 같지 않네요. 휴우우."

"알겠어요, 마담 루시. 한번 생각해 볼게요."

마담 루시의 만류에 나도 가브리엘의 초대를 거절하는 쪽으로 마음이 기울었다.

여기에는 다른 사람들의 만류도 큰 영향을 미쳤다.

"가지 마."

아드리안이 단호하게 말렸고.

"가지 마, 아티! 분명 또 수작질하려는 걸 거야!"

마리에가 길길이 날뛰었다.

"가지 않는 게 좋습니다."

심지어 가브리엘의 친오빠인 미카엘조차 가지 말라고 했다.

"역시 안 가야지!"

그렇게 정중하게 거절의 답신을 작성하고 있을 때, 불청객이 찾아들었다.

가브리엘이 나를 직접 찾아온 것이다!

"오랜만에 뵙네요, 아티엔느 양. 몸은 괜찮으신가요?"

가브리엘과는 사냥 대회 이후로 처음 만나는 것이었다. 또 무슨 작당을 벌이는 건지 표정이 아주 밝았다.

"네, 가브리엘 양께서 염려해 주신 덕분에 많이 나아졌답니다. 한데 오늘은 무슨 이유로 여기까지 오신 건지요?"

미리 통보하지 않은 방문은 상당한 결례였다. 가브리엘도 그걸 모르지는 않을 터.

그녀는 우아하게 찻잔을 내려놓으며 곧바로 본론을 꺼냈다.

"제가 보낸 초대장은 받으셨겠죠?"

"네, 마침 답신을 하려던 참이었답니다."

거절의 답신이지만.

아무래도 티 파티에서 무슨 일을 꾸밀 작정인 모양인데, 그에 휘말리고 싶은 생각은 추호도 없었다.

더더욱 가면 안 되겠다는 마음이 굳어졌다.

"특별히 최근 건강이 좋지 않다는 아티엔느 양을 위해 기력 증강에 좋다는 찻잎을 구해 두었답니다. 어서 티 파티 날이 되었으면 좋겠네요."

"저는—."

가지 않겠다는 말을 하려 했지만 가브리엘이 싱긋 웃으며 내 말을 끊었다.

"아티엔느 양은 이제 공인된 황가의 일원이죠. 만약 아티엔느 양께서 제 초대를 거절한다면 어떻게 될까요? 오비에도 가문과 황실의 체면이 구겨지겠죠?"

고작 티 파티 거절에 오비에도 가문과 황가까지 물고 넘어지는 가브리엘의 말은 분명 비약이었다.

하지만 나는 그냥 넘어갈 수가 없었다.

가브리엘이 작정하고 이상한 소문을 낸다면, 한순간이라도 황가와 가문에 누를 끼칠 수 있기 때문에.

나는 황실 사람들에게 죄스러웠고, 오비에도 가문 사람들에게는 고마운 마음이 있었다.

그러니까—.

"당연히 가야죠."

먼저 승부를 걸어오셨으니, 제대로 맞서야겠지.

어차피 수작 부릴 거라는 사실을 이미 알고 있으니, 쉽게 당할 일도 없었다.

✦ ♛ ✦

내가 네벨 가문에서 열리는 티 파티에 가기로 승낙했다는 사실은 반나절도 되지 않아 여기저기 퍼졌다.

"안 가도 돼. 가지 마. 아직 몸도 안 좋은데 무리하면 안된다고."

가브리엘이 떠난 지 채 한 시간이 지나지도 않았는데, 아드리안이 쳐들어왔다.

"괜찮아요. 고작 티 파티잖아요!"

사냥 대회였으면 좀 무서웠을지도 모르겠다. 내가 다룰 줄 아는 무기는 거의 없다시피 했으니까.

"애초에 갈 생각도 없었으면서, 갑자기 왜 말리든 거지? 넌 똑똑하잖아."

"⋯⋯!"

아드리안의 말에 조금 놀랐다. 들어 본 칭찬은 '쓸 만하군'이 전부였기 때문에, 나를 똑똑하다고 평가하고 있을 줄 몰랐기 때문이다.

이제 나도 나름 한 사람분의 역할을 다하는 약혼자가 된 기분에, 절로 웃음이 나왔다.

"⋯⋯갑자기 왜 웃어?"

"아드리안한테 인정받은 것 같아서 기분이 좋아졌어요."

"실없기는."

아드리안이 매정하게 고개를 휙 돌렸다.

어라. 순간 귀 끝이 빨개 보였는데⋯⋯ 내 착각이겠지?

"그래서 갑자기 왜 간다는 거지?"

나는 잠깐 머뭇거리며 아드리안의 질문에 대답하지 못했다.

"뭐야. 그 여자가 무슨 짓이라도 한 건가?"

아드리안의 눈빛이 살벌해지고, 언성이 높아졌다. 나는 다급히 고개를 저으며 아드리안의 소매를 붙잡았다.

"아니에요. 제가 자발적으로 간다고 한 거예요!"

머뭇거린 이유는 별것 아니었다. 그냥 아드리안에게 말하기 부끄러워서.

사실은 딱히 말하면 안 되는 이유도 아니었다.

"가브리엘이 그러더라고요. 제가 참석하지 않으면 황가와 오비에도 가문의 명예가 실추될 거라고요."

"헛소리. 고작 티 파티 참석을 거부한다고 명예가 실추될 황가가 아니다. 오비에도 가문도 마찬가지야."

"저도 알아요!"

"아는데 어째서?"

"물러나고 싶지 않았어요."

나는 시선을 들어 아드리안을 똑바로 바라보았다.

거리가 가까운 탓에 붉은 눈동자의 문양이 뚜렷하게 보였다.

그리고 거기에 비친 내 모습도.

"가서, 가브리엘이 무슨 수작을 부리든 당당하게 아드리안이 내 남자라는 걸 증명하고 올게요."

"뭐라고……?"

놀라는 아드리안의 반응에 내가 순간 말실수를 했다는 것을 깨달았다.

나는 얼굴을 붉히고 허둥지둥 변명했다.

"어, 어쨌든 공식적인 약혼 관계니까요. 계약 약혼이라도 어쨌든 다른 사람의 눈에는 우리가 연인으로 보일 테니까……."

어쩐지 말하면 할수록 수렁에 빠지는 기분인데.

나는 잔뜩 달아오른 얼굴을 괜히 손등으로 꾹 누르며 입을 닫았다.

잠시 후, 아드리안의 손이 내 뺨을 감쌌다. 다시 두 눈이 마주쳤다.

"그래. 내가 네 남자라는 걸 증명하고 와."

"……네."

"믿으니까."

"네……!"

가브리엘의 티 파티에 참석하는 것을 허락받았다는 기쁨보다는, 아드리안이 나를 믿어 주었다는 것에 더 벅찼다.

"저만 믿으세요, 전하!"

"……."

그 외침에 아드리안이 한숨을 내쉬는 것 같았는데, 아무래도 잘못 들은 거겠지?

✦ ♛ ✦

아드리안은 영 불안했다.

아티가 네벨가의 티 파티에 참석하는 걸 허락해 주기는 했지만, 완전히 안심한 것은 아니었다.

가브리엘. 그녀가 누구던가.

순하고 얌전하던 황태자 아드리안을 인간 불신 성격 파탄자가 되게 만든 일등 공신이 아닌가.

'보듬고 아껴도 모자랄 소중한 내 아티를 그런 위험한 곳에 보내야 하다니.'

아드리안에게 아티는 아주 작고 소중한 동물 같은 이미

지라 도무지 걱정이 가시지 않았다.

"하아."

한숨을 내쉬는 아드리안의 옆으로 동시에 한숨을 내쉬는 또 한 사람이 있었다.

"후."

바로 에센이었다.

에센은 아드리안을 무시무시한 기세로 노려보았다.

"내놔."

아드리안은 에센의 추궁을 무시했다. 하지만 에센은 포기란 것을 모르는 생물이었다.

"내놓으라고, 내 손수건!"

"무슨 손수건을 말하는 건지 모르겠는데."

"사냥 대회 때 아티가 나한테 줬던 손수건 말이야!"

아드리안은 모르쇠로 일관했다.

"몰라. 그딴 거."

결국 아드리안과는 대화가 통하지 않으리라고 판단한 에센은 자리를 박차고 나가 버렸다.

에센이 그러건 말건 아드리안의 관심사는 오로지 하나뿐이었다.

'어떻게 하면 가브리엘이 아티에게 수작을 부리지 않을 수 있지?'

일단은 호위의 명목으로 에센을 붙여 티 파티에 참석시킨다. 그렇다면 일차적으로 걱정은 덜 수 있었다.

하지만 에센도 미처 대처할 수 없는 상황 같은 것들이 있었다.

이를테면 일전에 가브리엘이 에센과 아티를 엮어 보려고 선동을 하던 일이라든가.

"디아노."

아드리안은 검을 닦고 있던 자신의 수호 기사를 불렀다.

"예, 전하."

"네가 좀 나서야겠다."

가만히 아티를 걱정하는 것보다는 직접 일에 개입하는 편이 아드리안의 적성에 잘 맞았다.

✦ ♛ ✦

그동안 아드리안의 약혼녀로 지내며 알게 된, 알고 싶지 않은 사실이 하나 있었다.

"오늘도 날이 좋네."

바로 가브리엘을 만나는 날이면 어김없이 날이 청명하다는 것!

구름 한 점 없이 맑은 하늘을 보다 마차에서 내렸다. 에센이 나를 에스코트했다.

"오늘도 잘 부탁드려요, 에센 님!"

"응, 괜찮아. 당연히 해야 할 일인걸."

상냥하게 웃는 에센의 얼굴에 마음이 스르르 풀어지려는 때였다.

"어머! 드디어 오셨군요, 아티엔느 양. 정말 오래 기다렸답니다. 다른 분들은 이미 와 계세요~!"

가브리엘은 '왜 이렇게 늦었느냐'는 말을 아주 쾌활하게 했다. 나는 지지 않고 가브리엘을 보며 웃었다.

"약속 시간까지 아직 10분 정도 남아 있는 걸로 아는데…… 혹시 가브리엘 양께서 초대장에 시간을 잘못 적는 실수를 범하신 건가요?"

"그건—!"

"그래도 괜찮답니다. 그 정도는 충분히 용서해 드릴 수 있지요. 모두들 기다리고 계시다니, 어서 안내 부탁드릴게요."

뭔가 말을 더 하려는지 입을 달싹대던 가브리엘이 고개를 홱 돌렸다.

"……아티엔느 양을 안내해 드리렴!"

"네. 이리로 오시지요."

나는 하녀의 안내를 받아 네벨가 안쪽으로 걸음을 옮겼다.

과연 명성답게 저택은 아주 휘황찬란했다. 곳곳에 돈을 바른 게 티가 날 정도였다.

역시 비리의 온상, 네벨 후작!

온갖 뇌물을 받는 데다 영지민들을 탈탈 털어 대기까지 했으니 재산이 어마어마할 터.

"포인세티아 궁도 이 정도는 아니겠다."

"그러게요."

질린 듯한 에센의 평가에 나는 동조했다. 가브리엘은 화려한 저택이 뿌듯한지 자랑스럽게 웃었다.

"겨우 이 정도로 놀라신 건가요? 흐음, 오비에도 가문의 수준이 참으로 궁금해지네요."

"오비에도는 늘 건재하답니다. 가브리엘 양이 걱정하지 않아도 괜찮아요."

가문까지 들먹이는 바람에 순간 욱했지만, 가브리엘과 똑같은 수준이 되고 싶지 않아서 참았다.

내 옆얼굴을 바라보는 가브리엘의 강렬한 시선이 느껴졌지만 모른 척 걸음만 옮겼다.

"오랜만에 뵙네요, 레이디 오비에도."

"어서 오세요. 아티엔느 양. 기다리고 있었답니다!"

티 파티가 열리는 후원에 도착하자 미리 와 기다리고 있던 영애들이 나를 반겼다.

나는 일단 분위기를 살폈다. 걱정했던 것치고는 아직까지 수작질의 기미가 보이지 않았다.

"다들 반가워요. 어제까지는 날이 흐렸는데, 다행히 오늘은 날이 맑네요."

인사말을 건네자 몇몇 영애들이 내게 모여들었다. 그 이후로 일상적인 대화가 오갔다.

나는 주로 가만히 듣다가 간혹 맞장구를 치는 편이었다.

"그 소식 들으셨나요?"

"재미난 소식이라도 있나요?"

가장 먼저 이야기를 꺼낸 영애가 심상치 않은 표정을 지었다.

들어 두어 나쁠 게 없으니 나도 귀를 기울였다.

"최근에 페코스 구역에서 미치광이 살인마가 날뛰고 있대요."

"미치광이 살인마?"

"네. 밤마다 나타나서 닥치는 대로 사람들을 살해하고서는 홀연히 사라신대요. 빨간색 옷을 입고 있고, 다리를 전다고 해서 '빨간 절름발이'라는 별명이 붙었다네요."

"어머, 무서워라! 경시청은 뭘 하고 있대요?"

"그러게요. 빨리 잡혀야 할 텐데……."

페코스라면 빈민 구역이었다. 한때 내가 살았던 그곳은 매일같이 사람이 죽어 나가는 곳이라 굶어 죽든 맞아 죽든 경시청에서는 신경도 쓰지 않았다.

영애들이 말한 소문이 진실이라 정말로 살인마가 날뛴다 하더라도 경시청이 나설 일은 없을 것이다.

태생이 카를로만 거리인 사람들은 모를 테지만…….

"무슨 이야기를 그렇게 재미있게 나누시나요?"

높은 웃음소리와 함께 대망의 가브리엘이 대화 사이에 끼어들었다.

영애들은 짜기라도 한 듯 가브리엘을 위해 자리를 터 주었다.

"최근 페코스 구역에서 살인마가 나타난다는 이야기를 하고 있었답니다."

"우리야 페코스 구역에는 갈 일도 없는데, 상관없지 않나요? 다른 재미있는 이야기나 하죠!"

가브리엘의 한마디에 모두가 동조하며 다른 화제를 꺼냈다.

나는 가만히 자리를 지키다가 물이라도 마실 겸 그곳을 빠져나가려 했다.

"아티엔느 양. 어딜 가시려고요?"

"목이 말라서 물을 가지러 가려 했어요."

"음? 하인들이 음료를 가져다주지 않던가요? 단단히 혼내 주어야겠네요."

언젠가 겪었던 사건이 기억났다. 다른 찻잎을 가지고 왔다는 이유로 하녀에게 뜨거운 찻물을 붓던 가브리엘이.

이번에도 그럴 것 같아 황급히 주의를 끌었다.

"아까 제게 권했지만 그때는 목이 마르지 않아 거절했답니다."

"흐음. 그렇군요. 여기, 아티엔느 양에게 음료를 가져다주겠니?"

하인이 음료를 가져다주는 바람에 은근슬쩍 자리를 피하려는 뜻을 이루지 못했다.

가브리엘은 기다렸다는 듯 나를 바라보았다.

"그러고 보니 아티엔느 양. 후작 부인께서는 요새 어떠신지요?"

뜻밖의 질문에 내심 놀랐지만 겉으로는 전혀 티 내지 않고 대답할 수 있었다.

"그렇지 않아도 최근 본가에 들러 어머니를 만나 뵙고 왔답니다. 다행히 건강이 많이 회복되신 것 같아 안심했어요."

"흐음, 그렇군요. 다행이네요."

가브리엘의 반응이 뭔가 이상했지만 평소에도 이상하기

때문에 일단 넘어갔다.

가브리엘의 질문은 그걸로 끝이 아니었다.

"예비 황태자비로서 릴리 궁에만 머무른다면 꽤 외로우시겠어요."

"아니에요. 황태자 전하께서 계시니 괜찮아요."

"전하와는 요새 사이가 어떤가요? 오비에도 후작 각하와 부인께서는 연애결혼이라 사이가 돈독하다고 유명하죠. 아티엔느 양께서도 부모님처럼 전하와 돈독하시겠죠?"

왜 이런 걸 물어보는 거지? 의아한 것도 잠시, 가브리엘의 질문에는 오류가 있었다.

잠깐 다른 영애들을 둘러보았지만, 아무도 모르는 듯했다.

"가브리엘 양. 실례지만 제 부모님께서는 연애결혼이 아닌 정략결혼으로 맺어졌답니다."

내 말에 우리의 대화를 듣고 있던 영애들이 화들짝 놀랐다.

"연애결혼이 아니었나요?"

"저도 연애결혼으로 알고 있었어요!"

"아니에요. 정략결혼이 맞아요."

나는 놀라는 이들에게 확실히 못 박아 주었다. 테르니에게 들은 이야기니 틀림없었다.

아무래도 이들이 납득 못 하는 것 같으니 부연 설명이 필요할 듯했다.

"모두들 제 부모님께서 서로 사이가 좋으셔서 연애결혼으로 알고 계시지만 사실 정략결혼이랍니다. 다만 차이라면 원래 교류가 있던 사이였다는 것일까요."

"아아. 그렇군요!"

내 설명에 모두들 납득했다. 가브리엘도 선선히 고개를 끄덕였다.

"제가 잘못 알고 있었군요."

"아니에요. 그럴 수도 있죠."

그렇다면 이제 질문 폭격은 끝난 건가? 그러나 그것은 내 희망 사항이었을 뿐…….

가브리엘이 웃으며 의미심장하게 물었다.

"아티엔느 양. 오비에도 후작 각하의 보좌관인 케노아 경은 잘 지내시나요? 일전에 아버지를 따라 황성에 갔을 때 만나 뵌 적이 있는데, 갑자기 생각나네요."

그 질문에 나는 불현듯 깨달았다. 가브리엘이 지금까지 내게 했던 질문들은 모두 쓸데없는 게 아니었다.

나를 떠보려고 하고 있어.

지금 머뭇거리면 어떤 의심의 여지를 줄 것이 분명했다.

가브리엘이 왜 이런 걸 물어보는지는 나중에 생각하기로 하고, 일단은 대답부터 했다.

"꽤 오래전에 만나셨나 보네요. 케노아 경은 3년 전 은퇴해서 고향 영지로 내려간 지 오래거든요."

"아, 어릴 때 뵀어요. 지금은 안 계시는 거군요?"

"네, 가브리엘 양. 몇 달 전에 저택으로 오셨다는 소식은 들었는데, 다리가 많이 불편하다고 이야기를 전해 들었답니다. 직접 뵙고 싶었는데 황궁에 있던 터라……."

테르니가 매일 내 침대에서 뒹굴거리며 했던 쓸데없는

정보들이 여기서 빛을 발할 줄이야.

가브리엘이 내게 했던 질문들의 공통점은 모두 오비에도 가문과 관련된 것이다.

아티엔느와 오비에도 가문 사이를 의심하는 건가? 그편이 가장 유력했다.

"그렇군요. 그럼—."

가브리엘이 또 내게 질문을 건네려고 했다. 나는 웃으며 그녀의 말을 끊었다.

"가브리엘 양께서 제게 이렇게 관심이 많으신 줄은 미처 몰랐네요."

미묘한 기류가 흘렀다. 하지만 나는 환한 미소를 거두지 않았다.

감정을 드러내는 쪽이 지는 싸움이라고 마담 루시가 누누이 이야기했으니까.

객관적으로 따져 보아도 과하게 많은 질문이었기 때문에 다른 영애들도 섣불리 끼어들지 못했다.

심상치 않은 기색을 느낀 것인지 멀찍이 떨어져 있던 에센이 내게 다가오려는 것을 막았다.

"아티엔느 양과 친해지고 싶은 마음에 질문이 과했던 모양이군요. 불편하실 줄 몰랐어요."

작전을 바꾸어서 동정심 유발을 하는 쪽으로 간 모양이었다. 다른 영애들이 가브리엘을 옹호했다.

"맞아요, 아티엔느 양. 아티엔느 양께서는 좀처럼 이런 모임에 참석하지 않으시니 모두들 궁금한 것들이 많답니다."

"그럼요. 가브리엘 양께서도 평소에 친해지고 싶어 하셨어요."

아무래도 나를 나쁜 사람 만들려는 속셈인 듯한데, 쉽게 넘어갈 생각은 없었다.

나는 가브리엘이 지은 표정보다 더 서글픈 얼굴을 했다.

"그렇군요. 저는 가브리엘 양과 이미 친하다고 생각했는데…… 저만의 착각이었던 건가요?"

한 손으로 눈가를 훔치자 몇몇 영애들이 당황하는 게 느껴졌다.

하하. 이게 바로 가짜 황태자비의 연기력이라고!

"아니에요, 아티엔느 양. 가브리엘 양께서도 아티엔느 양과 친하다고 생각하고 계세요!"

그 말에 나는 애처롭게 가브리엘을 바라보았다. 가브리엘은 얼떨떨한 표정을 하고 있었다.

"……정말인가요?"

"그럼…… 요. 당연히 아티엔느 양을 친밀하게 생각하고 있답니다."

그렇게 말하는 가브리엘은 탐탁지 않은 듯했다. 어쨌든 가브리엘의 질문 폭탄을 피했으니 한고비는 넘긴 셈.

바로 다음 작전을 시행했는지 다른 영애들이 서로 눈짓을 주고받았다.

"아티엔느 양. 요새 유행하고 있는 카드 게임을 아시나요?"

"카드 게임이라면……?"

"'레토'라고 최근에 사교계에서 유행하고 있답니다."

나는 가만히 고개를 끄덕거렸다. 사교계의 유행에 대해 알 턱이 있나.

"잘 모르시나 보네요! 그럼 저희와 함께 해 보실래요? 아주 재미있답니다."

"그래요, 레이디 오비에도. 한번 해 보면 감이 잡힐 거예요."

허락도 하기 전에 하인들이 척척 테이블과 의자를 날랐다.

흠. 나는 두 눈을 가늘게 떴다. 아무래도 지금부터 본론으로 들어가는 모양이다.

짠 것처럼 내 자리를 제외한 네 자리는 금세 채워졌다.

"여기에 앉으시지요, 아티엔느 양."

먼저 착석한 가브리엘이 맞은편 자리를 눈짓했다. 다소 호전적인 눈빛에 남몰래 한숨을 내쉬며 앉았다.

후원에 있던 모든 이들이 테이블을 빙 둘러쌌다.

적당히 어울려 주다가 빠질 생각이었다. 고작 카드 게임인데 몇 판 하면 저들도 질리겠지.

"일단은 룰을 익힐 겸 가볍게 해 볼까요?"

여기서 가장 레토를 잘하는지 내 왼편에 앉은 영애가 여유롭게 웃으며 카드를 섞었다.

아무래도 초보인 나를 비웃으며 망신을 주려는 속셈인 것 같은데, 그 정도야 그냥 넘어가 주기로 했다.

딱히 유희의 일종인 카드 게임을 못 하는 게 가문의 명성을 떨어트릴 일도 아니니.

게임이 시작되었다. 룰을 설명해 주는 영애의 목소리를 들으며 내 패를 보았다.

"할 수 있겠어?"

갑자기 뒤에서 에셴의 목소리가 들려 깜짝 놀라 돌아보았다.

"그냥 좀……. 걱정돼서."

"아, 괜찮아요!"

"그럼 옆에만 있을게."

나는 고개를 끄덕이며 다시 카드로 눈을 돌렸다. 패는 좋을 것도, 나쁠 것도 없었다.

"제 승리네요!"

역시 왼편에 있던 영애의 승리였다. 나는 내가 들고 있던 패를 내려놓으며 작게 웃었다.

"어렵네요. 레토라는 게임."

"아니에요, 아티엔느 양. 몇 판 더 해 보면 이기실 수 있을 거예요. 물론 지금은 이 중에서 가장 좋지 않은 패지만……."

그 말에 사람들의 시선이 내게 몰리는 게 느껴졌다. 예상했던 대로 조롱의 시선이었다.

괜찮을 줄 알았는데, 생각보다 열 받네, 이거…….

"자, 그럼 카드 섞을게요!"

다시 게임이 시작되었다. 이번에는 나도 나름 머리를 좀 굴려서 패를 냈다.

그런데 영 이길 수 있을 것 같지가 않았다. 약간 짜증이 나서 고개를 들었다가, 무언가를 포착했다.

서로 눈빛 교환을 하는 네 사람. 같은 장면을 보았는지 에셴이 내게 귀띔해 주었다.

"짜고 패를 몰아주는 것 같아."

"그러게요."

고작 나 하나 망신 주려고 제법 열심히 준비했구나 싶어서 허탈한 웃음이 나왔다.

"호호호. 이번에도 제가 이겨 버렸네요. 이걸 어쩌죠?"

"축하드려요."

나는 승리한 영애를 향해 축하의 말을 건넸다. 그녀가 또다시 카드를 섞었다.

"한 판 더 하실 건가요?"

"음……. 저는 방해만 되니 빠지는 게 좋지 않을까요?"

나는 의기소침하게 게임에서 빠지겠다는 의견을 내었다.

그러자 게임에 참여하던 영애들은 물론 주위 사람들까지 단체로 만류했다.

"이제 아티엔느 양께서도 슬슬 룰을 깨우치신 것 같으니 이기실 수 있을 거예요."

"그럴까요……?"

"그럼요!"

"그럼 한번 해 볼게요."

내가 다시 자세를 고쳐 앉자 뜻대로 되었다는 생각인지 그들의 표정이 환해졌다.

게임이 시작되었다. 이번에도 저들은 역시 서로만 알아듣는 신호를 주고받으며 나를 소외시켰다.

몇 분 후, 역시 같은 영애가 제 패를 바닥에 내려놓았다. 이번에도 역시 승리를 확신할 정도로 점수가 높은 패였다.

"어쩌면 좋죠? 이번에도 제 승리네요. 이번에야말로 아티엔느 양께 져 드리고 싶었는데."

"그렇다면 영애의 뜻대로 되셨네요."

"네?"

나는 방긋 웃으며 패를 내려놓았다.

"올 클리어. 제 승리예요."

경악한 시선이 내게 모여들었다.

그도 그럴 게, 저들이 아무리 짜고 치더라도 단 한 번도 올 클리어는 나오지 않을 정도로 만들기 쉽지 않은 패였다.

"아티엔느 양께서 운이 좋았네요. 나오기 쉽지 않은 패인데……."

"그러게요."

아무래도 초심자의 행운이라고 생각하는 모양이었다.

그렇다면 저들이 방심한 지금이 유일한 기회였다. 나는 힘든 척 한숨을 내쉬었다.

"고작 세 판 했을 뿐인데, 지치네요. 아무래도 카드 게임은 저와 잘 맞지 않는 것 같아요."

"아니에요, 아티엔느 양. 마지막 판에서 이기셨잖아요?"

"말씀하신 것처럼 공교롭게 맞아떨어진 거라……. 제가 끼어 있는 게 죄송스럽게 느껴지네요. 다른 분께 기회를 양보해 드리는 게 좋지 않을까요?"

당연히 안 된다며 말릴 것이다.

"아니에요, 레이디 오비에도. 그럼 딱 한 판만 더 할까요?"

역시.

나는 고개를 끄덕이며 팔찌와 반지를 풀어 테이블 위에 올렸다. 사람들의 시선이 의문 가득해졌다.

"걸린 게 없으니 보시는 분들도 지루할 것 같아서요. 다들 하나씩 걸고 내기하는 건 어떨까요?"

내 제안에 가장 놀란 건 에센이었다.

"아티, 위험하지 않아?"

"괜찮아요. 보고만 있어요."

걱정스러운 에센의 표정이 그들에게 힘을 실어 준 모양인지 다들 자신만만하게 장신구를 턱턱 내어놓았다.

"저는 목걸이를 걸겠어요."

"그렇다면 저는 이 브로치를."

"저는 귀걸이를 내어놓지요."

아직 내기 물건을 내어놓지 않은 건 가브리엘뿐이었다. 가만히 부채질을 하던 가브리엘이 우아하게 웃었다.

"아무래도 내기라면 평범한 물건을 내놓으면 재미가 없겠죠? 거기, 너."

가브리엘이 하인 한 명을 가리켰다.

"가문의 첫 번째 보물 창고에 가서 장미의 불꽃을 가지고 오렴."

"?!"

일순 좌중이 크게 웅성거렸다. 마치 시장 한가운데 온 것처럼 시끄러워져서 나는 의아해졌다.

가브리엘은 그런 소란을 즐기는지 기분이 좋아 보였다.

"에센 님. 장미의 불꽃이 뭐예요?"

"네벨가의 가보야. 보석으로서의 가치도 어마어마한데 마도구라 더 가치가 높다더라. 그걸 걸 정도라면 어지간히도 아티 네가 만만했나 본데?"

"그럼 더 재미있어지겠네요."

내 태도에 걱정을 덜었는지 에센의 표정은 전보다 훨씬 편했다.

각자 내기 물건을 옆에 두고 다시 게임이 시작되었다.

"크흠."

"흠."

저들이 헛기침으로 신호를 주고받든 말든 아무 상관 없었다. 나는 내 패에 집중하며 버릴 카드를 골랐다.

달칵—

가브리엘이 찻잔을 내려놓으며 연신 부채질을 했다.

그러자 가브리엘의 전 차례이던 영애가 아주 좋은 패를 내놓았다.

당연히 가브리엘은 그 패를 가지고 갔다.

이번에 승리자는 가브리엘로 만들 생각인가 보네.

모두가 숨죽인 가운데, 곧 결판이 났다.

"이번에는 제 승리가 아닐까요?"

가브리엘이 패를 내보였다. 올 페어. 모두가 가브리엘의 승리를 축하해 주었다.

"축하드려요, 가브리엘 양."

"가브리엘 양은 레토도 잘하시네요!"

"후후, 이 정도는 당연히 해야 하는 것 아닌가요?"

승리에 기분이 좋아졌는지 가브리엘이 부채로 입가를 가리며 웃었다.

"그럼 내기 물건은 제가 가져가도록 하죠."

대기하고 있던 하인이 내 장신구를 향해 손을 뻗었다. 나는 그것을 못 본 척 내 카드를 내려놓았다.

"……이번에도 올 클리어?"

"말도 안 돼……."

레토에서 가장 높은 패가 연달아 나온 게 놀랍긴 한지 모두들 두 눈을 의심했다.

나는 부끄러운 듯 고개를 숙이며 작게 웃었다.

"이번에도 운이 좋았어요."

"혹시 아티엔느 양, 뭔가 수를 쓴 건―."

"수라니요. 여기 계신 모든 분들이 게임을 지켜봤는걸요. 그런 말씀을 하시면 저분은 뭐가 되나요?"

"……."

나 이전에 이겼던 영애를 가리키자 할 말이 없는지 입을 다물었다.

"그럼 내기는 내기니까."

내 뒤를 지키고 있던 에센이 싱글벙글 웃으며 내기 물건들을 싹 쓸어 왔다.

에센은 보기 드물게 즐거워 보였다.

"죄송해서 어떡하죠?"

어쩔 줄 몰라 하며 나머지 네 명을 둘러보자 그들이 입꼬리를 올렸다.

"괜찮습니다. 에센 경 말대로 내기는 내기니까요."

"그렇다면 다행이에요. 그럼 이제 레토는 그만하는 거지요?"

분명 마지막 판이라고 했었다. 하지만 저들은 분이 풀리지 않는지 나를 놓아주지 않았다.

"딱 한 판만 더 하죠. 모두들 흥이 오른 것 같으니까. 이번에는 이걸 걸겠어요!"

가브리엘이 걸고 있던 목걸이를 내어놓았다. 사람들이 감탄하는 걸 보니 저것 또한 값비싼 물건일 터.

다른 영애들도 마지못해 다른 장신구를 내어놓았다.

"아티엔느 양은 무엇을 거실 건가요?"

"저는, 음……."

잠깐의 고민 끝에 결론을 내렸다.

나는 내 앞에 쌓여 있던 이전 내기 물건을 쭉 밀어내며 방긋 웃었다.

"이것들을 걸까요?"

그러자 경악하는 사람들의 표정이란.

특히 가브리엘의 표정이 가장 볼만했다.

✦ ♛ ✦

레토 게임이 끝나고 티 파티도 슬슬 파장에 이르렀다.

이제 사람들도 지쳤는지 내게 말을 걸지 않아 몸과 마음이 편해졌다.

"아티."

"네?"

"레토. 할 줄 알았어?"

나는 작게 고개를 끄덕였다.

"어떻게? 실력이 보통이 아니던데."

"헬머 아저씨가 저를 거둬 주시기 전에 페코스 지역에서 지냈던 적이 있거든요. 그때 눈동냥으로 좀 배웠어요."

"페코스……? 거긴 빈민 구역이잖아."

"어릴 때 얘기예요."

그때의 나는 너무 어렸다. 배가 너무 고팠지만 일을 할 수 있는 상황이 아니었다.

주린 배를 채우려면 누군가 적선해 주기만을 하염없이 바랄 뿐.

나는 그렇게 죽어 가는 것보다는 어떻게든 살아남는 법을 택했다.

술집의 도박장을 전전하며 도박꾼들에게 상대의 패를 슬 그머니 귀띔해 주며 푼돈을 받고는 했지.

"그게 또 이렇게 쓰일 줄은 몰랐네요. 그때만 해도 레토 는 평민들의 전유물이었는데, 이렇게 사교계의 유희로 자 리 잡을 줄 누가 알았을까요."

"그러게. 내가 속이 다 시원하더라."

"본의 아니게 장신구들도 많이 생겨 버렸고요. 부자가 되고 말았어요."

마지막에 자신들의 장신구를 내기 물건으로 걸 때 그 표정들을 도저히 잊을 수가 없었다.

내가 웃음을 터트리자 에센도 따라 크게 웃었다.

"무슨 이야기를 그리 즐겁게 하시나요?"

누군가의 목소리에 우리의 웃음이 뚝 멎었다. 이제 좀 진정한 건지 가브리엘이 웃으며 부채를 흔들었다.

"테르니 오라버니 이야기를 잠깐 나누었답니다."

"흠, 그렇군요."

가브리엘이 뭐라 말하려던 때였다. 고급스러운 마차 한 대가 달려와 섰다.

"나의 피앙세! 내 친히 그대를 모시러 왔다오!"

"어머, 달링! 저를 위해 이리 먼 걸음을 해 주시다니, 감동이에요!"

한 공자가 연인을 데리러 온 모양이었다. 단순한 해프닝으로 그치는 줄 알았는데, 그게 아니었다.

네다섯 번 정도 연인을 데리러 온 마차가 다녀갔다.

"개인 마차도 있으면서 왜 굳이 데리러 오는 걸까요?"

내 말에 에센이 어깨를 으쓱해 보였다. 그도 모르는 모양이다.

또 한 명의 영애가 연인의 마차를 타고 사라졌다. 아직 후원에는 사람이 많이 남아 있었다.

"아티엔느 양. 황태자 전하께서도 아티엔느 양을 데리러 오시겠죠?"

누군가의 질문에 나는 순간 대답할 말을 잃고 말았다. 왜 그래야 하는 거지……?

"왜 대답이 없으신가요? 당연히 연인을 위해 데리러 와야 한다고 생각해요. 더구나 황태자 전하께서는 아티엔느 양을 열렬히 사모하신다고 들었답니다!"

하아. 끝까지 이렇게 물고 늘어지기냐!

다시는 가브리엘의 초대에 응하지 않겠다고 이를 갈며 표정 관리를 했다.

"전하께서는 정무로 바쁘셔서 못 오세요. 대신 에센 경을 이렇게 보내 주셨답니다."

"아아……."

다들 실망한 기색을 감추지 않았다.

"황태자 전하께서도 약혼녀를 데리러 올 정도로 정성스럽진 않은 모양이네요."

이제 이 정도 헐뜯음은 간지러운 수준이었다. 그냥 무시해야지. 나는 허허 웃으며 에센에게 눈짓했다.

우리가 마차를 대기시킨 곳으로 막 발걸음을 떼었을 때였다.

누가 봐도 황가의 마차임이 분명, 드래곤의 문양이 새겨진 마차가 후원에 멈춰 섰다.

"설마……?"

기가 질린 듯한 에센의 음성과 함께 마차 문이 벌컥 열렸다.

"아티이!"

문이 열리자마자 튀어나온 건 다름 아닌 테르니였다.

다음으로는 디아노, 마지막으로 아드리안이 마차에서 내렸다.

"아드리안이 왜……. 에센 님은 알고 계셨어요?"

"아니……."

우리는 동시에 숙연해졌다. 그 사이 아드리안을 위시한 세 명의 남자가 우리를 향해 다가왔다.

"어머, 황태자 전하. 오랜만이에요~! 저를 보러 네벨가 까지 친히 걸음하시다니, 영광이에요!"

가브리엘이 아드리안의 앞을 막아서며 환하게 맞았다. 아드리안은 그녀에게 일말의 시선도 주지 않고 태연하게 우회해서 내게 걸어왔다.

"아티."

부드럽고 감미로운 음성에 일순 놀랐다가, 많은 사람들의 앞이라는 사실을 깨닫고 마주 보고 웃었다.

"여긴 어쩐 일이에요?"

"그대가 너무 그리워서 일이 손에 잡히지 않더군."

"그러……셨군요."

늘 그랬듯 연인 연기가 너무 훌륭해서 놀라웠다. 특히 저 눈빛, 홀릴 정도로 아름답다.

"당신은?"

매혹적으로 미소 지으며 아드리안이 내게 손을 뻗었다.

머리카락을 정리해 주는 손길에 얼굴이 달아오르는 게 느껴졌다.

"당연히 보고 싶었어요."

아드리안의 엄청난 연기에 나도 열심히 해야 할 것 같아 수줍게 웃으며 내 뺨에 머문 그의 손 위에 내 손을 살포시

었었다.

"데리러 와 주신 건가요?"

"응."

어쩐지 잘 길들인 강아지 같은 아드리안은 뭔가 어색했다.

예상컨대 아마 가브리엘이 벌여 놓은 판에 내가 넘어갔는지 아닌지 우려돼서 직접 발걸음한 것 같았다.

나를 걱정해서 온 거였으면 좋겠다는 생각이 들었지만, 그런 기대는 금세 접었다.

"그렇지 않아도 이제 돌아가려던 참이었어요."

가브리엘은 우리가 붙어 있는 게 꼴 보기 싫은지 나를 강렬한 눈빛으로 노려보고 있었다.

"어쩜. 황태자 전하께서는 로맨틱하시네요."

"그러게요. 아티엔느 양이 너무 보고 싶어서 바쁜 시간을 쪼개 데리러 오시다니!"

우리를 보며 사람들이 수군대는 소리가 들렸다. 그 반응이 가브리엘의 화를 부채질하는 듯했다.

저러다 또 무슨 사고를 칠까 두려워서 아드리안의 팔을 잡아끌며 작게 속삭였다.

"제가 오늘 가브리엘을 좀 열 받게 했거든요. 빨리 돌아가는 게 좋을 것 같아요."

"네가?"

'너 따위가?'라고 들리는 건 내 착각이겠지……? 나는 고개를 끄덕이며 주위를 두리번거렸다.

그런데 디아노가 없었다.

"아드리안. 디아노는 어디 갔어요?"

"뭘 좀 시켰어. 돌아올 때까지 잠깐 시간 좀 벌어야 돼."

갑자기 네벨가에서 뭘 시키다니? 우리의 대화 사이로 테르니가 끼어들었다.

"뭐야. 디아노한테 잠입 임무 시켰어?"

"그래. 온 김에 재상 약점 좀 털려고."

이로써 나를 데리러 온 확실한 이유를 알게 되었다. 그럼 그렇지. 역시 내가 걱정돼서 올 리가 없지.

추측만 했을 때에는 그러려니 했는데, 확실해지니 어쩐지 마음이 아팠다.

내 표정이 어두웠던 걸까. 아드리안이 미간을 좁히며 내 안색을 살폈다.

"왜 그래? 에센, 가브리엘이 아티에게 무슨 짓을 벌인 거지? 젠장. 빨리 왔어야 했는데."

"걱정 마. 털린 건 가브리엘이니까."

"돌아가면 즉각 보고해."

"하아. 그래."

에센이 귀찮은지 한숨을 내쉬다 마지못해 고개를 끄덕였다. 나는 아드리안에게 물었다.

"디아노가 나오려면 얼마 정도 걸릴까요?"

"일단 30분 정도 잡고 있긴 한데."

30분이라. 빨리 여기를 뜨고 싶지만, 그럴 수 없었다. 테르니는 신이 나서 후원의 음식들을 털기 시작했다.

우리가 곧바로 떠나지 않을 거라는 것을 눈치챈 사람들

이 이쪽으로 슬금슬금 다가왔다.

"황태자 전하를 뵙습니다. 아르칸젤로의 축복이 함께하시기를!"

"아르칸젤로의 축복이……."

얼마나 많은 사람들이 몰려들었는지 인사말이 돌림 노래처럼 들려왔다.

어쨌든 아드리안의 옆을 지켜야 할 것 같아 딱 붙어 서 있는데, 아드리안이 나를 에센에게 넘겼다.

"아티가 많이 피곤해 보이니, 휴식을 취하게 해라, 에센."

"예, 전하."

사람들 앞에서의 에센은 아드리안에게 빈틈없는 예를 차렸다.

인파에서 빠져나온 후 에센은 나를 의자에 앉혔다.

"뭐 마실래?"

"아, 그럼 물이요."

에센이 멀지 않은 곳에 있는 물을 가지러 갔다. 고개를 숙인 채 한숨 돌리는데, 바닥에 짙은 그림자가 졌다.

"긴히 드릴 말씀이 있답니다, 아티엔느 양. 단둘이 이야기를 나누고 싶은데, 괜찮을까요?"

예상했듯, 가브리엘이었다.

오늘만 해도 가브리엘이 사사건건 시비를 걸어서 이제는 좀 그만하고 싶은 심정이었다.

물을 따르던 에센은 가브리엘의 접근을 눈치채고 이쪽을 예의 주시 중이었다.

"좋아요. 하지만 여기서 했으면 해요."

"흐음? 저야 상관없지만 아티엔느 양께서 곤란하실 텐데요."

"어째서죠?"

가브리엘은 대답 대신 우쭐한 표정을 지었다. 설마, 아까 나를 떠보던 것과 관련이 있는 걸까?

어느새 다가온 에센이 나를 지키듯 섰다. 에센이 가브리엘에게 들리지 않을 목소리로 물었다.

"뭔데?"

"할 말이 있대요. 단둘이."

"나도 같이 가."

마음 같아선 그러고 싶지만 가브리엘이 무슨 꿍꿍이인지 모르니 멋대로 행동할 수 없었다.

"일단 제가 가브리엘을 따라갈게요. 20분 내로 제가 안 돌아오면 곧바로 따라와 주세요."

에센이 한가롭게 부채질을 하는 가브리엘을 보더니 고개를 끄덕였다.

"알았어. 본인 저택이니 네게 무슨 일이 일어나면 자신의 책임임을 모를 정도로 멍청하지는 않겠지."

같은 생각이었다. 더구나 에센이라는 증인이 있는데 내게 해코지를 하지는 않을 것이다.

"은밀한 대화는 모두 끝나셨나요?"

"네, 어디로 가면 될까요?"

"후후. 따라오세요."

나는 가브리엘을 따라갔다. 누군가 들으면 안 되는 이야기라도 할 셈인지 가브리엘은 늘 데리고 다니던 하녀도 물렸다.

대체 무슨 이야기일까?

가브리엘이 나를 데리고 간 곳은 저택의 담벼락 앞이었다. 확실히 사람이 다닐 만한 곳은 아니었다.

"여기라면 아무도 우리의 대화를 듣지 못할 거예요."

"하실 말씀이란 게 뭔가요?"

나는 본론부터 꺼냈다. 시간을 지체하고 싶지 않았다. 같은 생각인지 가브리엘도 탁, 부채를 접었다.

"저는 아티엔느 양의 비밀을 알고 있답니다."

……내 비밀? 설마, 정말로 내가 가짜 아티엔느라는 걸 알아낸 건가?

순간 심장이 덜컥 내려앉는 듯했으나 겉으로는 침착함을 유지했다.

"제가 가진 비밀이 너무 많아서, 가브리엘 양께서 말씀하시는 비밀이 어떤 비밀인지 잘 모르겠네요."

"뭐, 그렇게 발뺌하신다면야."

가브리엘이 부채를 팔락거리며 여유롭게 웃었다.

"당신이 누구인지 정체를 알고 있으니 더 이상 제 앞에서 주제넘는 짓은 하지 않는 게 좋을 거예요."

내 정체. 역시 가브리엘은 내가 가짜 아티엔느라는 걸 알고 있는 건가?

"뜻 모를 말씀을 하시네요."

"그런 연기력이니, 모두들 깜빡 속아 넘어갈 만도 하죠.

어쨌든 이 이상 제 눈에 띄었다간 더는 자비를 베풀지 않을 거예요. 아시겠어요?"

끝까지 표정 관리를 하긴 했지만 잘했는지 확신이 없었다. 할 말을 끝낸 가브리엘이 미련 없이 뒤돌았다.

그리고 그때였다.

"붙잡아!"

담벼락 너머로 누군가 뛰어들더니 가브리엘과 나를 덮쳤다.

너무 갑작스러운 상황이라 미처 반항도 하지 못하고 제압당했다.

"읍! 읍읍!"

곧바로 입을 틀어 막힌 탓에 비명을 내지를 수도 없었다.

나를 붙잡은 사람이 누구인지는 알 수 없었지만, 가브리엘을 붙잡은 사람은 볼 수 있었다.

처음 보는 남자였다. 남루한 차림새에 얼굴에 흉터가 있는.

붙잡힌 가브리엘과 나의 주변으로 일당들이 모여들었다.

"뭐야! 왜 여자가 둘이지? 누가 네벨가의 여식이야?!"

정체 모를 그들이 나와 가브리엘을 번갈아 보았다.

이들은 네벨가의 여식을 찾고 있었다. 가브리엘을 납치하려는 걸까?

어찌 됐든 막아야 했다. 20분만 시간을 끌면 에센이 나를 찾는다고 했으니 아주 조금만 더 시간을 끌면 돼.

나는 반항하는 것을 멈추고 조용히 숨을 죽였다. 반면 가브리엘은 사정없이 몸을 뒤틀며 저항했다.

"읍! 읍읍! 으으읍!"

"절대 풀어 주지 마! 그래서 누가 네벨가의 여식이야?"

매서운 시선이 가브리엘과 나를 번갈아 보았다. 머지않아 누군가의 외침에 일당은 일제히 한 사람을 가리켰다.

"얘다! 얘가 더 고귀해 보여!"

……나요?

"으으읍!"

난 아니라고!

있는 힘껏 의사를 전달하려 발버둥을 쳤지만, 내 힘으로 건장한 성인 남성을 떨쳐 낼 수 없었다.

"혹시 모르니까 둘 다 재워. 그리고 저 여자는 구석에 버려 두고!"

"으으읍!"

혼신의 힘을 다해 반항했지만, 남자는 마취액을 묻힌 손수건으로 내 코를 틀어막았다.

"흐읍!"

숨을 참는 것도 한계가 있었다. 어쩔 수 없이 들이쉰 숨에 점점 눈앞이 흐려졌다.

안 돼. 이렇게 끌려가 버리면…….

나를 둘러메는 감각을 마지막으로, 의식을 잃고 말았다.

✦ ♛ ✦

아티가 말했던 20분이 지났다. 에셴은 곧바로 아티를 찾기 위해 움직였다.

'아마 인적이 드문 곳으로 갔겠지.'

그들이 이동했을 경로를 추측하는 건 어렵지 않았다.

사람이 없는 곳만을 둘러보며 이동하던 에센은 저택의 담벼락에 다다랐다.

그때, 에센의 눈에 바닥에 떨어진 반짝이는 무언가가 들어왔다.

'이게 왜…….'

아티의 머리 장식.

아티의 치장을 끝내자마자 마담 루시가 에센에게 저 장식을 머리에 달았던 날이 떠오르냐는 발언을 해서 똑똑히 기억하고 있었다.

둔기에 맞은 것처럼 엄청난 충격에 휩싸였다.

에센은 미친 듯이 주위를 두리번거렸다. 뜯어진 드레스 장식이 한가득이었다.

그리고 잘 보이지 않는 수풀에 누군가의 숨소리가 들렸다.

"아티! ……가브리엘?"

산발이 된 가브리엘이 정신을 잃은 채 쓰러져 있었다.

아티의 모습은 어디에도 보이지 않았다. 한참을 수색해도 결과는 같았다.

'설마, 납치당한 건가? 그것도 네벨가의 저택에서?'

믿기 힘든 사실이지만, 정황이 가리키는 사실은 오로지 하나였다.

쓰러진 네벨가의 영애, 곳곳에 산재한 반항의 흔적들,

그리고 아티가 이곳에 있었음을 알려 주는 머리 장식까지.

"……젠장!"

충격에 빠져 있을 시간이 없었다. 에셴은 곧장 아드리안이 있을 후원으로 달렸다.

갑자기 잔뜩 흐트러진 모습으로 나타난 에셴은 아드리안을 구석으로 끌고 갔다.

"아티가 사라졌어."

"뭐?"

아드리안은 인상을 찌푸리며 되물었다. 에셴은 아티의 머리 장식을 내보였다.

"아티가 가브리엘과 단둘이 이야기를 한다고 해서 20분 자리를 비켜 줬는데, 그때 납치를 당한 모양이야. 이게 그 자리에 떨어져 있었고."

"납치라고……?"

난데없이 납치라니. 아드리안은 이를 악물었다. 말도 안 되는 소리라고 생각하지만 만약 사실이라면?

그렇다면 단 일 초도 허투루 낭비할 수 없었다.

납치가 아니라면 다행인 거고, 정말 납치라면 촌각을 다투는 일이니까.

현장을 확인한 아드리안은 치밀어 오르는 욕을 참을 수가 없었다. 피가 거꾸로 솟았다.

'아티.'

쓰러져 있는 건 오로지 가브리엘뿐, 아티는 어디에도 없었다.

"에센."

"……어."

"아티를 제대로 호위하지 못한 네 책임은 일단 미뤄 둔다. 제1 기사단을 투입해 네벨가를 중심으로 수색을 실시하라. 아직 멀리 가지는 못했을 것이다. 또한 경시청에도 연락을 취해 수색에 동참하라 일러."

"그래."

두 사람은 일사불란하게 움직였다.

난데없이 아가씨가 습격당했다는 사실에 네벨 저택은 한바탕 뒤집어졌다.

가족인 재상과 미카엘이 찾아온 건 당연한 일이었다.

"가브리엘!"

사랑하는 딸의 이름을 애타게 부르짖으며 침실로 들어선 재상을 맞이한 건, 서늘한 눈동자로 자신을 주시하는 황태자였다.

동요한 재상보다 먼저 예를 갖춘 건 미카엘이었다.

"아르칸젤로의 축복이 함께하시기를. 황태자 전하를 뵙습니다."

뒤늦게 정신을 차린 재상이 고개를 조아렸다.

"아르칸젤로의 축복이—."

"됐습니다."

재상의 말을 끊어 먹은 아드리안이 천천히 자리에서 일어났다.

그 일련의 동작에 억누른 분노가 고스란히 묻어났다.

미카엘이 상황을 정리하려 앞으로 나섰다.

"급히 오느라 자세한 설명은 듣지 못했습니다. 그저 가브리엘이 습격당해 쓰러졌다는 말밖에……."

"아티엔느가 납치됐다."

"……예?"

엄청난 얘기에 미카엘은 한순간 멍해졌다.

'그런, 보고는…… 전혀 듣지 못했는데.'

가브리엘이 쓰러졌다는 것보다 아티엔느가 납치당했다는 게 더 충격적이었다.

미카엘은 정신을 잃은 가브리엘에게 달려가는 재상의 뒷모습을 멍하니 보다 아드리안에게 시선을 돌렸다.

"목격자는 없습니까?"

"없어. 듣자 하니 가브리엘이 사용인 하나 없이 외진 곳으로 데려갔다 하더군."

"가브리엘이……."

순간 의심의 눈초리가 가브리엘에게로 향했다.

아티엔느와 정원에서 이야기를 나눈 미카엘은 그녀를 괴롭히는 사람의 정체가 가브리엘이라는 것을 최근 깨달았다.

미카엘은 동생을 잘 파악하고 있었다. 그가 아는 가브리엘은 충분히 타인을 해칠 수 있는 사람이었다.

'그렇다면 쓰러져 있지는 않았을 텐데.'

연기라고 하기에는 정말로 쓰러진 듯했다.

마찬가지로 불쾌한 듯 가브리엘을 노려본 아드리안이 나지막이 한숨을 내쉬었다.

아드리안이라고 그런 의심을 안 해 본 것은 아니지만 정황상 가브리엘의 짓은 아니었다.

"의원이 말하길 마취액으로 기절시켰다더군."

"대체 누가 그런 짓을……."

그것도 감히 네벨 후작가 한복판에서 누가 습격을 벌인단 말인가.

납치범의 추적을 위해 기사단과 경시청을 동원하여 수색 중이지만, 들어온 제보는 단 한 건도 없었다.

사건이 벌어진 장소는 네벨 저택 내. 그러니 은원 관계와 떼어 놓고 생각할 수 없다.

'가브리엘이 아닌 아티를 데려간 건 이해가 되지 않지만…….'

"미카엘. 누가 이런 짓을 벌였을지 짐작 가는 곳이라도 있나?"

"그게……."

머뭇거리며 재상 쪽을 흘끔 본 미카엘이 목소리를 죽이며 답했다.

"의심 가는 자가 너무 많아서, 떠오르지 않을 정도입니다."

"……."

후계자가 이렇게 말할 정도라니. 과연 악명 자자한 네벨 가문다웠다.

대체 어디부터 짚어야 하는 걸까.

아티는 가브리엘 외에는 누군가에게 원한을 살 만한 성격이 아니라 관련이 없을 것이다.

'불행히 휘말린 거겠지.'

아드리안이 초조하게 손에 쥔 머리 장식만 만지작거리고 있을 때였다.

그가 맡긴 일들을 처리한 측근들이 가브리엘의 침실에 들어섰다.

"아니, 아무리 그래도 숙녀의 방에—!"

노발대발하던 재상은 싸늘한 아드리안의 시선에 입을 다물었다.

"재상."

"예, 전하."

"이번 사건은 네벨 후작저에서 벌어졌습니다. 이에 네벨 가문이 무관하다 생각하시는 건 아니겠죠."

"물론입니다. 당연히 가문의 사병을 동원하여 전하의 약혼녀를 찾도록 성심성의껏 도울 것입니다."

아드리안은 재상의 말에 답하지 않고 대신 측근들을 돌아보았다. 그들은 하나같이 고개를 저었다.

"이 근방 다 뒤졌는데, 수상한 사람들은 못 봤대."

"단서가 너무 부족합니다. 무턱대고 뒤지기에는 수도가 너무 넓지 않습니까?"

테르니와 디아노가 혀를 내둘렀다.

그들의 말대로 단서라고는 '아티가 정체 모를 누군가에

게 납치당했다'밖에 없었다.

남은 족적으로 성인 남성 여럿이라는 것 정도가 추가 단서일까.

"시간이 없다."

아티의 머리 장식을 세게 쥔 아드리안의 손이 새하얗게 질렸다.

차라리 이게 떨어져 있지 않았다면 좋을 뻔했다.

'장신구를 그대로 두고 간 것을 보면 금품이 목적이 아닐 터.'

몸값을 요구하는 게 아니라면, 생존 확률이 극히 떨어진다.

이 시간에도 괴한의 손에서 두려워하고 있을 아티를 떠올리니 매분 매초가 절망 속에 잠겨 있는 듯했다.

그때였다.

"⋯⋯으으."

앓는 소리가 들리더니, 이윽고 가브리엘이 눈을 떴다.

"가브리엘! 괜찮느냐? 이 아빠의 얼굴을 알아보겠고? 응?"

"아버지?"

"그래, 아빠다!"

재상이 가브리엘을 붙들고 크게 기뻐했다.

하지만 아드리안은 그 부녀 상봉을 가만히 기다려 줄 만큼의 인내심이 없었다.

"이게 무슨 일일까요? 제가 깜빡 잠이 든 걸까요? 아아, 왜 이렇게 머리가 어지럽지⋯⋯?"

"가브리엘."

현기증에 고통스러워하던 가브리엘이 두 눈을 번쩍 떴다.

"어머, 전하?! 여긴 왜……. 아, 제가 쓰러져서 걱정되어 오셨군요!"

자신이 쓰러졌다는 사실을 떠올린 가브리엘이 반색하며 외쳤다.

아드리안의 표정이 더 어두워졌다.

"그래. 네가 쓰러졌지. 그리고 아티엔느가 납치당했고."

"아……!"

그 한마디에 가브리엘은 쓰러지기 직전의 상황을 기억해 냈다.

아티엔느와 대화하던 중 갑자기 나타난 일단의 무리. 그들은 갑자기 그녀들을 습격하여 기절시켰다.

거기다 아티엔느가 더 고귀해 보인다며 네벨 가문의 영애라 착각해서 데려갔다.

'무슨 그런 말도 안 되는 소리를!'

납치당하지 않은 건 다행이지만, 그 말만큼은 용납할 수 없었다.

"얼굴에 흉터가 있는 웬 남자들이 갑자기 나타나 아티엔느 양과 저를 제압했어요. 그리고 아티엔느 양이 더 고귀해 보이니 네벨가의 영애가 확실하다며 데려갔답니다!"

가소롭지도 않은 이야기라 생각하며 가브리엘은 코웃음을 쳤다.

"아티엔느 양이 더 고귀해 보인다니, 그들의 눈은 발에 달려 있는 게 분명해요! 뭐 어쨌든 제가 무사하니까 그리

큰일은 아니겠―."

"그 입 다물어."

싸늘한 일갈에 가브리엘의 말은 무자비하게 잘렸다.

천천히 시선을 들어 올린 그녀는 자신을 주시하는 네 쌍의 눈동자에 덜컥 겁을 집어먹었다.

아드리안을 비롯한 그의 측근들이 금방이라도 찢어 죽일 듯 그녀를 노려보았다.

'무서워⋯⋯!'

처음이었다. 가브리엘은 처음으로 아드리안에게 두려움을 느꼈다.

이번만큼은 제멋대로의 상상으로 아드리안의 감정을 해석할 수 있는 정도가 아니었다.

얼빠진 딸을 지켜보던 재상이 나서서 변호했다.

"전하, 아무리 그래도 입을 다물라니―."

"닥쳐."

"예⋯⋯?"

"⋯⋯라고 하지 않은 게 마지막 자비입니다, 재상."

재상 또한 입을 다물었다. 괜히 건드렸다가 불씨라도 튀면 곤란했다.

가브리엘의 증언으로 납치범들의 목적이 '네벨가의 영애'라는 것이 밝혀졌다.

고로 네벨가는 이 사건의 책임에서 벗어날 수 없었다.

"하⋯⋯. 당장 찾아내! 아티에게 상처 하나라도 나선 안 된다고!"

기어코 인내하던 아드리안이 폭발했다.

미카엘이 그를 진정시키는 사이 나머지 셋이 가브리엘을 추궁해 납치범에 대한 단서를 얻어 냈다.

수확은 크게 없었지만, 정보가 아예 없는 것보다는 나았다.

Chapter 26. 피가 마르는 시간

Chapter 26. 피가 마르는 시간

하루 종일 잠만 잔 것처럼 나른하고 머리가 지끈거렸다.

"으윽……."

신음을 내뱉으며 천천히 눈을 뜨자 낯선 풍경이 아티를 맞이했다.

"여긴……."

처음 보는 장소였다. 퀴퀴한 냄새와 축축한 습기가 공존하는 낡은 창고 안.

어둠에 적응된 시야로 그녀는 점점 내부를 살필 수 있었다.

가득 쌓여 있는 상자에는 정체를 알 수 없는 물건들이 가득 들어 있었다.

상자 바깥의 마크를 보아 상단에서 유통하는 상품이라는 것을 알 수 있었다.

"그럼 상단에서 쓰는 창고인가?"

주위를 관찰하며 아티는 자신이 처한 상황을 이해했다.

가브리엘과 이야기하던 중 괴한에게 네벨가의 영애라는 오해를 받고 납치당했다.

마취액에 정신을 잃고 깨어 보니 바로 지금.

목적이 있는 납치니만큼 아마 아니라고 해도 풀어 주지 않을 것이다.

'어떻게든 이용하려 하겠지. 혹은 거짓말을 한다고 생각할 테고.'

비관적이게도 팔다리는 묶여 있었다. 그중 다행인 점은 어딘가에 얽매여 있지 않다는 것일까.

창고 안에는 아티 외에는 아무도 없었다. 그녀는 몸을 조금씩 움직이며 낮은 창밖을 보았다.

"페코스구나."

익숙한 거리라 한눈에 알아볼 수 있었다.

빈민들의 거주 구역인 페코스. 아티는 이곳에서 어린 시절을 보냈다.

배를 곯으며 지냈던 기억 탓에 그리 좋아하는 장소는 아니었다.

하지만 으레 뒷골목의 아이가 그렇듯 지리에는 빠삭했다.

이곳은 페코스 남서부 부둣가의 창고가 틀림없었다. 암암리에 밀수가 행해지는 불법 장소였다.

'페코스라면 수색하기 쉽지 않을 텐데.'

누군가 구하러 오지 않을 거라는 생각은 하지 않았다. 누구든 자신을 구해 주러 오리라는 믿음이 있었다.

하지만 그 믿음만으로 아무것도 하지 않기에는 위험에 처하는 게 두려웠다.

'아냐. 차라리 잘됐어. 페코스라면 길을 잘 아니까 도망치기 수월할 거야. 곧바로 랭트리 지역으로 넘어가면 도움을 구할 수 있을 테니까.'

최대한 긍정적으로 생각하려 노력하며 아티는 팔과 다리를 묶은 밧줄을 풀기 위해 낑낑거렸다.

풀 수 있을 리가 없었다.

"하아……."

날붙이가 간절해질 때, 바깥에서 와자지껄한 소음이 들려왔다.

한 무리의 발걸음이 점점 가까워지더니 이내 창고 문 앞에서 멈췄다.

끼익—.

아티는 곧바로 도로 누워 눈을 감았다.

아직 저들의 의도가 뭔지 모르는 이상 깨어 있는 것을 들키는 것은 좋지 않았다.

"뭐야. 아직 안 일어났는데?"

"너 이 자식. 마취액 용량 너무 많이 쓴 거 아냐?!"

"아, 아냐! 성인 여자 기준이라고 했다고!"

누가 말하는지도 모를 정도로 여러 사람의 목소리였다. 심지어 모두 남자.

'탈출 시도는 단 한 번이야.'

다시 붙잡힐 경우에는 그들이 더 이상 방심하지 않을 터였다.

뚜벅, 뚜벅…….

가까워진 발걸음이 아티의 머리맡에서 멈추었다.

"귀하디귀한 귀족 영애시니 아무래도 이런 독한 약에 잘 못 깨어나시는 거겠지."

다소 비아냥대는 어조에 나머지 남자들이 와하하 웃었다. 아티는 더욱 숨을 죽였다.

"아무리 그래도 그렇지, 벌써 3시간이나 지났다고. 죽은 거 아냐?"

"뭔 농담을 그리 살벌하게 해?"

눈을 감은 와중에도 누군가의 손길이 점차 가까워지는 것을 느낄 수 있었다.

투박하고 거친 손이 얼굴 여기저기를 만졌다. 기분이 나빴지만 티 내지 않으려 안간힘을 썼다.

아티가 미동 없이 규칙적으로 숨을 내쉬자 깨었는지 확인하러 온 남자가 고개를 갸웃했다.

"아직 안 일어났는데?"

"그럼 이리로 와! 술이나 한잔하자고!"

기절한 인질을 옆에 두고 와자지껄한 술판이 벌어졌다. 아티는 실눈을 떠 그들을 관찰했다.

'애초에 페코스 사람 같지는 않은데.'

빈민들 틈에 섞여 산 아티는 그들 특유의 말버릇이나 행동을 훤히 꿰고 있었다.

저들에게는 그런 부분이 보이지 않았다. 하지만 남루한

옷차림으로 미루어 보았을 때 부유하지 않은 건 확실했다.

'3시간이면 수색을 시작했겠지.'

페코스까지 수색 영역을 확대할 때까지 최대한 버텨야 했다.

일단 알 수 있는 정보를 모으면서 최대한 기절한 척을 하자.

그렇게 어느 정도 시간이 지났을 무렵, 술판의 흥겨운 분위기도 점점 가라앉았다.

"야야. 너무 안 일어나는 거 아니냐?"

"그러게. 영 이상한데……."

가까이 다가오는 인기척에 아티는 의식해서 숨을 고르게 내쉬었다.

'제발, 눈치채지 말아라.'

조금만 더 시간을 벌고자 필사적으로 자는 척을 했다. 이윽고 멀어지는 발소리가 들렸다.

아직은 좀 더 버틸 수 있겠구나 안도하려는 찰나였다.

"역시 기절한 척하는 거지?"

분명 발소리가 멀어졌는데, 음성이 지척에서 들렸다. 심장이 미친 듯이 뛰었다.

"깨어 있는 거 다 아니까 일어나."

확신에 찬 어투라 더 이상 연기할 수 없었다.

아티는 눈을 뜨자마자 어슴푸레하게 일렁이는 촛불 아래에서 그녀를 주시하고 있는 여러 쌍의 눈동자와 마주쳤다.

여러 번 이 상황을 상상하고 되풀이했지만, 막상 닥치니 어떻게 해야 할지 알 수 없었다.

"자는 연기를 너무 잘해서, 아까까지 깜빡 속았지 뭐야."

"저를 납치한 의도가 뭐죠?"

"귀한 아가씨가 우리같이 미천한 놈들한테 웬 높임말이야? 하던 대로 해. 듣자 하니 네벨가의 여식 성격이 장난 아니라던데."

얼굴에 흉터가 있는 남자가 낄낄 웃으며 말을 이었다.

"납치한 의도? 우리가 네벨가에게 받아야 할 빚이 좀 있거든. 수월하게 처리하려 약간 수를 쓴 거지. 홧김에 쳐들어간 건데 우리도 이렇게 쉽게 성공할 줄은 몰랐다고."

역시 아티의 예상대로 저 사람들은 네벨가에 원한이 있었다.

네벨가야 온갖 비리의 온상으로 악명이 자자하니 이렇듯 위험에 처하는 것도 이상하지 않았다.

하지만, 같이 있었다는 이유만으로 휘말린 그녀의 입장에서는 억울해 미칠 지경이었다!

"저는 네벨가의 여식이 아니에요!"

"그렇게 말한다고 우리가 믿을 것 같아?"

"납치를 한다더니 외양 조사도 안 한 거예요? 가브리엘은 푸른색 머리칼에 제비꽃 색 눈동자를 가졌다고요!"

"그딴 건 몰라. 엄청 예쁘다는 말만 들었다고!"

생각했던 것보다 어중이떠중이 무리인 것 같았다.

인질의 신상 조사도 제대로 하지 않고 납치를 하는 허술한 자들이 대체 어디에 있단 말인가.

"네벨가의 여식은 제가 아니라 같이 있던 다른 분이었어요!"

아티의 억울한 외침에 일순 납치범들이 술렁이기 시작했다. 이제야 좀 믿어 주는 걸까?

"웃기지 마. 기절한 척 연기 잘했으니까 이것도 연기일지 모르잖아?"

"하."

무슨 말을 해도 소용이 없었다. 애초에 믿을 생각이 없는 사람들을 설득하는 게 무리였던 것이다.

"정말 제가 네벨가와 무고한 사람이라면, 어떻게 하시려고 이러시는 거예요?"

"이미 네벨가의 딸을 납치하기로 각오한 이상 두려울 건 없어! 우리는 더 이상 물러설 곳이 없다고!"

한·남자가 악에 받친 듯 외쳤다. 그 목소리에 네벨가에 대한 뿌리 깊은 원한이 느껴졌다.

'다행인 건, 나를 죽일 생각은 없어 보인다는 걸까.'

돌이킬 수 없는 일을 저질렀다는 두려움이 느껴졌다.

대화를 하고 보니 의연한 척하지만 다들 우왕좌왕하는 게 보였다.

가브리엘이 아니라고 발뺌하는 건 소용이 없었다. 당장 내보일 수 있는 증거가 없으니까.

'작전을 바꾸자.'

"으윽……."

아티는 괴로운 듯 몸을 뒤틀며 고통에 찬 신음을 흘렸다.

"뭐야? 왜 그래?"

"윽. 머리가 너무 아파요…….'"

"또 수작을 부리려는 거겠지. 믿지 마!"

"으으윽…….'"

아티는 동요하지 않고 충실히 아픈 연기를 펼쳤다.

황제 폐하와 황후 폐하의 앞에서 황태자의 약혼녀 연기를 했던 게 큰 도움이 되었다.

스스로가 생각해도 실감 나는 연기였으니까.

얼마나 열중했던지 정말로 아티의 이마에서 식은땀이 배어났다.

"진짜 상태가 안 좋은데?!"

"마취액 부작용 아냐?"

남자들은 그녀의 예상보다 더 허둥대기 시작했다.

"……이러다 죽으면 어떡해?"

"무슨 소리야! 마취액 때문에 죽었다는 사람은 듣도 보도 못했다고!"

"일단 비켜 봐!"

누군가 나서서 아티의 팔다리를 묶은 밧줄을 풀어내었다. 사지가 자유로워졌다.

생각했던 것보다 너무 쉽게 속아 넘어가서 허탈해질 정도였다.

'이렇게 어수룩한 자들이 어떻게 납치를 감행한 거지?'

성공한 게 기적으로 느껴질 정도였다. 납치당한 입장에서야 다행으로 느껴졌다.

"물! 물 좀 가져와!"

누군가 물 잔을 아티의 손에 쥐여 주었다.

하지만 오랫동안 묶여 있었던 탓에 손에 힘이 풀려 잔이 바닥에 떨어졌다.

쨍그랑―!

아티는 기겁하는 시선을 느꼈다.

컵을 떨어트린 게 아티가 아프다는 결정적인 증거가 된 듯했다.

"정신 차려. 송장 치우기는 싫다고……!"

콜록, 콜록! 아티는 거칠게 기침을 하며 다시 물을 삼켰다. 이제 아티가 아픈 것을 의심하는 사람은 없었다.

"그러게 조심해서 데리고 와야 한다고 했잖아. 명문가의 레이디라고!"

"쳇. 이렇게 몸이 약할 줄 알았나. 일단 창가에 기대게 해. 환자는 바람을 좀 쐐야 한다고."

그들은 아티를 낮은 창문 옆에 앉혔다. 그녀는 기운 없이 눈을 감았다.

비교적 쉽게 절반쯤 목적을 이뤘다.

'이제 기회만 잘 살피면 돼.'

이들의 주의가 다른 곳으로 향한 틈을 타 창을 통해 탈출하는 게 목표였다.

이들보다는 페코스 구역에서 굴렀던 자신이 더 길을 잘 알 테니까.

페코스의 골목은 미로처럼 엉겨 있기 때문에, 어느 정도의 거리만 벌리면 도주 확률이 훨씬 높아졌다.

"젠장! 그게 내가 애초에 말도 안 되는 계획이라고 했잖아?!"

"비관하지 마, 알폰스. 아직 재상과 접촉도 하지 않았다고. 딸이 우리 손에 있는 이상 재상은 꼼짝할 수 없어."

"그래, 지금은 괜찮아진 것 같으니까 진정해."

한창 다투는 것 같던 남자들이 다시금 아티의 안색을 살폈다. 아티는 전보다는 나아졌지만 여전히 거친 숨결을 유지했다.

하지만 알폰스라는 남자는 좀처럼 진정하지 못했다.

그는 잔뜩 씨근덕거리더니 한곳에 가득 쌓인 상자를 냅다 걷어찼다.

"빌어먹을 재상! 그건 내가 개발한 거라고!"

"왜 이렇게 흥분해? 여기 특허권 빼앗긴 사람이 너뿐인 줄 알아?"

'특허권?'

아티는 연기를 하면서도 그들의 대화에 귀를 기울였다. 특허권이라니, 심상치 않은 단어였다.

"그것만 있으면…… 다시 집에 돌아갈 수 있었다고……."

알폰스가 상자를 주먹으로 내리치며 흐느끼기 시작했다. 그에 아티는 저들의 정체를 유추했다.

'상인이구나. 재상에게 속아 넘어가 특허권을 빼앗겨서 앙심을 품었고.'

재상 달리어 라울 네벨은 부를 위해서라면 어떤 짓도 서

습지 않는 작자였다. 그는 재물을 위해서 재물을 쓰며 자신의 치부를 덮었다.

피해자였던 자들이 가해자가 된 과정을 고스란히 지켜본 아티의 마음이 무거워졌다.

알폰스의 흐느낌이 이어지던 때였다.

으아악—! 건물 밖에서 누군가의 고함이 들렸다.

"뭐야?! 들킨 건가?"

서로 눈을 마주치던 이들이 천천히 문가로 향했다.

그러면서도 창가에 기대 있는 아티에게 주의를 기울이는 것을 멈추지 않았다.

언제 소란이 일어났냐는 듯 밖은 잠잠했다.

"뭐야 별거 아니—."

꺄악! 이번에는 높은 여자의 비명 소리가 들려왔다. 사람들의 시선이 모두 문으로 향했다.

'지금이야……!'

아티는 곧바로 창밖으로 몸을 내던졌다. 뒤늦게 달아나는 그녀를 발견한 남자들이 헐레벌떡 뛰어왔다.

"뭐 해? 붙잡아!"

성인 남성이 통과하기에 좁은 창을 뛰어넘으려던 그들은 금세 포기하고 문으로 빠져나왔다.

그들이 돌아 나오는 사이 아티는 미리 머릿속에 그려 놓았던 지도를 떠올렸다.

'왼쪽 골목으로 돌아서 조금 달리다가 두 블록 후 오른쪽.'

"어서 잡아!"

골목골목으로 달아나는 아티를 쫓아 남자들이 재빠르게 따라붙었다.

'여기서 또 오른쪽 골목. 낮은 담을 넘으면 좁은 샛길이 있었지.'

미리 계획해 놓았던 보람이 있었다. 남자들은 골목 사이로 달아나는 아티를 쉬이 붙잡지 못했다.

"멈춰!"

아티를 뒤쫓는 남자들의 외침이 적요한 골목을 쩡하게 울렸다.

'멈추란다고 멈추겠냐고.'

"헉, 허억……."

턱 끝까지 차오르는 숨을 애써 고르며 아티는 왼쪽으로 꺾었다.

힘껏 달리던 아티는 골목 끝의 사람들의 그림자를 발견했다. 도주하며 처음으로 만난 사람이었다.

"도와주……!"

구조를 요청하던 아티의 걸음이 점차 느려졌다. 그녀의 인기척을 느낀 사람이 고개를 돌렸다.

눈이 마주쳤다.

뒤집어쓴 검붉은 의복 때문에 순간 붉은 눈인 줄 착각했지만 남자의 두 눈은 검은색이었다.

아티는 사람들이라고 생각했던 그림자가 사실 한 사람과 한 구의 시체라는 것을 깨달았다.

"……아."

뚝, 뚝……. 그가 쥔 칼에서 핏물이 떨어졌다.

그 순간 낮에 들었던 레이디들의 대화 내용이 떠올랐다.

"최근에 페코스 구역에서 미치광이 살인마가 날뛰고 있대요."

"미치광이 살인마?"

"네. 밤마다 나타나서 닥치는 대로 사람들을 살해하고서는 홀연히 사라진대요. 빨간색 옷을 입고 있고, 다리를 전다고 해서 '빨간 절름발이'라는 별명이 붙었다네요."

"붙잡아, 저기 있다!"

뒤늦게 아티를 발견한 무리가 그녀를 향해 달려왔다.

얼마 지나지 않아 그들 또한 검붉은 의복의 남자를 발견했다.

고함은 산발적으로 터져 나왔다.

"빨간 절름발이다!"

"으아악! 도망쳐!"

그들은 아티를 붙잡아야 한다는 사실까지 잊은 채 미친 듯이 도망쳤다.

아티는 공포 탓에 떨어지지 않는 다리를 억지로 떼어 내며 뒤돌아 달렸다.

'도망쳐 나왔더니 이제 살인마를 마주치다니……!'

갇혀 있을 때 들었던 고함과 비명이 빨간 절름발이에게

살해당한 사람의 단말마라고 생각하니 정리가 되었다.

살인마의 출현에 길거리에 사람 한 명 없었던 것이다.

목표물을 아티로 정한 살인마가 절뚝이며 따라붙었다. 다리를 저는데도 속도가 빨라 간격이 점점 좁아졌다.

페코스의 길을 꿰고 있는 아티보다 더 지리를 잘 아는 듯했다. 살인마는 골목골목을 돌아 달리는 아티의 뒤를 바짝 쫓았다.

'너무 힘들어. 심장이 터질 것 같아……!'

납치범들에게 달아나느라 그녀는 이미 체력을 거의 소진한 상태였다.

뒤를 돌아볼 때마다 살인마와의 거리가 한 뼘씩 좁아졌다. 위기감에 아티의 머릿속이 깜빡거리며 점멸했다.

너무 조급했던 탓이었을까.

'길을 잘못 들었어……!'

아티는 전혀 모르는 길목을 달리고 있었다.

눈에 익지 않은 걸 보아 그녀가 없는 동안 바뀐 길인 듯했다.

처참한 심정이었지만, 멈춰 설 수 없었다.

그러나 신은 그녀의 편이 아니었다.

"허억……. 헉."

거칠게 숨을 내쉬며 아티는 절망했다.

막연하게 랜트리 구역이 있는 방향으로 달리고 있다고 생각했지만, 사실은 반대 방향이었다.

페코스 구역의 끝, 을씨년스러운 부둣가가 아티의 종착

지였다.

더 이상 달아나 봐야 소용없을 정도로 살인마와의 거리는 지척이었다.

아티가 길의 끝, 파도가 철썩이는 바다의 시작점에 몰린 것은 당연한 일이었다.

도망칠 수 있는 곳이 없었다. 물러나면 곧장 바다다.

'여기에 빠지면 과연 내가 살아남을 수 있을까.'

불가능했다. 이미 체력이 다할 대로 다한 상태라 물속에서 오래 버틸 수도 없었다.

'이렇게 허무하게 죽는 건 내 예상에 없었는데…….'

수없이 죽음의 위협을 겪어 왔지만, 극복해 낸 아티였다. 살인마에게 빼앗기기엔 너무 아까운 목숨이었다.

한 발짝 다가온 살인마의 칼날이 서늘하게 번뜩였다.

살의에 번들거리는 눈동자와 마주치자마자 아티는 저도 모르게 뒷걸음질을 쳤다.

더 이상 물러날 곳이 없다는 사실도 잊은 채.

"……어?"

푹 꺼지는 느낌과 함께 몸이 기우뚱 넘어갔다.

찰싹대는 파도 소리가 귓가를 아주 느리게 때렸다.

'결국 이렇게 가는구나…….'

살인마에게 찔려 죽는 것보다는 물에 빠져 죽는 게 더 나을지도 모른다.

그런 실없는 생각을 하며 곧 다가올 충격을 예감하고 있을 때였다.

"……!"

수면에 곤두박질쳐지기 직전, 누군가 아티의 팔을 붙들고 강하게 잡아당겼다.

챙—!

정신을 차리기도 전에 금속끼리 맞부딪히는 소리가 요란하게 울렸다.

찬물을 뒤집어쓴 기분으로 눈을 뜬 아티는 황급히 상황을 둘러보았다.

피에 전 검을 휘두른 살인마와, 그 검을 막아 낸…… 아드리안.

"아드, 리안……?"

아드리안은 대답 대신 아티를 강하게 끌어안으며 살인마와 대치했다.

아티는 이를 악물었다. 다리가 후들거려 금방이라도 주저앉을 것만 같았다.

하지만 지금 쓰러진다면 아드리안의 짐이 될 것이 분명했다.

'다른 기사님들은 어디에 있지?'

황태자가 혼자 이런 곳에 왔을 리가 없었다. 하지만 주위를 둘러봐도 아무도 없었다.

아티의 시선이 다시금 정면으로 향했다. 낯선 이의 등장에 살인마는 심기가 불편한 듯했다.

하지만 남자고 여자고 가리지 않고 죽인다는 희대의 살인마답게 그는 거리낌 없이 칼을 휘둘렀다.

끼기긱―.

불쾌한 소음을 내며 칼날이 맞물렸다. 칼날에 맺혀 있던 피가 눅진하게 뚝 떨어졌다.

순간 아티의 눈앞이 하얘졌다.

'갑자기 또 왜 이러지?'

가까스로 정신을 차리긴 했지만 일순 비틀거린 것은 어쩔 수 없었다.

잠시 후, 커다란 손이 아티의 눈을 덮었다. 직후 또다시 금속이 부딪히는 소리가 들려왔다.

이번에는 단발성이 아닌 여러 번의 격돌이 있었다. 하지만 눈이 가려진 아티는 아무것도 볼 수 없었다.

고개를 비틀어 아드리안의 손을 떼어 내려 했지만, 그가 놓아주지 않았다.

"크윽……."

멀찍이에서 신음이 들려왔다. 아티는 그게 아드리안의 음성이 아니라는 데에 크게 안도했다.

아드리안은 심각한 자상에 비틀거리면서도 악착같이 칼을 휘두르는 살인마를 무감하게 쳐다보았다.

'빨리 끝내야겠군.'

아티의 상태가 좋지 않아 보였다. 조금이라도 더 서둘러 쉬게 해야 했다.

눈을 가린 이유는 아티가 또 사냥 대회 때처럼 정신을 잃을까 봐.

아티의 트라우마를 자극하고 싶지 않았다.

"으아아악!"

살인마가 절뚝대며 아드리안에게 달려들었다. 사력을 다한 발악은 제법 강했다.

챙—!

검을 쥔 손목에 충격이 갔지만, 아드리안은 힘으로 버텼다.

살인마의 공격을 흘려 낸 아드리안은 곧바로 남자의 급소를 노렸다.

피가 튀었다. 아티를 감싸며 물러났지만, 완전히 피할 수는 없었다.

살인마는 그대로 절명했다.

아드리안은 자신의 상태를 훑어보며 침음을 흘렸다.

최대한 조심한다고 했지만 옷과 손 곳곳에 피가 묻어 있었다.

심지어 아티의 드레스 자락에도 핏물이 든 상태였다. 사냥 대회 때 바닥에 고여 있는 피 웅덩이를 보자마자 기절해 버린 아티였다.

자신의 옷까지 피에 젖었다는 것을 알면 소스라치게 놀랄 게 분명했다.

'이대로라면 눈을 뜨자마자 기절할지도 모르겠는데.'

상황이 좋지 않았다. 급한 대로 뭐라도 덮어 주고 싶어도 그럴 만한 게 없었다.

'하필 흑영까지 제치고 여기까지 오는 바람에…….'

아드리안이 이도 저도 못 하고 있을 때, 아티는 어둠 속에서 멀뚱히 서 있었다.

혹시나 방해가 될까 봐 가만히 있었지만, 이제는 말해도 되지 않을까.

오랜 고민 끝에 아티는 눈가를 덮은 아드리안의 손 위를 더듬었다.

"저……."

"안 돼."

아드리안의 반응은 단호했다. 왜 안 된다는 걸까. 아티는 입을 벙긋대다 조심스럽게 물었다.

"왜요?"

"피가 많이 묻어서 안 보는 게 좋아."

"아."

아티의 손에 힘이 들어갔다. 손 위를 겹쳐 오는 온기에 아드리안은 일순 긴장했다.

아드리안의 손은 아주 커서, 닿고 있을 뿐인데 모든 두려움이 사라졌다.

'이상해. 예전에는 그렇게 무섭던 손이었는데.'

이제는 잡고 있으면 안심이 된다니.

'나를 배려해 주는 걸까?'

아마 사냥 대회 때 일 때문일지도 모르겠다. 아티는 이제 더 이상 자신이 떨고 있지 않다는 사실을 깨달았다.

'괜찮을 거야. 아드리안이 옆에 있으니까.'

그녀는 작게 심호흡을 했다.

"괜찮아요!"

"안—."

아드리안이 채 말리기도 전에 아티는 그의 손을 잡아 내렸다. 줄곧 어두웠던 탓에 시야가 흐릿했다.

이윽고 부둣가의 풍경이 한눈에 들어왔다.

곳곳에 낭자한 핏자국들과, 바닥에 쓰러져 있는 한 남자.

"……!"

순간 이명과 함께 눈앞이 새하얗게 변했지만 이를 악물고 참아 냈다.

'괜찮아. 겨우 피일 뿐인데.'

고작 이깟 것이 두려워서 쓰러질 수는 없었다.

이보다 더 두려운 건, 아무것도 하지 못하고 무력하게 죽음을 맞이하는 것이다.

더 이상 이런 무력함을 느끼고 싶지 않았다.

'더 이상……? 언젠가 비슷한 감정을 느낀 적이 있었던가?'

안개가 낀 것처럼 머릿속이 흐렸다. 아티는 문득 고개를 들었다.

눈이 마주쳤다.

교교한 달빛 아래에서 더 짙게 드리운 아드리안의 눈동자가 그녀를 가만히 바라보고 있었다.

아티는 무심코 손을 들어 아드리안의 뺨을 만졌다. 튀었던 피가 닦여 나갔다.

"……!"

놀란 아드리안이 잠깐 흠칫했지만 저항하지 않았다.

'무엇보다 아드리안이 옆에 있으니까 하나도 안 무서워.'

아드리안은 너무 대단한 사람이라 옆에 있는 것만으로도

그처럼 대단한 사람이 된 것만 같은 착각이 들었다.

깊은 눈빛으로 아티를 바라보던 아드리안이 입을 열었다.

"아티, 너……."

"아, 죄송해요!"

아티는 황급히 그의 뺨에서 손을 떼어 냈다. 아드리안은 미간을 좁히며 아티의 손을 도로 붙잡았다.

"사과하지 마."

그는 손에 들어온 작은 손에 더할 나위 없는 만족감을 느꼈다.

무사하다는 것을 직접 닿는 것으로 확인하니, 불길처럼 치솟던 분노가 가라앉았다.

"……앗!"

아드리안의 입술이 아티의 손가락에 가볍게 닿았다. 충동적인 행동이었다.

잠깐 얼어 있던 아티가 안절부절못했다.

"피가 묻었는데……."

"상관없어."

손가락 사이사이 퍼지는 아드리안의 숨결에 아티는 몸을 움츠렸다. 기분이 이상했다.

'사람도 없는데, 자꾸 이러면 착각하게 되잖아…….'

그래서 그런 아드리안이 좋으면서도 서글펐다.

아드리안은 금방이라도 울 것 같은 아티의 표정을 보고 말았다.

'설마, 불쾌했던 건가.'

엄청난 충격에 아티의 손을 놓아 버렸을 때, 흑영의 기척이 느껴졌다.

동시에 익숙한 음성도 들려왔다.

"아티! 아드리안!"

말을 타고 오는 사람은 다름 아닌 에센이었다. 말에서 내리자마자 그는 아티에게 손을 뻗었다.

분명 걱정 때문에 아티의 상태를 살피려고 한 것을 알고 있었는데.

아드리안은 저도 모르게 아티를 품 안에 가둬 버렸다.

갈 곳을 잃은 자신의 손을 보던 에센이 천천히 고개를 돌려 아드리안에게 시선을 두었다.

교차한 시선 사이로 미묘한 기류가 흘렀다.

"……."

"……."

서로 어떤 말도 입 밖으로 꺼내지 않았지만, 마치 속마음을 그대로 내보인 기분이었다.

✦ ♛ ✦

릴리 궁으로 돌아오자마자 거의 하루 종일 죽은 듯 잠만 잤다.

깨어나자마자 들이닥친 의원이 내 상태를 진단했다.

"아무래도 큰 충격을 받으신 듯합니다. 잘 드시고 푹 쉬시면 괜찮아지실 겁니다."

나는 괜찮다고 생각했는데, 사실 아니었던 걸까. 하긴 살인마에게 쫓기는 경험에 멀쩡하기는 힘들겠지.

"아드리안. 저는 이제 괜찮으니까 이만 가 보셔도……."

"안 가."

"하지만 일이 많……."

"싫어."

분명 일이 많을 텐데도 아드리안은 침대 옆 의자에 앉아 자리를 뜨지 않았다.

그러고서는 내 휴식을 이유로 어떤 손님의 방문도 허용하지 않았다.

"마리에는 들어와도 되는데요……."

"안 돼. 의원 말 못 들었나? 푹 쉬라고 했잖아."

그걸 아는 사람이 여기에 계속 붙어 있는 건가?! 나는 불만스레 아드리안을 흘긴 후 돌아누워 버렸다.

테르니에게 전해 듣기로 이번 납치 사건으로 네벨가가 발칵 뒤집혔다고 했다.

가브리엘이 쓰러진 데다가 예비 황태자비가 납치되었으니 그럴 만도 하지.

다행히 내가 무사히 돌아와서 한숨 돌렸지만 그 평화는 그리 오래가지 않았다고 한다.

"왜?"

바로 아무것도 모른다는 듯 나를 쳐다보고 있는 이 남자가…… 네벨가를 뒤집어엎었기 때문에!

"있잖아요, 아드리안."

"어."

"제가 페코스 구역에 있는 건 어떻게 알았어요?"

절대 나를 못 찾을 거라고 생각했는데, 아니었다. 정말로 이대로 죽겠구나 하는 그때 아드리안이 나타났다.

"가브리엘이 말한 인상착의로 네벨가 근처에서 수소문한 후 행적을 추적했지. 제 딴에 머리를 쓰긴 했는지 애꿎은 판데일 구역만 뒤지다가 페코스로 방향을 돌린 거다."

문득 그때 아드리안이 그답지 않게 잔뜩 흐트러진 숨결이었던 것이 떠올랐다.

나를 걱정했던 거겠지……?

기분이 좋아졌지만, 혼자 들뜨는 걸 막기 위해 급히 생각을 다른 곳으로 돌렸다.

"저를 납치한 사람들은 어떻게 됐어요?"

"일단 감옥에. 심문은 아직이야."

내가 정신을 차린 건 불과 몇 시간 전이라 납치 때의 상황을 제대로 설명하지 못했다.

아무래도 미리 말해 두는 게 낫겠지.

"그 사람들, 네벨가에 원한이 있는 것 같았어요."

"그 가문에 원한 없는 자들을 찾는 게 더 힘들 정도지."

"제 추측이긴 한데 상단 쪽 사람들인 것 같아요. 거기에 상자가 쌓여 있었는데 상단 문양이 찍혀 있었어요. 그리고 특허권을 빼앗겼다더라고요."

"특허권?"

아드리안이 미간을 찌푸리며 생각에 잠겼다. 아무래도

뭔가 짚이는 게 있는 듯했다.

"이번 조사는 테르니에게 맡겨야겠군."

좋았어. 테르니 얼굴 볼 시간 줄었다!

테르니에게는 비극이겠지만, 내게는 잘된 일이라고 볼 수 있다. 괜히 웃으며 즐거워하고 있던 때였다.

"음……?"

문득 무언가 허전하다는 것을 깨달았다. 주위를 둘러본 나는 그 이유를 금방 알 수 있었다.

"에센 님은 어디에 계세요? 계속 안 보이는데……."

"쉬러 갔나 보지."

"그래요?"

나는 고개를 갸웃했다. 아드리안이 부른다거나 하는 일이 아니라면 보통 나를 호위하는데, 많이 피곤한가 싶었다.

"아티."

"네?"

"쓸데없는 생각 말고 쉬기나 해. 의원 말 들었잖아?"

나를 걱정하는 어투에 또 기분이 이상해져서 그저 고개를 끄덕거렸다.

아드리안이 목 아래까지 이불을 끌어 올려 주었다.

"더 자."

"하루 종일 잤는걸요."

"넌 쉬어야 해."

아드리안의 의지는 완고했다. 엄청난 과보호에 괜히 민망해졌다.

나는 정말 괜찮은데, 주위에서 이러니까 괜히 어쩔 줄 모르겠다. 이불을 코까지 끌어 올리고 두 눈을 멀뚱멀뚱 뜨고 있을 때, 문밖에서 인기척이 느껴졌다.

"전하. 네벨가에서……."

"손님은 받지 않겠다 몇 번이나 말했을 텐데."

내가 잠든 동안 몇 번이나 네벨가에서 사람을 보냈다는 말인가?

아드리안이 내 곁을 지키며 병문안을 온 사람들을 모두 거절하고 있어서 상황이 어떻게 돌아가는지 알 수 없었다.

"미카엘 경께서 방문하셨습니다."

뜻밖의 이름에 조금 놀랐다. 너무 성향이 달라서 가끔씩 미카엘이 네벨가의 후계자라는 걸 잊곤 했기 때문이다.

아드리안이 성가시다는 듯 인상을 찌푸렸다.

"아티엔느가 아직 깨어나지 않아 손님을 맞을 수 없다고 전해라."

"예."

바깥의 기척이 사라졌다. 미카엘에게 전하러 간 듯했다.

"네벨가에서 몇 번 찾아왔어요?"

"열 번은 넘게 왔었지. 미카엘이 방문한 건 지금이 처음이지만."

가만히 고개를 끄덕였다. 마음이 복잡했다.

황태자의 약혼녀로서 이번 사태에 대해 관대하게 넘어가야 한다는 것을 알지만, 쉬이 그러고 싶지가 않았다.

내가 나쁜 사람이라서일까. 겪을 필요가 없는 경험을 하게 한 그들이 원망스러웠다.

네벨 가문이 원망을 사지 않았다면 납치당할 일도, 살인마에게 쫓길 일도 없었을 테니까.

"계속 방문을 거절하면 아무래도 곤란하겠죠?"

당연히 그렇다고 대답할 줄 알았다. 하지만 아드리안은 단호하게 부정했다.

"곤란한 건 그쪽이겠지. 네가 만나고 싶지 않다면 만날 필요 없다. 걱정할 건 아무것도 없어."

걱정할 건 없다는 그 말이 무엇보다 다정하게 들리는 건 왜일까.

"그보다 왜 또 일어난 거야? 어서 누워. 또 쓰러지면 어쩌려고 그래?"

은근슬쩍 몸을 일으켰더니 아드리안은 다시 나를 눕혔다.

"저 그렇게 약하지 않아요."

"약해."

단박에 내 말을 부정한 아드리안이 이불을 또 끌어 올렸다.

이 남자가 옆에 있는 이상 침대를 벗어나는 건 꿈도 못 꾸겠다.

대체 나를 뭐라고 생각하는 걸까? 누가 보면 엄청 연약한 레이디인 줄 알겠다.

결국 나는 포기하고 침대에 몸을 묻었다.

"전하. 라르고입니다."

아까 들었던 목소리가 다시금 들려왔다. 미카엘을 만나고 온 모양이었다.

"미카엘 경께서 돌아가셨습니다. 한데 사과의 선물을 남기고 가셨는데 어떻게 할까요?"

"선물?"

"예. 장인 위르겐의 11번째 찻잔이라는—."

"부숴 버려."

"?!"

나는 깜짝 놀라 자리에서 벌떡 일어났다.

아드리안이 또 한마디 하려는 듯했지만 지금 중요한 건 그게 아니었다.

"깨면 안 돼요!"

침실 문을 열자 상자를 들고 있는 라르고가 보였다. 나는 황급히 그에게서 상자를 건네받았다.

라르고가 얼떨떨한 얼굴로 나를 쳐다보았다.

"찻잔은 죄가 없다고요!"

그것도 헬머 아저씨의 찻잔인데! 어떻게 깨라고 할 수 있어?!

원망을 가득 담아 아드리안을 노려보았다. 그러자 그가 이해가 되지 않는다는 듯 미간을 좁혔다.

"그 찻잔이 그렇게 좋나?"

"네!"

"……나보다?"

"네!!"

그 정도는 아니었지만 홧김에 고개를 끄덕였다. 당연히 아드리안은 신경도 안 쓸 줄 알았는데, 그게 아니었다.

"……."

아드리안의 표정이 싸늘하게 변했다. 나는 흠칫 몸을 떨며 찻잔을 필사적으로 사수했다.

"깨면…… 안 돼요."

"어째서?"

"그건—."

"그 자식이 준 거라서 그런 건가?"

"네?"

그 자식이라니? 무슨 소리를 하는 거지?

어리둥절하게 아드리안을 바라보자 그가 한숨을 쉬더니 나를 지나쳐 버렸다.

"밖에 나가지 말고, 안에서만 쉬어."

그러고는 뒤도 돌아보지 않고 침실을 나가 버렸다.

"화가 난 건가?"

아닌 것 같기도 하고…….

아드리안의 속마음이 알쏭달쏭해서 무슨 생각을 하고 있는지 당최 알 수가 없었다.

✦ ♛ ✦

네벨가의 저택. 가주의 집무실 문이 예고도 없이 벌컥 열렸다.

미카엘과 재상은 동시에 문가로 시선을 돌렸다.

"아버지이!"

가브리엘이 짜증을 가득 담아 울먹이며 재상에게 매달렸

다. 재상은 곤혹스러운 얼굴로 딸의 투정을 받아 주었다.

"왜 그러느냐, 가브리엘?"

"설마 몰라서 물어보는 건 아니시죠? 장인 위르겐 찻잔 말이에요, 11번째 찻잔!"

"아."

그제야 재상은 가브리엘이 이렇게 불퉁하게 화가 난 이유를 알 수 있었다.

가브리엘의 부탁으로 재상은 여러 점의 장인 위르겐의 작품을 소장 중이었다.

대부분은 이미 황후에게 진상한 지 오래. 마지막으로 찻잔이 하나 남았는데, 이번 납치 사건의 사과의 의미로 레이디 오비에도에게 보냈다.

성의 표시를 할 만큼 적당한 물건이 그것 외에는 없었기 때문이다.

"그건 어쩔 수 없었다는 걸 가브리엘 너도 알지 않니?"

"몰라요! 제가 그딴 걸 어떻게 알아요? 이번에 황후 폐하께 드리려던 건데, 그걸 아티엔느 양에게 주시면 어떡하냐고요!"

"아이고, 우리 딸이 화가 많이 났구나. 이 아빠가 더 좋은 걸 구해다 주―."

재상의 말이 끝나기도 전이었다.

줄곧 침묵을 지키고 있던 미카엘이 차갑게 식은 눈길로 가브리엘을 바라보았다.

"가브리엘. 아버지께 이 무슨 버릇없는 태도냐. 어서 사과드려라."

"제가 뭘요? 제가 뭘 잘못했는데요?!"

"그걸 내가 일일이 설명해야 할 정도로 네가 멍청한 줄 몰랐구나."

싸늘한 미카엘의 태도에 가브리엘이 그를 노려보았다.

"맞아. 오라버니가 찻잔을 전해 줬죠? 내 허락도 없이!"

여전히 예의라고는 잊은 태도에 미카엘의 표정이 더더욱 굳었다.

"가브리엘 플로라 네벨."

"흥. 왜요?"

"이번 일에 네 책임이 없다고는 할 수 없겠지. 애초에 네가 레이디 오비에도를 외진 곳으로 데려가지만 않았어도 그분께서 납치 사건에 휘말리는 일은 없었다."

"그게 왜 제 책임인가요? 제가 일부러 납치당하라고 데려간 것도 아니잖아요?"

"납치범들이 레이디 오비에도를 너라고 착각해서 데려간 것은?"

"그것도 납치범들이 잘못한 거죠!"

이번 사건에 대한 가브리엘의 생각은 한결같았다. 자신이 잘못한 점은 단 한 가지도 없다.

'역시 대화가 통하지 않는군.'

미카엘은 나직하게 한숨을 내쉬며 일어났다. 애초에 대화를 시도했다는 것 자체가 어리석은 일이었다.

"아버지. 저는 황성에 다녀오겠습니다."

"황성에는 왜?"

"릴리 궁에 가서 레이디 오비에도의 상태를 살펴보려 합니다. 다시 사과를 드려야 하고요."

"그, 그러거라."

가브리엘은 방을 나서는 오라버니의 뒷모습을 날카롭게 노려보았다.

'정말, 사사건건 시비야!'

다른 사람들에게는 한없이 상냥하고 다정하면서 자신에게는 엄격하게 구는 오라버니가 마음에 들지 않았다.

'그것도 아티엔느 양 일인데, 왜 저렇게 흥분해?'

분명 자신이 아티엔느를 싫어하는 걸 아는데도 신경 쓰는 오라버니가 이해가 되지 않았다.

자식들의 말다툼에 눈치를 보던 재상이 딸을 살살 얼렀다.

"사랑스러운 우리 딸. 너무 화내지 말고, 응?"

"아버지."

"응?"

"아버지께서 도와주셔야 할 일이 있어요."

갑자기 돌변한 가브리엘의 태도에 재상은 얼떨떨해하면서도 고개를 끄덕였다.

'다행히 찻잔 건은 넘어갔나 보군.'

아드리안은 심기가 불편했다. 거슬리는 게 한두 가지가

아니었다.

'에센 하나만으로 머리가 터질 것 같은데, 미카엘이라니.'

납치된 아티를 구해 낸 그날 밤, 에센과 눈이 마주친 아드리안은 비로소 확신했다.

에센이 아티를 바라보는 눈은, 자신이 아티를 바라보는 눈과 다를 바가 없었다.

"아닐 거라고 생각했는데."

어쩌면 그렇게 믿고 싶었던 걸지도 모른다.

어릴 때부터의 친구가 자신의 약혼녀를 마음에 품었다니, 마리에가 보는 로맨스 소설 속에나 등장할 법한 막장 이야기 아닌가.

아드리안은 기본적으로 자신의 울타리 안에 사람을 들이지 않는 성격이었다. 가족이라고 해도 예외가 아니었다.

스스로 그 선을 넘어왔다고 여기는 사람은 아무도 없었다.

'아티가 나타나기 전까진.'

아티는 아무렇지도 않게 아드리안의 울타리에 들어와 버렸다.

매일매일이 새로웠다. 아티를 보고 있노라면 시간 가는 줄 몰랐다.

아드리안은 처음으로 자신의 독점욕과 집착이 상상 이상이라는 것을 자각했다.

그 대상이 에센이어도 마찬가지였다.

아드리안은 아티를 지키지 못했다는 이유로 에센에게 근신을 명령해 릴리 궁에 출입할 수 없도록 했다.

"하."

안다. 스스로도 알고 있었다.

이게 얼마나 옹졸하고 이기적인 짓인지.

하지만 도무지 에센을 아티와 붙여 둘 수가 없었다. 머리가 터지도록 고민했지만 결론은 쉬이 나지 않았다.

아드리안은 문 앞에서 대기하고 있던 디아노의 어깨를 두어 번 두드렸다.

"디아노. 아티의 침실을 지켜라. 아무도 들여보내지 마. 마리에도."

"어디 가십니까? 저도—."

"안 돼. 테르니만 두기 불안하니까."

"아…….."

디아노의 짧은 탄식에는 깊은 긍정이 담겨 있었다.

아드리안은 곧장 에센이 근신하고 있는 기사단 내 개인실로 향했다.

'언제까지 미룰 순 없으니까.'

어쨌든 결판을 내야 할 문제였다.

모두 훈련을 나간 시간이라 기사단 숙소는 썰렁했다.

'큰 소리가 나도 문제없겠군.'

원만한 대화로 끝날 거라는 생각은 애초에 없었다. 아드리안은 노크도 없이 에센의 방문을 벌컥 열었다.

"올 줄 알았어."

이미 바깥의 기척을 느끼고 있던 에센은 그 정체가 아드리안이라는 것도 알고 있었다.

같이 지내 온 세월이 얼마인데, 발소리만 들어도 누구인지 알 정도였다.

아드리안의 붉은 눈동자가 에셴을 가만히 응시했다. 그에 에셴은 피하지 않고 시선을 마주했다.

먼저 침묵을 깬 것은 아드리안이었다.

"너. 아티 좋아하냐?"

물어본 그 순간 아드리안은 후회했다. 괜한 질문을 했다.

분명 에셴이 무슨 헛소리를 하냐고 자신을 추궁하며 지랄할 것 같아 먼저 시선을 피하며 어물쩍 질문을 얼버무렸다.

"아니면 말고."

"어. 좋아해."

"……."

예상치 못한 답에 아드리안은 할 말을 잃고 말았다.

'젠장. 이게 아닌데.'

이건 계획에 없었다. 아니, 애초에 계획이 뭐였지? 어째서 에셴을 찾아왔는지조차 기억나지 않았다.

에셴이 피식 웃으며 아드리안을 올려다보았다.

"왜? 나는 아티 좋아하면 안 되냐?"

"……그건."

마음으로는 안 되는데 머리로 생각해 보면 안 될 건 없었다. 아티를 좋아하든 말든 그건 에셴의 자유니까.

게다가 에셴은 아티가 가짜 약혼녀라는 사실을 알고 있는 최측근이었다.

'안 될 이유는 없지만, ……안 돼.'

어쨌든 안 된다. 아티를 좋아하는 건 오로지 그 자신뿐이 어야 했다.

이기적이라 해도 어쩔 수 없었다.

"안 돼."

"허, 참."

굳은 표정의 아드리안을 본 에센이 어이없다는 듯 웃으며 입을 열었다.

"우리가 아무리 뒤에서 이 지랄을 떨어도 결국 아티는 본인이 좋아하는 사람에게 갈걸?"

"그건 그렇지."

열 받는 것과 별개로 맞는 말이다.

'아니, 잠깐만. 아티가 나 말고 다른 사람을 좋아한다고?'

단지 상상을 했을 뿐인데 머리에 열이 확 몰렸다.

'어떤 자식인지 모르겠지만, 죽여 버려야겠군.'

아드리안은 인상을 잔뜩 쓴 채 에센을 날카롭게 응시했다.

"상관없어. 아티는 당연히 내 약혼녀니까."

"뭐래. 기한 한정이면서. 그래서 아티가 널 좋아한대?"

"……."

또다시 할 말이 없음에 아드리안은 입을 다물었다.

'아……. 젠장…….'

이 상황에서 당연히 그렇다고 말할 수 없다는 사실이 이렇게 분할 수가 없었다.

평소와 다름없이 재수 없기만 한 에센의 표정이 꼭 자신을 비웃는 것 같아서 기분이 더러웠다.

그리고 실제로도 비웃는 게 맞았다.

"아드리안 너 말이야."

"어."

"나한테 지랄하기 전에 네가 집중해야 할 상대가 누구인지나 먼저 생각해."

진지하게 충고한 에센은 아드리안을 지나쳐 방을 나갔다.

아드리안과 더 말을 섞고 싶은 기분이 아니었다. 실컷 쏘아붙였지만 이긴 기분이 아니었다.

왜냐하면 아티가 좋아하는 사람은 바로 아드리안이었으니까.

'아드리안 저 자식, 아티가 자길 좋아한다는 사실을 모르나 보군. ……분하니까 말 안 해 줘야지.'

그렇게 생각하니 아주 조금은 속이 시원해졌다.

주인 없는 방에 멀거니 서 있던 아드리안이 정신을 차린 건 몇 분 후였다.

"재수 없는 자식."

이렇게 맞는 말만 해서 사람 할 말 없게 만드는 것도 쉽지 않았다.

아드리안은 홧김에 에센을 좌천시켜 버릴까 하다가 그냥 참았다.

에센이 아티의 호위를 그만두게 되면 또 다른 놈이 호위를 맡게 될 텐데, 분명 아티를 보면 반할 것이다.

'그런 놈들을 옆에 두는 것보다야 차라리 에센을 두는 게 낫겠지.'

에센이 아티를 좋아한다는 게 여전히 마음에 들지 않지만 어쩔 수 있는 문제도 아니었다.

기사단을 나와 정처 없이 걷던 아드리안의 발길이 닿은 곳은 아티의 침실 문 앞이었다.

그가 문을 열기도 전에 먼저 문이 열렸다.

"어? ……아드리안?"

놀란 두 눈을 동그랗게 뜨는 아티의 모습이 토끼같이 귀여웠다.

'아니, 이게 아니지.'

아드리안은 아티를 가만히 바라보았다. 평소보다 가벼운 옷차림의 아티는 오늘도 역시 예뻤다.

살짝 발그레 달아오른 두 뺨도 그렇고, 살짝 쥐고 있는 주먹도 너무 사랑스럽……

'아니, 왜 이렇게 예쁘고 난리야?'

생각이 계속 다른 곳으로 튀었다. 아드리안은 정신을 다 잡았다.

물어봐야 했다. 나를 좋아하냐고. 너도 나와 같은 마음이냐고.

"너."

"네?"

"너……."

물어봐야 하는데 순진한 눈망울을 보고 있자니 입이 떨어지지 않았다.

"혹시 제가 뭘 잘못했나요……?"

심상치 않음을 느낀 아티의 표정이 어두워졌다. 아드리안은 황급히 입을 열었다.

"너, 너……. 밥 잘 먹고 다니고, 잠 잘 자고, 그리고……."

"네?"

"가끔 내 생각도 하고……."

아무 말이나 지껄이던 아드리안은 순간 자신이 한 말에 혀를 깨물 뻔했다.

'순 미친놈이잖아, 이거.'

갑자기 찾아와서는 헛소리나 늘어놓다니. 하지만 착한 아티는 싫어하는 기색 없이 그를 빤히 올려다보기만 했다.

"아냐, 아무것도."

"아, 그렇군요."

아드리안은 그대로 뒤돌아 걸었다. 그런 헛소리를 해 놓고 당장 아티를 마주 볼 자신이 없었다.

아티는 오늘따라 이상한 아드리안의 뒷모습을 보며 고개를 갸웃했다.

"가끔 내 생각도 하라니……."

'시도 때도 없이 하는데.'

다행히 속마음을 들킨 것 같지는 않았다.

✦ ♛ ✦

이제 몸이 괜찮아졌으니 방문을 허가해도 된다고 몇 번이나 말한 후에야 내 의견이 받아들여졌다.

단, 네벨가의 사람은 절대 방문을 허락하지 않는다는 조건하에.

첫 병문안 이후 마리에는 매일같이 릴리 궁에 출석했다. 오늘도 놀러 온 참이었다.

우리는 각자 늘어져서 마리에가 가져온 책들을 읽으면서 한가로운 시간을 보냈다.

"아무리 읽어도 에스티나만 한 책이 없어!"

막 신작 한 권을 완독한 마리에가 불평했다. 다시 에스티나를 집어 드는 마리에를 보며 나는 작게 웃었다.

"왜 웃어?"

"에스티나 엄청 좋아하는구나, 싶어서."

"그거야 당연하지. 에스티나야말로 이 시대를 풍미할 희대의 명작이라고. 됐고! 아티 너는 뭐 읽는데?"

내가 책 표지를 보여 주자 마리에의 두 눈이 과하게 반짝였다. 아직 초반부밖에 읽지 못해 내용을 다 파악하진 못했다.

"그거! 〈황태자의 마지막 고백〉이네. 재밌지? 맞아, 그것도 재미있었어."

역시 마리에는 로맨스 소설 마니아답게 제목만 봐도 내용을 다 꿰뚫고 있었다.

"그거 내용이 아마…… 황태자의 약혼녀가 도망가서 시녀가 대신 약혼녀 행세하는 거였는데."

"어?"

이거 어디서 많이 들어 본 이야긴데……?

"그런데 황태자가 대역 약혼녀한테 반해서 엄청나게 애

정 공세 퍼붓잖아. 완전 다정남!"

음, 아니군.

확실히 초반 설정이 내 상황과 유사해서 놀랐지만, 황태자가 다정남이라는 점에서 탈락이었다.

"볼 것도 없고 에스티나 4권이나 재주행 해야겠어."

"나는 그럼 이거 마저 읽을게."

"다 읽으면 감상평 들려줘!"

우리는 다시 각자 책 읽는 데 집중했다.

〈황태자의 마지막 고백〉의 내용은 마리에가 말해 준 것과 같았다.

역시 차이가 있다면 다짜고짜 협박당해서 황태자의 가짜 약혼녀가 된 나와 달리 주인공은 권유로 하게 된다는 것일까.

'그런데 외양 묘사는 왜 하필 똑같은 거야?'

하필 소설 속 주인공들 머리 색과 눈 색이 나와 아드리안의 색과 같았다.

그래서인지 안 그러려고 해도 남자 주인공의 얼굴이 아드리안으로 상상되었다.

'성격은 정반대지만.'

어느새 여자 주인공을 사랑하게 된 황태자는 계약 기간이 끝나기 전에 그녀를 사로잡기 위해 온갖 애정 공세를 펼친다.

'이제 제 역할은 끝났잖아요, 전하.'

'무슨 소리야. 내 마음은 끝나지 않았어. 내 곁을 떠나지

않기로 약속했잖아.'

'하지만……'

'사랑해.'

한창 흥미진진하게 황태자의 고백 장면을 보고 있을 때였다.

"어라, 아티. 얼굴이 왜 그렇게 빨개?"

"어, 어?!"

"설마 또 몸 안 좋아진 거 아니지?"

"아니야, 그냥 좀 더워서 그래."

나는 손부채질을 하며 마리에의 눈을 피했다. 상황이 나와 비슷해서 그런지 괜히 더 이입이 되었다.

"그래서. 어때? 재밌어?"

"응, 재밌네."

"그치. 솔직히 전 약혼녀가 도망가서 새로운 약혼녀를 구한다는 설정도 그렇고, 좀 현실성 없긴 한데 재미는 있어."

"아하하……."

그 현실성 없는 설정의 산증인이 바로 눈앞에 있단다, 마리에.

—3권에서 계속

황태자의 약혼녀 2

초판 인쇄 2022년 11월 8일
초판 발행 2022년 12월 15일

지은이 윤슬, 이흰
펴낸이 신현호
편집장 예숙영
편집 최은지
편집디자인 한방울
영업 김민원
물류 이순우 박찬수

펴낸곳 ㈜디앤씨미디어
출판등록 2002년 5월 1일 제117-90-51792호
주소 서울시 구로구 디지털로 26길 111 JnK디지털타워 503호
대표전화 (02)333-2513 팩스 (02)333-2514
전자우편 dncbooks@dncmedia.co.kr
디앤씨북스 블로그 http://blog.naver.com/dncbooks

ISBN 979-11-264-6264-3 (04810)
ISBN 979-11-264-6262-9 (세트)